LA CHASSE EST OUVERTE

Chrystine Brouillet

La chasse est ouverte

la courte échelle

Les éditions de la courte échelle inc.
160, rue Saint-Viateur Est, bureau 404
Montréal (Québec) H2T 1A8
www.courteechelle.com

Dépôt légal, 2e trimestre 2012
Bibliothèque nationale du Québec

La courte échelle reconnaît l'aide financière du gouvernement du Canada par l'entremise du Fonds du livre du Canada pour ses activités d'édition. La courte échelle est aussi inscrite au programme de subvention globale du Conseil des Arts du Canada et reçoit l'appui du gouvernement du Québec par l'intermédiaire de la SODEC.

La courte échelle bénéficie également du Programme de crédit d'impôt pour l'édition de livres — Gestion SODEC — du gouvernement du Québec.

Catalogage avant publication de Bibliothèque et Archives nationales du Québec et Bibliothèque et Archives Canada

Brouillet, Chrystine
La chasse est ouverte
ISBN 978-2-89651-621-6
I. Titre.

PS8553.R684C42 2012 C843'.54 C2012-940781-X
PS9553.R684C42 2012

Imprimé au Canada

Pour leur aide précieuse et amicale, l'auteure
tient à remercier Lucie Allard, Johanne Blais,
Hélène Derome, Lise Duquette, Jacques Gagné,
Manuel Kak'wa Kurtness, Gilles Langlois,
Elsa Launière, Liette Tremblay et Louis Vincent.

À François Julien,
formidable et fidèle complice

Chapitre 1

Charlesbourg, 20 octobre 1967

Francis Guérin était assis sur le bord du trottoir et grelottait, mais restait pourtant immobile dans la crainte d'entendre les cris de la meute. D'entendre ses bourreaux faire demi-tour et revenir vers lui pour le battre de nouveau. Il avait croisé les bras sur son maigre torse et se demandait ce qu'il dirait à sa mère en rentrant à la maison. Il ne fallait pas qu'elle retourne à l'école pour se plaindre des mauvais traitements qu'on faisait subir à son fils. Ce serait pire ensuite. De toute manière, sa maîtresse n'y pouvait rien. Ses tortionnaires n'étaient pas assez stupides pour le maltraiter dans la cour de l'école. Ils s'occupaient de lui sur le chemin du retour, quand il se rendait à l'arrêt d'autobus. Si Francis avait espéré au début que les autres élèves prendraient sa défense, il n'avait plus aucune illusion à ce sujet. Les élèves détournaient les yeux, les filles fixaient la pointe de leurs chaussures et les gars regardaient dans le vide pendant que les coups pleuvaient sur lui. Ils lui faisaient moins mal que les rires qui les accompagnaient, les insultes qui se répétaient, tapette-fif-tapette-fif-gros tas-tapette-fif-niaiseux.

Que leur avait-il fait pour mériter leur haine ? Cette question le hantait nuit et jour. Il se couchait en redoutant le lendemain, se levait avec des maux de ventre si intenses qu'il restait parfois à la maison à vomir et attendait la fin de semaine comme une délivrance. Il était toujours déçu ; aucun sentiment de sécurité ne l'habitait après la sonnerie de la cloche, quand tous les élèves s'éparpillaient pour rentrer chez eux. Il savait bien que ses bourreaux ne le toucheraient pas ce jour-là, pressés par la partie de hockey qu'ils disputeraient à dix-sept heures, mais l'angoisse ne le quittait pas, trop puissamment installée dans tout son être, tendant chaque nerf, oppressant chaque neurone, vrillant ses pensées qui convergeaient vers une seule solution : disparaître.

***

Québec, 18 juillet 2011

Maud Graham regardait les fougères agitées par le vent au fond de la cour en flattant la tête de Léo qui s'était blotti contre elle. Elle avait été tentée de déplacer le chat, car la chaleur de sa fourrure contre sa cuisse l'incommodait un peu en cette journée où le taux d'humidité était accablant, mais elle s'était ravisée ; combien d'étés avait-elle encore à partager avec le vieux Léo ? L'arthrite le faisait maintenant boiter, il avait moins d'appétit et dormait, en admettant que ce soit possible, encore davantage. Elle s'étira pour atteindre le verre de thé glacé et savoura la fraîcheur du Xiao Zhong ; depuis qu'on lui avait appris à infuser les feuilles avec de l'eau froide, elle redécouvrait avec bonheur tous ces thés qu'elle aimait tant l'hiver. Elle se pencha ensuite sur le quotidien étalé sur la table du jardin et parcourut les grands titres rapidement. Le Festival d'été s'était terminé la veille, il n'y avait pas eu de problèmes majeurs et elle s'en réjouissait. Elle n'avait jamais aimé les foules et s'était carrément mise à les redouter quand elle avait commencé à travailler au sein de la police. Un individu seul peut commettre des bêtises, évidemment, mais l'homme en meute est encore plus veule. Alors une foule… Elle n'avait pas oublié l'émeute de 1997 où des bandes avaient tout saccagé au carré d'Youville. Tant de colère stupide l'avait écœurée. Elle ne comprendrait jamais ce désir de tout casser, ce plaisir qui s'alimentait dans la destruction.

Elle s'apprêtait à lire un reportage sur les maraîchers du marché du Vieux-Port lorsqu'elle entendit la porte de la cuisine grincer. Elle sourit à Alain qui venait vers elle.

— Tu te lèves tôt ?

— Toi aussi.

— Mais tu es encore en vacances, tu aurais pu dormir.

— C'est si rare que je sois ici la semaine, j'en profite. Pour une fois qu'on peut déjeuner ensemble. Je pourrais faire une omelette avec du chèvre et…

— Je t'arrête tout de suite ! J'ai grossi d'un kilo et demi durant les vacances. Pas question que ça continue. Je me contenterai d'un bol de céréales. De toute façon, la chaleur me coupe l'appétit. Je ne peux pas croire que ça va durer jusqu'à vendredi !

— Ça te fait une raison de plus pour râler, la taquina Alain.

— Est-ce que tu insinues que je me plains pour rien ? C'est toi, hier, qui…

La sonnerie du téléphone dans la cuisine l'interrompit. Elle échangea un regard anxieux avec Alain ; quand on l'appelait à une heure aussi matinale, ce n'était jamais bon signe.

— C'est peut-être Grégoire qui se trompe dans le décalage horaire, avança Alain. Pour lui, il est midi à Barcelone.

Maud montait déjà les trois marches du perron et Alain la suivit en espérant sans y croire que c'était une bête erreur de numéro. Mais à l'expression stupéfaite de sa compagne, il comprit aussitôt qu'on lui avait téléphoné parce qu'une situation d'urgence l'exigeait. Après quelques questions, Maud Graham reposa le téléphone d'un geste sec.

— C'est la merde. C'est ma deuxième journée de retour au bureau et il faut que Bernard Saucier se fasse tirer.

— Quoi ? Bernard Saucier ? Êtes-vous sûrs que c'est lui ?

— On ne peut pas se tromper sur son identité. Quand on l'a vu une fois, on ne le confond pas avec quelqu'un d'autre.

Bernard Saucier était une figure connue des Québécois. L'année précédente, l'homme d'affaires multimillionnaire avait manifesté son désaccord avec un dirigeant syndical et, tout récemment, il s'était heurté à l'opposition des militants du mouvement vert Grandir qui espéraient l'empêcher de construire un complexe hôtelier le long d'une rivière. Graham l'avait entendu défendre ses idées à quelques reprises dans les médias sans parvenir à saisir les motivations du personnage. Une chose cependant l'avait frappée : l'homme était un orateur-né et elle s'était étonnée qu'il ait fait carrière dans les affaires plutôt qu'en politique où son charisme lui aurait sûrement rallié des partisans. Certaines femmes affirmaient que c'était un homme séduisant, grand, costaud, mais Graham ne trouvait aucun charme à ce large front, ce nez trop fort, ces lèvres trop pleines. Ses nombreuses conquêtes féminines devaient être dues à son pouvoir, à sa fortune. Il se tenait si droit qu'il donnait l'impression de pencher vers l'arrière ; il lui faisait penser à un consul romain regardant avec arrogance, du haut de sa loge, le peuple massé dans les gradins des arènes.

Cette fois-ci, celui qui ordonnait les jeux avait été mis à mort.

— Quels jeux ? dit-elle à haute voix.

— Des jeux ?

— J'ai toujours trouvé que Saucier avait un côté Jules César s'adressant à la plèbe… Il y a d'ailleurs un journaliste qui l'a surnommé l'Empereur.

— Qu'est-ce qui s'est passé ? reprit Alain Gagnon.

— Une balle en plein cœur. On vient de découvrir son corps à Loretteville. Notre patron, Gagné, ne rentre pas avant après-demain du camping. Saucier a bien choisi sa journée pour mourir !

— Je t'accompagne.

— Tu es en vacances…

— Qui est déjà sur place ?

— McEwen et Nguyen, le petit nouveau. Je lui ai demandé d'appeler Brisebois.

— Je m'entends bien avec Brisebois.

— Tu t'entends bien avec tout le monde. Contrairement à moi. Mais j'aime bien Brisebois, il ne parle pas pour ne rien dire.

Alain hocha la tête ; le coroner était un homme concis.

— D'après ce qu'a dit McEwen, fit Graham, c'est clair et net. Une balle en plein cœur. Mais on a toujours des surprises.

Dix minutes plus tard, ils roulaient vers Loretteville où habitait Saucier. Dans la voiture, Graham téléphona à Provencher. Saucier avait été abattu dans sa juridiction, mais elle tenait à en informer Pierre-Ange Provencher, de la Sûreté du Québec, pressentant que l'enquête sur le meurtre de Saucier pouvait exiger des recherches bien au-delà des limites de la ville. Il lui offrit aussitôt de la rejoindre sur les lieux.

— Merci, il nous manque Rouaix et Joubert. Quant à Gagné, il est en pleine forêt !

— Ce qui veut dire que tu dois prendre sa place ? devina Provencher.

— S'il ne rentre pas comme prévu après-demain soir, c'est Rouaix qui devra se charger des opérations à son retour de Paris. Il devrait arriver demain.

— Et toi, tu resteras sur le terrain ?

— C'est ça. Sur le terrain. On se retrouve là-bas ?

Ils roulaient déjà dans le rang Saint-Jacques quand Graham se souvint que Saucier avait divorcé quelques mois plus tôt.

— Son troisième, précisa Alain Gagnon. Mais il était assez riche pour se permettre de payer toutes ces pensions. Et l'éducation de tous ses enfants. J'espère que ce n'est pas l'un d'eux qui a découvert le corps.

— Non, non. C'est un voisin qui cherchait son chat. Il s'est rendu jusque chez Saucier. C'est tout ce que m'a rapporté McEwen.

— Les journalistes ?

— Pour l'instant, c'est tranquille. Ça ne durera pas. Tourne à gauche, c'est un peu plus loin.

On leur fit signe de s'arrêter alors qu'ils approchaient du périmètre de sécurité que dressaient les patrouilleurs. L'un d'entre eux reconnut Maud Graham et lui sourit.

— Les vacances sont finies ?

— J'en ai bien peur…

Alain et Maud sortirent de la voiture ensemble, ils s'avancèrent vers Tiffany McEwen qui leur désigna le corps de Bernard Saucier à quelques mètres derrière elle. Une ambulance était déjà sur les lieux ; les employés saluèrent Graham d'un signe de la tête. Ils avaient compris qu'ils ne retourneraient pas à l'hôpital avec le corps.

— Brisebois n'est pas encore arrivé, dit McEwen. Il habite à Sainte-Anne-de-Beaupré.

— Le témoin ? s'enquit Graham en levant le menton en direction de la voiture de Tiffany McEwen ; elle distinguait une ombre dans le véhicule.

— M. Gosselin nous a appelés de chez lui, mais j'ai insisté pour le ramener ici avec nous. Pour qu'il ne soit pas tenté de parler avec trop de monde. Il a cependant pu faire des appels entre le moment où il nous a téléphoné et celui où on est arrivés.

— Je le verrai tantôt.

Maud Graham et Alain Gagnon revêtirent la tenue réglementaire avant d'enfiler les gants et de s'approcher du cadavre.

Bernard Saucier semblait encore plus grand, allongé sur le sol, et Graham songea à un chêne terrassé par la foudre. Elle crut lire de la surprise dans les yeux qui fixaient le ciel de cette fin d'été. Ce ciel témoin de sa propre fin. Elle aurait aimé que la légende urbaine voulant que l'image de l'assassin s'imprime sur la rétine soit vraie ; que de temps elle gagnerait à chaque enquête ! Une tache sombre au niveau du cœur se découpait sur le blanc de la chemise et Graham se souvint que l'homme ne portait que des chemises blanches. Jamais de couleurs pâles ni de rayures, de motifs. Du blanc, point. À la télévision, elle l'avait vu un jour relever ses manches, montrant ses avant-bras musclés, et s'était alors dit qu'il donnait l'impression de vouloir affronter ses ennemis au bras de fer. Et qu'il était sûr de gagner l'épreuve. Mais, en se penchant sur le corps, elle distingua un tatouage juste au-dessus du coude qui n'était pas visible sur les écrans. Il s'agissait d'une tête d'aigle.

Aimait-il les méthodes de chasse de l'oiseau de proie, fondant sur ses victimes à la vitesse de l'éclair ? L'avait-il lui-même imité pour parvenir à ces sommets dans sa carrière ?

L'espace d'une seconde, Graham se demanda ce qu'elle choisirait si elle devait arborer un tatouage, puis une fine ligne brune dépassant de la poche de la chemise attira son attention. Elle se pencha davantage, crut voir le bout d'une plume brune.

Elle se tourna vers McEwen ; les spécialistes en scène de crime ne devaient pas oublier de prendre un agrandissement de cette plume qui ourlait la poche de la chemise.

— Tu sais bien que tu n'as pas besoin de leur dire quoi faire, la rassura Alain qui sentait la nervosité toute légitime de Maud ; elle était parfaitement consciente de la responsabilité qui pesait sur ses épaules.

— Je pense que Saucier n'avait aucune chance à cette distance, dit Andy Nguyen.

— Un mètre et demi tout au plus, compléta Alain. La dispersion de la poudre doit faire une vingtaine de centimètres.

Alain Gagnon s'accroupit près du corps, désigna les brûlures occasionnées par les grains de poudre incandescents qui s'étaient incrustés dans le tissu de la chemise. Il scruta ensuite les mains, le cou. Il n'y vit aucune marque, aucune égratignure qui aurait pu indiquer que Saucier s'était battu contre son meurtrier. Les ongles étaient assez longs pour qu'il puisse y avoir des résidus de chair si Saucier s'était défendu, mais il n'y avait même pas de traces de terre sous les ongles, juste un peu sur les mains qui reposaient sur le sol. Le sang qui s'était écoulé de la blessure avait goutté sur la chemise du côté gauche, vers la terre.

— Il semble être mort sur le coup. Si son cœur avait continué à pomper, il y aurait beaucoup plus de sang sur le devant de la plaie. Il est tombé par-derrière et c'était fini. Je verrai à l'autopsie, mais, même si c'est rare, il est possible qu'il ait reçu la décharge en plein centre du cœur. Quand une balle touche le septum, c'est l'arrêt automatique du cœur, il y a peu d'écoulement. Comme c'est le cas aujourd'hui…

— On cherche la douille, fit McEwen, mais…

— Peut-être que je trouverai la balle dans le corps, souhaita Alain.

— Le meurtrier a réussi à le faire sortir de la maison en pleine nuit. Comment a-t-il pu l'attirer à l'extérieur ?

— En tout cas, il n'apparaît pas sur les bandes vidéo des caméras, déplora Nguyen.

— Elles ne fonctionnaient pas quand nous sommes arrivés, déclara Tiffany McEwen. Soit Saucier n'a pas activé le système avant de se coucher, soit quelqu'un l'a débranché.

Graham se redressa après avoir constaté que Saucier portait toujours une alliance, malgré son récent divorce. Elle soupira, se rappelant aussi que Saucier avait six enfants, que le dernier n'avait que quatre ans. Elle devrait interroger rapidement tous les membres de la famille, comprendre leurs liens. Enquêterait-elle sur un drame familial ou trouverait-elle l'assassin parmi les détracteurs de Bernard Saucier ? Que de gens à rencontrer…

— Il faut appeler la famille. Ses ex. S'assurer que ses enfants seront bien entourés. Je ne veux pas qu'ils apprennent la nouvelle par les médias.

— La centrale m'a transmis les coordonnées des ex-épouses. Veux-tu que je m'en charge ? proposa McEwen.

Graham acquiesça ; si Saucier avait été encore marié, elle aurait elle-même prévenu l'épouse. Les enfants et les parents de Saucier seraient probablement les plus attristés par son décès. Mais peut-être que non.

— Il y avait autant de gens qui l'admiraient que de gens qui le détestaient, dit Tiffany comme si elle avait lu dans ses pensées. On n'est pas au bout de nos peines.

Elle souriait toutefois, ne pouvant cacher son intérêt pour une affaire complexe. Graham faillit lui faire remarquer que ce ne serait pas une partie de plaisir, mais elle se revit, à cet âge, si fougueuse, si impatiente de participer à ce genre d'enquête, et elle se contenta d'observer les traces laissées près du corps sans grand espoir : des pas sur la pelouse restaient imprécis. Il fallait espérer que le criminel avait marché dans l'allée qui menait au garage. On relèverait les empreintes et on les comparerait à celles de Saucier, puis à celles de tous les hommes qui avaient pu lui rendre visite récemment.

— Il y en a un paquet, rapporta Nguyen.

— La victime avait eu de la visite hier soir, si j'en juge par ce que j'ai vu à l'intérieur.

Et s'il y avait eu un incident durant le party et qu'un des invités soit revenu pour dire son fait à Saucier ? suggéra McEwen.

— Tout est possible, soupira Graham en se dirigeant vers la maison.

La porte de l'entrée principale était entrouverte et elle put voir des verres vides sur les tables du salon.

— Il y a des assiettes dans l'évier de la cuisine, dit McEwen. Rien dans le lave-vaisselle. J'imagine qu'une femme de ménage devait venir ranger tout ça aujourd'hui.

— Elle va avoir un choc en arrivant ici. Appelle les ex, informe-toi au sujet des enfants. Que tout soit fait pour les protéger des journalistes.

Graham compta les assiettes empilées dans l'évier, les souleva du bout de ses doigts gantés pour tenter de savoir si les douze assiettes avaient contenu les mêmes aliments. Elle espérait qu'il s'agissait de deux services, un pour l'entrée et l'autre pour le plat principal, ce qui réduirait les convives au nombre de six. Mais les douze assiettes maculées de traces de wasabi, de sauce soya et de grains de riz collés permettaient de conclure que Saucier avait commandé des sushis pour ses douze invités. On trouverait sans doute les emballages dans le grand sac poubelle qu'elle avait remarqué contre la porte extérieure de la cuisine. Elle compta les bouteilles vides et siffla ; les invités ne s'étaient pas ennuyés... il y avait cinq bouteilles de blanc, trois de champagne, quatre de rosé, huit de rouge. Qui les avait bues ? Était-ce pour une occasion spéciale ?

— Du rouge avec des sushis, commenta Alain Gagnon. Drôle d'idée... Saucier doit pourtant avoir une cave intéressante, si j'en juge par les étiquettes. Du Bandol, des Puligny-Montrachet, des meursaults, des pomerols, des têtes de cuvée en champagne, du Cristal, du Winston Churchill ! Et regarde les bordeaux ! Et les années ! Il y a juste quatre rieslings et un gewurztraminer. Cinq accords classiques sur la vingtaine de bouteilles...

— Je crois plutôt que ses invités se sont forcés pour l'impressionner en achetant des bouteilles chères ou qu'ils ne connaissaient pas le menu. Ou le vin. Beaucoup de gens espéraient être dans les petits papiers de Saucier. Il était sûrement très courtisé.

Un patrouilleur les avertit qu'un camion au logo d'une station de télévision venait d'être intercepté à cent mètres des lieux du crime.

— Déjà ? fit Graham.

Elle sortit de la maison en maugréant ; elle n'avait même pas eu le temps de faire le tour du propriétaire. Elle regretta que son collègue Joubert soit à l'étranger ; elle lui aurait laissé le soin de s'adresser aux journalistes.

Il était beaucoup plus patient qu'elle. Elle hésita, tentée une seconde d'envoyer McEwen vers eux, mais c'était elle la responsable de tout en l'absence de Jean-Jacques Gagné. Elle avait tenté de le joindre après avoir prévenu Provencher, mais elle avait dû se contenter de laisser un message. Elle espérait qu'il vérifierait s'il avait eu des appels lorsqu'il regagnerait la civilisation, durant le trajet de retour des monts Adirondacks.

Elle entendit coulisser la porte de la camionnette du caméraman, reconnut le journaliste qui descendait du véhicule, s'efforça de sourire à Pascal Poudrette. Ça aurait pu être pire, elle aurait pu tomber sur Marchessault qui lui donnait toujours l'impression d'enquêter pour le Pulitzer. Elle préférait la sobriété des reportages de Poudrette.

— C'est vrai ? demanda-t-il. Saucier est mort ? Qu'est-ce qui s'est passé ?

— Tout ce que je peux vous confirmer, c'est que M. Saucier a été découvert inanimé sur sa propriété et que ce n'est pas un suicide.

— Quand est-ce arrivé ? Les spécialistes en scène de crime sont là !

— Je ne peux rien ajouter de plus.

— C'est vrai qu'on a tiré sur lui ?

Graham se retint de jurer ; qui avait trop parlé ? Qui avait informé le journaliste ?

— La famille n'est pas encore au courant de sa mort. Laissez-nous un peu de temps. Je vous reparlerai plus tard. Il y aura une conférence de presse.

— On a besoin de quelque chose pour le bulletin de nouvelles. Saucier est vraiment mort ?

Poudrette semblait incrédule. Imaginait-on plus facilement le décès d'un pauvre anonyme ? Graham aussi s'était étonnée de cette mort, alors que bien d'autres crimes l'avaient peu surprise. Les médias conféraient-ils un statut de demi-dieu à ces hommes de pouvoir? Elle se rappela les confidences d'Alain : quand une personnalité publique décédait, il couvrait toujours son visage au moment de l'autopsie pour ne pas être distrait, pour oublier sur quel corps il travaillait et mieux se concentrer.

Poudrette s'avança comme s'il avait l'intention de franchir le périmètre de sécurité, mais s'arrêta à un mètre de Maud Graham. Il savait jusqu'où il avait le droit de s'imposer sur une scène de crime. Les enquêteurs et les spécialistes de l'identité judiciaire évoluaient dans un cercle autour de la victime qui était interdit aux reporters, mais ces derniers étaient autorisés à rester à la limite de ce périmètre, se tenant prêts à enregistrer le moindre commentaire des enquêteurs. Eux-mêmes habitaient une zone à laquelle les curieux n'avaient pas accès ; monsieur et madame Tout-le-monde devaient se contenter du dernier cercle, celui où on répétait mal ce qu'on venait d'entendre, le cercle des rumeurs, des stupeurs, des frissons. Il y aurait sans doute foule dans ce cercle aujourd'hui, quand les gens apprendraient la mort de l'empereur Saucier. Alain avait parlé à Maud des neuf cercles de l'Enfer de la *Divine Comédie* et elle y avait songé tantôt en marchant vers la victime, visualisant les frontières à traverser pour accéder au corps. Et à la vérité.

Elle redit à Poudrette qu'elle livrerait des informations dès qu'elle se serait entretenue avec la famille et le coroner. Elle s'éloigna après avoir rappelé aux patrouilleurs de ne laisser passer personne.

Elle retourna vers la victime, la regarda attentivement comme si elle craignait qu'on la couvre bientôt, pour graver ses premières impressions dans sa mémoire. Elle lisait toujours une expression d'étonnement sur le visage de Saucier. Était-il surpris de mourir ou d'être abattu par quelqu'un qu'il connaissait ? Stupéfait ou trahi ?

— On fait des listes, dit-elle à Andy Nguyen. La famille, les amis, les employés, ceux qui l'ont attaqué dans les médias, les invités d'hier. On fouille la maison. On fouille dans son ordinateur. Il faut qu'on sache sur quels marchés il travaillait en ce moment, quels domaines il explorait. A-t-il gêné quelqu'un ? Quand ? Comment ? Pourquoi ? Qui sont ses partenaires ? A-t-il trempé dans des trucs pas catholiques ? Des possibilités de fraude, tout ce qui te vient en tête. On comparera nos listes en arrivant au poste. Tu appelles tous les gars qui sont disponibles même s'ils sont en congé. On va avoir besoin de vraiment tout le monde.

— Francœur et Beaudoin viennent nous rejoindre pour les enquêtes de proximité.

— Parfait ! Ah… Voilà Brisebois.

Le coroner avait boutonné sa chemise mais n'avait pas pris le temps de nouer sa cravate. Il semblait à moitié éveillé pour quiconque ne l'aurait pas connu, mais Graham savait que les yeux noirs, sous les lourdes paupières, agissaient comme des rayons X. Brisebois les salua en enfilant la combinaison, puis s'approcha du corps de Saucier tout en interrogeant Alain Gagnon.

— Je pensais que tu étais à Montréal.

— En principe, je suis en congé, mais je sens que je retournerai au laboratoire plus tôt que prévu…

— Qu'est-ce que tu en penses ?

— À première vue, la cause de la mort est la blessure au cœur. Abattu sur place. Sauf qu'on a parfois des surprises…

Brisebois s'agenouilla et examina la victime tandis qu'on entendait le va-et-vient des spécialistes en scène de crime. Dans quelques heures, toute la scène aurait été photographiée, des indices prélevés, répertoriés. Et peut-être qu'une douille en ferait partie.

— Tu pratiqueras l'autopsie ?

— Oui, je devrais travailler avec Maltais, répondit Alain Gagnon.

— Saucier avait des détracteurs, commenta Brisebois, mais ça me surprend quand même qu'on l'ait tué. Je ne sais pas pourquoi ça m'étonne.

Il resta un long moment à scruter les moindres détails tandis que les flashs du photographe se succédaient dans une cadence bien réglée. L'été présentait un avantage : offrir une meilleure lumière pour les images. Graham avait des souvenirs de corps découverts dans les matins noirs de l'hiver, d'échafaudages dressés pour éclairer les scènes de crime. Là, en plein soleil, tout était plus facile. Ce serait peut-être la seule chance qu'elle aurait dans toute cette enquête. Bernard Saucier ! Abattu en plein mois de juillet. Elle s'efforça de respirer lentement, puis sourit en entendant la portière d'un véhicule claquer : Provencher les rejoignait.

— Qu'est-ce qui s'est passé ? dit-il en s'approchant à son tour du corps. Qu'est-ce que vous savez ?

— Pas grand-chose pour l'instant, admit Graham.

— Je devrais trouver de l'alcool dans le sang, avança Alain Gagnon. Il y a eu une soirée ici, hier. Peut-être qu'il y aura autre chose.

— Une soirée ? fit Provencher. Quel genre ?

— Un souper, une douzaine de personnes, dit Maud Graham. C'est le festival des empreintes… On parle au témoin ?

Provencher et elle se tournèrent vers McEwen qui revenait vers eux. Avait-elle pu joindre les proches de la victime ?

— Presque tous. Les parents de Saucier sont décédés depuis longtemps. J'ai parlé aux ex-épouses, deux habitent dans la région. J'ai joint la troisième à New York. Franchement, elles m'ont paru estomaquées. Je me suis excusée de les appeler au lieu de me présenter en personne, mais on n'a pas le choix avec quelqu'un d'aussi connu que Saucier.

— Non, dans moins d'une heure, tous les médias annonceront sa mort.

— Si ce n'est pas déjà fait sur Facebook et Twitter.

— Il faut faire l'autopsie au plus vite, dit Brisebois.

— J'en suis bien conscient, répondit Gagnon. Les vacances sont vraiment finies.

— Tu peux laisser Maltais s'en charger avec Dorion, fit Graham.

— Non, Dorion est en congé de maladie. Et notre petit nouveau… est nouveau. Saucier, c'est trop gros. Je ne peux rien faire de plus ici. Je ramasse quelques affaires à la maison et je pars ensuite pour Montréal. Je serai là quand le corps de Saucier arrivera au laboratoire. Et peut-être que vous récupérerez bientôt la douille…

Maud Graham raccompagna Alain jusqu'à sa voiture, se pencha à la fenêtre, hésita une seconde, puis effleura ses lèvres d'un baiser; tant pis si les patrouilleurs remarquaient son geste. C'était inusité en ces lieux mais, chaque fois qu'Alain quittait Québec, elle avait peur qu'il ne revienne jamais. C'était absurde, mais c'était ainsi.

— Peut-être que je pourrai revenir après l'autopsie.

— C'est toujours plus long qu'on pense. Et dans ce cas-ci…

— Ce n'est pas parce que c'est une personnalité publique que ce sera plus compliqué. Si on confirme qu'il est bien mort de cette balle qu'il a reçue en plein cœur…

— Si vous trouvez des traces de drogue. Ou autre chose?

— Attends avant d'imaginer tout un scénario. Tu as amplement à faire avec tous ces gens à interroger. Tous ces militants qui lui en voulaient… Sans compter la famille.

— Appelle-moi en arrivant.

Elle esquissa un geste de la main tandis qu'il franchissait le périmètre de sécurité et elle songea qu'elle tenterait de rencontrer les membres de la famille habitant la région de Québec dans la matinée, après s'être arrêtée au poste pour donner ses directives. Une des ex-femmes de Saucier ne vivait pas très loin de chez lui. Quelles étaient aujourd'hui leurs relations ? Demeuraient-ils à si peu de distance l'un de l'autre pour faciliter la vie de leurs enfants ?

Les spécialistes en scène de crime poursuivaient leurs investigations auprès de la victime et, comme chaque fois, Graham avait l'impression d'assister à une chorégraphie bien réglée. Combien de photos avaient été prises au cours des dernières minutes ? Combien d'empreintes seraient relevées dans les heures prochaines ?

— Quand ils en auront fini, dit Brisebois, on envoie le corps directement à Montréal. Je m'y rendrai aussi pour m'assurer de la parfaite coordination des services. Il faut qu'on soit certains que tout a été fait dans les règles. Plus que jamais.

Graham acquiesça ; Brisebois aurait à témoigner de la procédure qui avait été suivie à partir de l'instant où on avait découvert le corps jusqu'au moment où on l'avait déposé sur une table d'autopsie. Il devrait savoir qui s'était approché de la victime, quand et pourquoi. Justifier chaque intervention, chaque présence auprès de Saucier.

— Ce n'est pas le premier ministre, mais il n'en est pas loin…

— Et bien plus riche, compléta Graham. Ça complique tout, autant d'argent.

Elle retourna vers la maison, fit le tour de chaque pièce avec Provencher, s'efforçant de se pénétrer de l'esprit des lieux. Saucier avait-il choisi lui-même ces deux gouaches de Riopelle ? Ces meubles trop modernes pour être confortables ? Ce tapis turc qui devait valoir une fortune ? Alain avait un kilim d'à peine un mètre sur un mètre trente qu'il avait acheté dix ans plus tôt à Istanbul, et son prix l'avait étonnée quand il s'était vanté d'avoir fait une bonne affaire. Le kilim de la chambre à coucher de Bernard Saucier était beaucoup plus grand. Comme tout le reste : lit énorme, larges fauteuils, immenses miroirs, hauts plafonds, armoires profondes, grands garde-robes. Et aucun bibelot. La femme de ménage devait apprécier ces surfaces dégagées. Seules les photos accrochées au mur de la chambre du maître conféraient une touche plus personnelle aux lieux. Graham examina longuement chacune d'entre elles pour mémoriser les visages des enfants de Saucier. Une fille et un garçon lui ressemblaient, mêmes traits durs, même bouche lippue, alors que les autres présentaient des traits beaucoup plus délicats. Ils étaient tous blonds, tandis que ceux qui tenaient de Saucier avaient aussi hérité de sa chevelure châtain clair. Les cheveux de Saucier étaient gris, aujourd'hui. Et ne deviendraient jamais blancs.

Le soleil était maintenant haut dans le ciel et jetait sur les combinaisons des techniciens et des policiers des éclats qui blessaient les yeux de Maud Graham. Elle se maudit d'avoir laissé ses lunettes noires dans la voiture d'Alain. Avait-il déjà traversé le pont Pierre-Laporte ? Il ne se plaignait jamais de ces allers-retours de la métropole à la capitale, mais Graham se sentait toujours un peu coupable de ne pas le rejoindre plus souvent à

Montréal. La scolarité de Maxime justifiait qu'ils habitent à Québec et qu'Alain les retrouve les fins de semaine, mais serait-ce différent le jour où Max quitterait la maison ? Aurait-elle encore autant de mal à s'éloigner de Québec ? Elle avait toujours l'impression qu'une catastrophe arriverait dans sa ville si elle n'y était pas pour la protéger. Comme elle était orgueilleuse. Et paranoïaque. Et compliquée. Qu'est-ce qu'Alain aimait en elle ?

Elle revint vers la cuisine, sortit par la porte arrière qui donnait sur un vaste terrain. Clôturé, évidemment. Des hommes le quadrillaient à la recherche d'indices. On avait déjà récolté les mégots des deux cendriers posés sur les tables en fer forgé du patio. Les invités avaient bu leur apéro dehors. La forme ronde de leurs verres avait laissé des traces et il y avait des miettes de chips, de pois verts épicés, de noix sur la grande table de verre ovale. Elle était si longue que Graham songea que Saucier devait être obligé de faire coudre des nappes sur mesure.

Sur mesure. Démesure. L'Empereur Saucier.

Elle retourna à la cuisine où était resté Provencher, nota les coordonnées du traiteur japonais inscrites sur les boîtes vides récupérées dans le bac de recyclage ; elle vérifierait qui avait passé la commande et pour combien de personnes dès que le commerce ouvrirait ses portes. Elle rentrerait chez elle avec un patrouilleur pour récupérer sa voiture, s'arrêterait au poste pour faire le point et irait rencontrer Marjorie Pelletier qui vivait à Neufchâtel. Elle verrait ensuite Lily Mignot à l'île d'Orléans. Et joindrait plus tard la New-Yorkaise dont elle avait oublié le nom. Elle jeta un coup d'œil à son carnet : Francesca Tozi. Ah oui, la numéro 1.

— Il devait y avoir des candidates pour être la prochaine épouse, dit-elle à McEwen. Avec qui a-t-on vu Bernard Saucier récemment ?

— Moi, je n'en aurais pas voulu, déclara Tiffany. Je n'étais pas d'accord avec ses idées. Je n'étais pas la seule…

— De là à le tuer ? Je n'imagine pas un militant assassiner Saucier parce qu'il n'appuyait pas les écolos.

— C'était quand même plus que ça ! Ses millions auraient pu être consacrés à l'énergie verte. Il a fait croire aux écolos qu'il était de leur bord. Il a été le premier à acheter une voiture électrique, puis il a changé de cap.

— Je conçois que des gens ont pu être frustrés, dit Provencher, mais vous savez comme moi que les assassins sont la plupart du temps des proches des victimes. On doit s'intéresser de près à la famille et à l'héritage. Qui a besoin d'argent actuellement ? Est-ce que ses ex avaient des projets à réaliser qui nécessitaient une mise de fonds importante ? Ses aînés ? Tu m'as dit que le plus vieux avait vingt-cinq ans.

— Oui, et la fille aînée a vingt-quatre ans, compléta Andy Nguyen. Je me demande quel genre de père il était.

— En tout cas, avoir des enfants n'a pas freiné son ascension. Est-ce qu'il s'est occupé d'eux ou ont-ils été élevés par les mères ? Quels étaient leurs rapports ? Dans quelles conditions Saucier s'est-il séparé de ses trois femmes ? Les enfants en ont-ils voulu à leur père ?

— Au point de le tuer ? avança McEwen. Ça s'est déjà vu.

— Les familles ont toutes leurs tensions, leurs secrets. À nous d'évaluer le rôle de chacun. Je rentre au poste, puis je vais les interroger.

— Un autre journaliste est arrivé…

Graham soupira, hocha la tête, consciente qu'elle ne pouvait pas retenir les informations très longtemps. Elle rejoignit Brisebois, s'accorda avec lui pour ne rien révéler à la presse pour le moment et se dirigea vers les voitures des patrouilleurs qui délimitaient le périmètre de sécurité. Pascal Poudrette n'avait pas bougé de là et il lui sourit quand elle se dirigea vers lui et Fabien Fortier, qui tendait déjà un micro vers elle. Elle regretta encore de ne pas avoir ses lunettes, se dit que le soleil la ferait grimacer. Elle se lissa les cheveux.

— C'est vrai qu'il a été tué par balle ?

— Je ne peux toujours rien vous révéler maintenant.

— Une balle ? Des balles ? À quand remonte la mort ?

— À cette nuit. C'est tout ce qu'on sait pour l'instant.

— A-t-il été abattu sur place ? insista Fortier.

— Je vous rappelle que la famille n'a pas encore été prévenue.

— Avez-vous des indices ?

— Pas à ce stade-ci de l'enquête.

— Une ou plusieurs balles ? reprit Poudrette. Qu'en pense le coroner ? Et le Dr Gagnon ? C'est lui qui fera l'autopsie ?

— On vous en dira plus dans quelques heures. Quand on aura pu faire notre travail. Il y aura un point de presse.

— Bientôt ?

— Je vous promets de vous reparler, assura Maud Graham.

Elle regretta aussitôt de s'être engagée ainsi. Elle n'avait que déplacé le problème, trop habituée à laisser Joubert ou Rouaix discuter avec les représentants des médias. Elle n'avait jamais eu de talent pour ça. Elle se força à sourire à Poudrette ; il était curieux, mais c'était son métier. Et il livrait les informations qu'il recueillait sans broder, sans ajouter de touche dramatique à des situations qui l'étaient déjà suffisamment. Elle le préférait à Fortier qui avait tendance à isoler une déclaration sans toujours préciser le contexte.

— On se revoit tantôt. Au poste.

— Je serai là, promit Poudrette.

— J'en saurai plus à ce moment-là.

— Moi aussi, peut-être.

— Je serai ravie de vous écouter, répondit Graham en continuant à sourire même si ça ne l'enchantait pas d'imaginer Pascal Poudrette découvrant quelque chose avant elle.

Saucier avait eu des rapports complexes avec les médias qui s'étaient toujours intéressés à ses moindres gestes, commentant régulièrement ses décisions financières, s'interrogeant sur sa vie privée. Poudrette avait-il accès à des informations privilégiées ? Est-ce que quelqu'un dans l'entourage de Bernard Saucier alimentait Poudrette ?

— On se voit tantôt, se contenta-t-elle de redire au journaliste.

Elle s'approcha de la voiture dans laquelle McEwen avait fait asseoir Jean Gosselin. Provencher discutait avec le témoin. Elle se présenta.

— Nous n'en avons pas pour longtemps, M. Gosselin. Pouvez-vous nous répéter ce que vous avez raconté à mes collègues ?

— Je cherchais mon chat. Je l'ai appelé, mais il n'a pas répondu à mon appel.

— Ce n'est pas un chien, souleva Nguyen.

— C'est un abyssin. Il est très obéissant. Je me suis dirigé du côté de chez Saucier. J'ai vu la porte ouverte derrière la haie. C'était bizarre. Je me suis approché. Je l'ai vu par terre et je vous ai appelés.

— Avez-vous entendu ou remarqué quelque…

— Non. J'ai entendu un bruit dans la nuit, mais j'ai cru à un pneu éclaté. Je me suis rendormi. Moi, je suis le soleil. Je me lève avec lui, je me couche avec lui. On est assez loin, Saucier et moi, pour ne pas se déranger. Je savais qu'il avait de la visite hier soir, j'ai entendu le va-et-vient des autos, des cris, des rires. Mais ma chambre étant de l'autre côté de la maison, c'est à peine si je perçois la musique.

— Quel genre de voisin était Bernard Saucier ? s'enquit Pierre-Ange Provencher.

— Correct. Pas souvent là. Avoir une si grande maison et ne pas en profiter plus, c'est du gaspillage.

— Ça faisait longtemps que vous étiez voisins ?

— Une dizaine d'années. Bernard a rénové la maison au grand complet, a fait aménager le terrain, installer la piscine.

— Vous y êtes-vous déjà baigné ?

L'homme secoua la tête, expliqua que ses relations avec Saucier relevaient d'une courtoisie de bon voisinage, mais qu'il n'y avait pas de liens plus poussés entre eux. Et que c'était très bien ainsi.

— Voyez-vous, j'étais moi aussi dans les affaires avant ma retraite et je n'ai plus envie d'entendre parler de marchés, de ventes, de rachats. J'ai fait une crise cardiaque, ça m'a suffi. J'aime mieux m'occuper de mon chat et de mon terrain.

— Vous vivez seul ?

— Oui. J'ai la paix.

— Est-ce que Saucier recevait beaucoup quand il était chez lui ?

— Oui. Et ses enfants profitaient de la piscine. Ça crie quand ça joue dans la piscine, mais je dois dire que ça s'arrête là. Ils ne mettent pas la musique à tue-tête. Saucier doit les avoir avertis. Ils respectent les voisins, l'environnement. Il a été le premier à composter dans le coin.

Graham opina ; un bon point en faveur de Saucier.

— Quelle heure était-il quand vous avez découvert le corps ?

— Pas loin de cinq heures. Demandez à vos collègues, j'ai appelé tout de suite, le temps de rentrer chez nous. Puis j'ai attendu votre équipe. Je l'ai emmenée ici. Est-ce que je peux retourner à la maison, maintenant ?

Maud Graham rassura Jean Gosselin ; il serait bientôt libre de rentrer chez lui. Mais elle voulait savoir auparavant s'il avait noté quelque chose d'inhabituel au cours des derniers jours.

— D'inhabituel ?

— Une voiture garée longtemps dans le coin. Un visage étranger croisé à l'épicerie.

— Je n'ai rien remarqué.

L'homme s'éloigna et Graham fit signe à McEwen ; elle retournait à la centrale de police et demanderait à un agent de la raccompagner.

— Mais non, je te dépose, dit Provencher. Ça nous permettra d'ajuster nos infos.

— La plume qui dépasse de la poche de la chemise de Saucier m'intrigue, confia Graham.

— Une plume ?

Graham se dirigea vers l'équipe médico-légale, héla un technicien qui s'empressa de lui remettre la plume et revint vers Provencher, lui montra la rémige.

— C'est une plume de bernache, affirma-t-il.

— Est-ce qu'il y en a par ici ?

— Des outardes ? Ça me surprendrait. Le boisé n'offre pas de points d'eau. Elles se tiennent près des battures.

— Je pensais que c'était une plume de perdrix, avoua Graham.

— Non, non, la plume de perdrix est moins sombre, la corrigea Provencher. Il n'y aurait pas ces motifs blancs si dessinés.

— Où est-ce qu'on peut trouver des outardes ?

— En face de l'île d'Orléans. Aux chutes Montmorency. Elles se posent là au printemps. Elles se nourrissent de scirpes.

— Que fabrique cette plume ici ? murmura Graham avant d'avertir McEwen et Nguyen qu'elle ferait un saut au poste de police avant de rencontrer les ex-épouses de Bernard Saucier.

— Elles étaient vraiment surprises par la nouvelle ? demanda Provencher.

Tiffany McEwen acquiesça.

— Je les ai réveillées. Elles n'ont pas compris tout de suite ce que je leur annonçais. Elles ont d'abord cru que Saucier avait eu un accident. Elles m'ont toutes dit qu'il conduisait trop vite, que ça devait arriver. Mais j'ai vérifié et on ne l'a jamais arrêté pour excès de vitesse. Il a été chanceux. Jusqu'à aujourd'hui en tout cas…

Chapitre 2

Québec, 18 juillet 2011

L'infirmière en chef de l'urgence de Saint-François d'Assise enleva son masque et ses gants. Elle sourit à Francis Guérin tandis que la civière sur laquelle reposait le patient qu'il venait de sauver s'éloignait vers l'unité de cardiologie.

— J'ai eu chaud ! dit Carole à Francis Guérin. J'espère qu'il n'y aura pas de complications.

— Il est jeune. Il me semble qu'on a de plus en plus de cas de cardiaques qui n'ont pas cinquante ans. Je devrais peut-être m'inquiéter...

— Arrête de dire des bêtises ! Tu es en forme, sinon tu ne tiendrais pas, ici...

Une jeune infirmière, l'air ahuri, poussa la porte du bloc opératoire.

— Qu'est-ce qui se passe, Marie ?

— C'est Bernard Saucier, il s'est fait tirer dessus !

— Bernard Saucier ? s'écria Francis Guérin.

— Qui t'a dit ça ? s'enquit Carole. Est-ce qu'on nous l'emmène ?

— C'est Gratton, un des ambulanciers. Il me semble que ça ne se peut pas. Il doit se tromper.

— Est-ce qu'ils viennent ici ? répéta Carole. Marie !

— Non, non, les ambulanciers sont partis directement pour Montréal. Ce sont eux qui ont prévenu Gratton. Le Dr Gagnon était sur place.

— Maud Graham serait donc sur cette affaire ? Elle vit avec Gagnon.

— Oui, mais c'est tout ce que sait Gratton.

— Bernard Saucier ! C'est impossible !

Carole se tourna vers Francis, nota son teint livide.

— Ça ne va pas ? Tu es pâle... Eh ! Francis ?

— Je pense que je n'aurais pas dû manger le reste de pizza tantôt. Avec cette chaleur et les cafés que j'ai bus, ça ne passe pas.

— Va te coucher ! Tu es là depuis combien d'heures ?

— Juste un peu plus que toi. Qui est Maud Graham ? J'ai déjà rencontré Alain Gagnon, mais elle ?

— Je l'ai connue quand elle enquêtait sur une double agression, un *dealer* et son fils. Elle a ensuite adopté le garçon. Je travaillais alors à l'Hôtel-Dieu. On s'est croisées à quelques reprises. Elle est efficace. Elle vit avec Gagnon à Sillery.

— Gagnon n'est plus sur Parthenais ? Tu viens de dire qu'il était là.

— Oui, il bosse à Montréal où sont pratiquées les autopsies et rejoint Maud les fins de semaine. C'est peut-être la meilleure façon pour ne pas se taper sur les nerfs. Il doit avoir accompagné Maud sur la scène du crime. C'est un excellent pathologiste, je suis contente qu'on ait emmené le corps de Saucier directement à Parthenais. Imagine-toi le bordel si Saucier avait atterri chez nous ! Le hall de l'hôpital rempli de journalistes... On n'a pas besoin de ça ! Tu es certain que ça ira ?

Francis Guérin sourit à Carole pour la rassurer ; qu'elle ne pense surtout pas que sa réaction était causée par l'annonce de la mort de Bernard Saucier. Personne ne devait soupçonner ses sentiments à l'égard du magnat de l'hôtellerie. Un mouvement derrière la porte vitrée le tira de ses pensées et il reprit son rôle d'urgentologue, ce rôle qui lui permettait de se sentir utile, d'atténuer un peu sa culpabilité. Que ferait-il, où serait-il sans son travail à l'urgence ? Il en aimait le tempo accéléré, l'impression qu'il pouvait modifier le cours d'une destinée en prenant la bonne décision en moins d'une minute, en posant le bon diagnostic, en effectuant les bons gestes. Chaque patient lui donnait l'occasion de mesurer à quel point la condition humaine est fragile et le faisait se sentir vivant durant ces heures où son cœur battait au rythme de l'urgence. Il aurait fallu qu'il y soit en permanence. Qu'il n'ait jamais de temps pour lui, que les fantômes du passé ne puissent le hanter dans son appartement trop vide.

— Code 2. Une collision sur l'autoroute. Trois blessés.

Il se renseignerait sur Maud Graham plus tard. Peut-être par Alain Gagnon qu'il avait rencontré l'année précédente. Ils avaient à peine échangé quelques mots, mais il trouverait bien un prétexte pour lui parler.

***

Est-ce qu'on reproduit toujours le même modèle de relation ? songeait Maud Graham en empruntant l'autoroute pour revenir vers le centre-ville. La ressemblance entre les ex-épouses de Bernard Saucier l'avait troublée, tout comme ce qu'elles lui avaient raconté : ces femmes auraient pu être jumelles tant par leur apparence que par leurs propos. Pourquoi Saucier avait-il épousé Lily en troisièmes noces, véritable sosie de la numéro 2 ? Parce qu'on répète les mêmes choses ou parce que Marjorie

Pelletier l'avait éconduit et qu'il ne l'avait pas accepté ? Qu'il l'avait remplacée par son clone ? Les deux femmes étaient d'ex-mannequins, blondes, grandes, bronzées et sportives, si on en jugeait par leur ventre plat, leurs mollets galbés, leurs bras fermes. Et riches. Très riches. Elles habitaient de vastes demeures et, là encore, tout était à l'identique ; elles avaient choisi de privilégier la couleur. De l'écarlate, du magenta, de l'émeraude, du turquoise, du citron pour les murs et les tapis. Seuls les électroménagers en acier inoxydable reposaient l'œil.

Avaient-elles désiré vivre dans ces teintes pimpantes pour marquer la différence avec les goûts de leur ex-mari ? Avec cet homme dont elles avaient partagé la vie durant plusieurs années.

— Le fatidique sept ans ? avait dit Maud Graham à Marjorie Pelletier quand celle-ci avait précisé qu'elle avait quitté Saucier après ce temps.

— Je ne sais pas si c'est vrai que la septième année est décisive dans un couple, mais nous, ça faisait déjà quatre ans que ça n'allait plus. Je suis restée à cause des enfants. C'était une erreur. Ils n'ont pas profité davantage de leur père. Bernard n'avait plus envie de me voir, alors il évitait la maison. Il traînait ailleurs. Quand il rentrait, je le lui reprochais. L'ambiance était déplorable. On a eu tort de ne pas se séparer dès qu'on a compris qu'on était irréconciliables.

— Qu'est-ce qui vous opposait ?

— Tout. Rien. Je croyais que je m'amuserais avec Bernard, mais il ne pensait qu'au travail. J'imaginais que les enfants allaient l'intéresser, mais ils ne le captivaient pas autant que ses maudites affaires. C'était la même chose avec ceux qu'il a eus de Francesca, j'aurais dû m'en douter. Ces enfants-là en ont souffert.

— Pourquoi ?

— Ils n'ont jamais réussi à attirer l'attention de leur père. C'est ce que ma fille pense aussi.

— Elle est observatrice…

— Axelle aime bien Jules, son demi-frère, et Livia. C'est étonnant.

— Pourquoi ?

— Bernard a à peine caché sa préférence pour Thierry et Axelle. Ça mettait d'ailleurs mes enfants mal à l'aise vis-à-vis des aînés, mais ceux-ci ne leur ont pas tenu rigueur des erreurs de jugement de Bernard.

— Pourquoi préférait-il Thierry et Axelle ?

— Parce que Thierry lui ressemble. Tant physiquement que moralement.

— Livia également, si j'en juge par les photos que j'ai vues.

— C'est vrai, sauf qu'elle est beaucoup trop émotive, trop sensible pour ne pas agacer Bernard. Elle ne savait pas s'y prendre avec lui.

— Expliquez-vous.

— Elle voulait lui plaire, elle allait trop au-devant de ses désirs. Bernard est un chasseur.

— Mais c'est sa fille ! Pas une conquête possible…

— Bernard a… avait besoin qu'on lui résiste au moins un peu. Sinon il ne vous respectait pas.

— Votre fils savait lui tenir tête ? conclut Graham.

— Juste assez. Et comme il se passionne pour les marchés boursiers…

— Quel âge a-t-il ?

— Vingt et un ans. Thierry est un surdoué. Bernard était très fier de lui. Il répétait à qui voulait l'entendre qu'il était assuré de sa relève, que Thierry serait son bras droit.

— Et Axelle ?

Marjorie tourna la tête vers la gauche, vers la chambre où s'était réfugiée Axelle après avoir appris la mort de son père. En arrivant à la maison, Maud Graham l'avait saluée, mais l'adolescente sanglotante s'était enfuie, incapable d'une réponse.

— Axelle est attirée par le sport.

— Et Jules et Livia, les enfants de Francesca Tozi ?

— Jules n'a aucun sens des affaires, mais Livia vient de terminer son droit commercial. Je suppose qu'elle prévoyait travailler pour Bernard. Peut-être qu'elle aurait pu enfin gagner son estime s'ils s'étaient côtoyés dans ce cadre d'affaires.

— Votre divorce a été médiatisé, dit Graham. Si j'ai bonne mémoire, c'était assez houleux.

— Bernard n'aime pas qu'on le contrarie.

— C'est vous qui avez décidé de divorcer ?

— Oui. J'en avais assez qu'il me trompe.

— Saucier était-il ce coureur de jupons décrit par les médias ?

Marjorie Pelletier avait soupiré, acquiescé.

— Est-ce que vous pensez qu'une femme bafouée ou un époux en colère a décidé de lui régler son compte ?

— Tout est possible avec Bernard.

— Après le divorce, les choses se passaient donc mieux avec les enfants. Quand voyaient-ils leur père ?

— Une semaine sur deux. Quand Bernard était au Québec, bien sûr. Et il emmenait les enfants dans un Club Med à Noël et pendant les vacances de Pâques.

— Tous ?

— Ça l'amusait de jouer au patriarche. Il voulait tous ses enfants autour de lui en même temps. Et au Club Med, il y a de gentils organisateurs pour se charger d'eux.

— Les enfants appréciaient ?

Marjorie Pelletier avait haussé les épaules ; les enfants s'adaptaient à tout. Et ils n'avaient pas vraiment le choix.

Pour Jules et Livia, c'était peut-être moins amusant, car ils avaient une bonne différence d'âge avec les gamins de Lily, mais ils n'auraient pas désobéi à Bernard Saucier.

— Il était si autoritaire ? Jules et Livia ne sont plus des enfants.

— On obéit à Bernard. Ou on cesse de le voir.

— Et on se prive de sa fortune ?

Marjorie cligna des yeux sans répondre.

— Et entre vous, les ex ?

— On a vécu les mêmes problèmes. Si Bernard ne s'était pas remarié avec Lily, ça aurait été avec une autre. Je ne leur en veux plus depuis longtemps.

Marjorie Pelletier avait suggéré à Maud Graham de chercher plutôt du côté d'anciens associés ; son ex-époux était sans pitié en affaires.

— Ou alors du côté des militants. Ils ont cru qu'il partageait leurs idéaux, mais ils se sont trompés. Bernard Saucier n'a qu'une religion : son profit.

— Et sa première épouse ?

— Francesca ? Elle vit à New York. Elle a tourné la page depuis des lustres.

— Parce qu'elle a eu aussi une excellente compensation financière ?

— Elle était déjà riche et s'est remariée avec un banquier qu'elle a rencontré du temps de Bernard. C'est même lui qui les avait présentés l'un à l'autre. Elle n'avait rien contre Bernard.

— Et ses enfants ? Que fait l'aîné ?

— Jules est un scientifique. Il étudie les fonds marins.

— Ce n'est pas lui qui aurait repris le flambeau familial avec Thierry, mais Livia ?

Marjorie sourit avant d'expliquer que Livia avait choisi le droit des affaires pour être utile à l'empire Saucier, mais que c'était à son fils Thierry que Bernard confiait ses projets.

— À vingt et un ans?

— Bernard l'emmenait souvent avec lui en voyage d'affaires. Et il lui a trouvé un boulot dans un grand hôtel en Suisse. D'où il devrait arriver bientôt... Il arrivera demain. Il est bouleversé, mais il saura faire face à la situation. C'est déjà un homme solide que les responsabilités sauront occuper.

— Et vous? demanda Graham.

— Je m'implique dans le domaine sportif. Bénévolement.

Marjorie Pelletier vivait donc de la pension alimentaire, mais elle ne semblait pas inquiète outre mesure pour son avenir. Parce qu'elle comptait sur le testament? Elle aurait la gestion de l'héritage d'Axelle durant quelques années, mais Graham vérifierait si la maison était payée, si Marjorie Pelletier avait des avoirs, des actions dans des compagnies. Elle lui laissa sa carte en la prévenant qu'elle la dérangerait sûrement de nouveau; à ce stade de l'enquête, elle n'avait aucune idée de la tournure des événements.

— Une dernière question: où étiez-vous cette nuit?

Marjorie Pelletier avait dévisagé Graham avant de prendre un bout de papier près du téléphone et d'y noter un numéro.

— C'est celui de mon chum. Il a passé la nuit avec moi. Ma fille était dans un camp d'équitation. Je suis allée la chercher après avoir reçu l'appel de votre collègue. Je ne sais pas si elle retournera au camp après...

— L'enterrement?

— Oui. Elle adore le camp...

Graham avait hoché la tête: c'était bien, les camps. Maxime était parti à Tékakwitha depuis dix jours et, même si elle s'ennuyait de lui, elle jouissait avec étonnement — et une certaine culpabilité — de sa liberté retrouvée. Elle avait saisi le papier que lui tendait Marjorie Pelletier tout en songeant que cet alibi était plutôt faible. Marjorie avait eu tout le temps de téléphoner à son amant afin qu'il confirme qu'il était bien avec elle au petit matin. Il faudrait renforcer cet alibi si jamais l'enquête s'orientait vers cette femme.

Elle avait eu le même sentiment en interrogeant l'ex-épouse, Lily Mignot. Parce qu'elle lui avait donné des réponses semblables à celles de Marjorie ? Elles se ressemblaient jusque dans leurs propos, mais Lily Mignot n'avait pas d'amant pour lui servir de caution.

— Je sors d'un divorce, avait-elle expliqué à Maud Graham. J'ai envie de tout, sauf d'un homme dans ma maison.

— Est-ce qu'elle est payée ?

— La maison ? Oui.

— Et vous recevez une pension alimentaire, j'imagine.

— Avec deux enfants ? Oui, évidemment.

— Vous n'êtes pas angoissée ? Vous ne la toucherez plus...

— Bernard léguera beaucoup d'argent aux enfants. On va administrer ça pour le mieux.

— Vous semblez vraiment certaine.

— Ça fait partie des ententes de divorce. Il se doutait peut-être de quelque chose après tout... Il a précisé à nos avocats que ses enfants hériteraient de lui à parts égales. Rien pour nous, mais les maisons nous appartiennent. Je ne peux pas croire qu'il est mort.

— C'est brutal, avait convenu Graham, et je suis désolée de vous déranger à un pareil moment.

— Vous faites votre travail.

— Les prochains jours seront difficiles. Les médias...

— Pas question qu'ils s'approchent des enfants, décréta Lily Mignot.

— Vous avez raison de les protéger.

En ralentissant sur le boulevard Charest, Graham se demanda si les épouses n'avaient pas pu s'unir pour se débarrasser de leur ex. Cette idée était tirée par les cheveux, mais elle demeurait troublée par la ressemblance entre Lily et Marjorie. Et leur calme. Passé le premier moment de surprise, elles s'étaient ressaisies et n'avaient pas paru gênées par les questions de Maud Graham. Parce qu'elles n'avaient rien à se reprocher ou parce qu'elles s'étaient préparées à rencontrer un enquêteur ?

Est-ce que la première épouse démontrerait autant de sérénité ? Dans son cas, l'alibi avait été immédiatement confirmé ; à l'aube, elle se trouvait à des kilomètres du lieu du crime. Ça n'excluait cependant pas un éventuel complot. Avec ses enfants ? Jules et Livia ? Ou eux seuls ? Ou l'un des deux ?

Ou personne de la famille. Ses proches étaient loin d'être dans le besoin, alors que d'autres gens avaient pâti de certaines décisions de Bernard Saucier.

Au poste, Graham répéta à ses collègues qu'il fallait explorer toutes les facettes de la personnalité de la victime et découvrir à qui Saucier avait nui au point de causer sa perte. Quand et pourquoi.

— Je veux tout savoir de Saucier ! Ce qu'il aimait, ce qu'il détestait, ses passe-temps, ses restos préférés, s'il pariait, pour quel parti il votait, avec quelles compagnies il a gagné le maximum de fric, combien de personnes travaillaient pour lui. Qui a-t-il congédié et pourquoi ? Quelles ont été ses secrétaires ? Et ses maîtresses ! Je veux tout savoir à partir de ses dix ans ! Quel élève il était, où il a étudié, s'il faisait partie d'un groupe en particulier à l'université, son premier emploi, son deuxième, son troisième. S'il aimait ses parents, s'il détestait son frère… À propos, on lui a parlé ?

— Oui. Il vit à l'étranger. Ils ne s'étaient pas vus depuis cinq ans. Il est missionnaire.

— Missionnaire ? C'est plutôt rare de nos jours.

— Il travaille en Afrique. Il a dit qu'il prierait pour son frère, qu'il regrettait que Bernard ait attiré autant de violence sur lui.

— Attiré ?

— Oui, selon Émile Saucier, il était toujours prêt à se battre, provoquait constamment les gens.

— Il faut qu'on sache avec qui il a dépassé les bornes. Qui a été humilié par Bernard Saucier et comment…

Elle s'interrompit, sentant la vibration de son cellulaire. Elle lut l'espoir sur le visage de tous ses collègues lorsqu'elle répondit à Alain Gagnon. Qu'avait-il découvert ?

— J'ai une balle. Calibre 9 millimètres. Nos experts en balistique vont se pencher sur la signature de l'arme.

— Tu es certain que c'est un 9 mm ? Il y a des rainures ?

— Oui, on vérifiera si nous avons déjà la trace de cette arme-là dans nos archives informatisées. On sera peut-être chanceux…

Maud Graham retint son envie de lui demander si l'expert en balistique pouvait faire vite. Bien sûr qu'il ferait tout son possible. Elle le savait parfaitement, mais refrénait difficilement son impatience.

— On a une balle de 9 mm, vous l'avez compris. L'expert a commencé ses analyses.

— Calibre très populaire, se lamenta Morcau.

— Oui. Mais, au moins, on a la balle.

***

Chantier, 5 mai 1981

La fumée emplissait la salle où se détendaient les ouvriers après le souper et Francis Guérin faillit rebrousser chemin pour gagner la chambre qu'il partageait avec Serge Brûlotte et Paul Corriveau, mais il n'avait pas envie d'écouter leurs blagues idiotes et de se forcer à en rire comme il le faisait depuis qu'il était arrivé au chantier. Il avait eu besoin d'arrêter ses études pour être assuré d'avoir choisi la médecine par goût et non pour suivre les traces de son père. Chose certaine, il préférait les amphithéâtres au chantier. Il comptait les jours qui lui restaient à tirer avant son retour à la civilisation, loin du chantier. Paradoxalement, il redoutait le moment du départ, car il serait séparé de Gabriel. Ce serait probablement une bonne chose. À quoi cela rimait-il de rêver à cet Amérindien qui lui adressait à peine la parole ? Il ne parlait à personne, mais Francis était certain qu'il avait une bonne raison en ce qui le concernait. Il devait avoir deviné qu'il était gay et, comme des imbéciles traitaient déjà Gabriel Siméon de tapette, il n'avait surtout pas envie de se rapprocher de lui. Même si, jusqu'à maintenant, on ne semblait pas être au courant de ce qu'il était réellement, sinon Brûlotte et Corriveau lui auraient fait la vie plus dure. Ils se contentaient de ricaner chaque fois qu'il ouvrait un livre ou qu'il partait avec ses jumelles pour observer les oiseaux. Et chaque fois qu'il s'approchait de la table de billard, ils s'installaient en cercle tout autour et lui en interdisaient l'accès. S'ils avaient su qu'il était gay, ils l'auraient répété à tout le monde et auraient multiplié les vexations. Il les avait trompés en riant de leurs plaisanteries salaces sur les femmes et les tapettes, alors qu'il aurait dû dénoncer leur homophobie. S'ils ne se doutaient pas de son orientation, c'était simplement parce qu'il était musclé et dur à l'ouvrage, d'apparence virile avec sa barbe qui poussait si drue : ils étaient incapables de dépasser l'image stéréotypée de la grande folle.

Gabriel, lui, avait la peau lisse des autochtones, les cheveux noirs comme une nuit en forêt et un corps mince aux muscles longs qui évoquaient la souplesse d'un couguar. Et il paraissait aussi sauvage, aussi peu désireux que l'animal de se rapprocher des humains. Il ne discutait même pas avec les Hurons et le Montagnais qui partageaient sa chambre. Il s'installait au bout de la grande table, à l'heure des repas, mangeait sans prononcer une parole, répondait à peine d'un signe de tête si on s'adressait à lui. On savait seulement qu'il venait de la réserve de Pointe-Bleue et que personne ne grimpait aussi vite que lui sur les échafaudages. Qu'il entretenait la légende voulant que les Amérindiens n'ont pas le vertige. Francis l'avait vu marcher sur des poutrelles d'acier comme s'il s'était agi de la terre ferme. Il semblait même plus à l'aise lorsqu'il travaillait en hauteur. Pourquoi aimait-il s'éloigner du sol ? Francis aurait aimé lui poser la question et savoir si la légende était basée sur une réalité, s'il se fichait du vertige parce qu'il avait escaladé des parois rocheuses dans son enfance ou construit des cabanes dans les arbres. Et pourquoi il avait l'air si distant. Évidemment, les Amérindiens se regroupaient ensemble, comme les Anglos ou les Québécois le faisaient, mais comment pouvait-il vivre dans ce campement depuis des semaines sans avoir prononcé plus de dix phrases par jour ?

— Hé ! l'intello ! entendit-il crier derrière lui.

Francis se retourna : Saucier, bien sûr. Égal à lui-même.

— Qu'est-ce que tu veux ?

— Moi ? Rien, mais toi, il paraît que tu trouves ça plate, ici ?

Francis haussa les épaules ; que répondre à cela ?

— C'est nous autres ?

— Je n'ai jamais dit ça.

— Parce qu'on t'a entendu quand tu téléphonais à ta maman, tantôt. Tu t'ennuies d'elle ?

— Laisse ma mère tranquille.

— Tu nous snobes depuis que t'es au chantier. T'aimes mieux rester dehors à regarder tes maudits oiseaux. Ou lire dans ton coin.

— Je ne dérange personne quand j'étudie et si j'aime l'ornithologie, ça me regarde.

— Encore des mots à cinquante piastres ! On n'est pas assez bien pour toi ? Qu'est-ce que j'ai de moins qu'une corneille ?

Francis soupira en lorgnant vers la porte latérale ; il aurait dû suivre sa première idée, se rendre directement à la chambre.

— T'as le goût de t'en aller.

— Je suis fatigué, avoua Francis.

Il ne mentait pas, le travail était dur au chantier, les heures trop longues et il redoutait la venue des mouches noires avec le printemps.

— Tu ne veux pas jaser avec moi ? Je suis drôle, je fais rire tout le monde. Mais j'arrive ici et tu pars. Qu'est-ce que tu penses que j'en conclus ? Je pue ?

Les hommes parlaient moins fort, curieux d'entendre l'échange entre Saucier et Guérin. Qu'est-ce qu'il lui voulait ?

— Non, non, dit mollement Francis.

Il savait que sa voix tremblait quand il répondait à Saucier. Il sentait son cœur s'affoler comme il s'affolait quand il avait neuf ans, onze ans, treize ans. Quand on l'encerclait pour le battre. Il étouffait, même s'il se rappelait que tout avait changé quand il avait subitement grandi, en quatrième secondaire. Il cherchait une manière de s'échapper, mais il restait pourtant là, tétanisé. Saucier ne tarderait sûrement pas à le traiter de tapette, comme tous ceux qui l'avaient fait à l'école. C'était même surprenant qu'il ait déjà insulté Gabriel en utilisant ces termes, alors qu'il ne l'avait pas encore fait pour lui. Il se méprenait à cause de son apparence, mais nierait-il tout s'il entendait les mots fif ou *faggot*? Aurait-il encore une fois l'impression de se trahir lui-même ? Et pourquoi Gabriel, s'il n'était pas gay, ne s'en défendait-il pas lorsqu'on le provoquait ? Il se contentait de fixer Saucier ou Brûlotte quand ils s'en prenaient à lui.

— C'est vrai qu'on a l'air de t'ennuyer, renchérit Brûlotte.

— Sacre-lui donc la paix. Il a le droit de ne pas vouloir t'acheter de la dope ! lança une voix rauque au fond de la salle.

Gabriel dévisageait Saucier et Brûlotte.

— Quoi ? Le Muet me fait l'honneur de m'adresser la parole ? s'esclaffa Saucier. Je dois rêver !

— Tu devrais m'imiter un peu et ne pas parler pour ne rien dire.

— Tu te penses plus fin que tout le monde, toi aussi ! Ou plus fine ?

Saucier s'approcha de Gabriel, mais Francis l'attrapa par l'épaule pour le retenir. Bernard Saucier saisit son bras et le lui tordit brutalement dans le dos.

— Arrête ! cria Francis. Arrête !

— C'est toi qui as commencé.

— Laisse-le tranquille, répéta Gabriel en quittant le fond de la salle.

Tous les hommes s'étaient tus, sauf Lemire et Cliche qui avaient déjà pris un pari sur Saucier contre Gabriel. Si le Muet était en forme, Saucier était plus lourd et avait l'habitude de se battre, il avait fait de la boxe au collège.

— Sinon ?

Bernard Saucier tenait toujours le bras de Francis contre son dos. Il souriait, visiblement sûr de lui.

Gabriel se rapprocha et donna un coup de pied à l'épaule de Bernard, le déstabilisant et l'obligeant à relâcher Francis. En se relevant, il regardait Gabriel d'un œil nouveau. Tout comme les hommes qui misaient sur eux. Saucier rugit avant de se jeter sur Gabriel qui l'esquiva et pivota pour lui faire face, mais Francis s'était glissé entre eux.

— Arrêtez, voyons !

— Toi, Saint-François, tasse-toi, fit Bernard en lui assenant un puissant coup de poing au menton qui l'envoya valser contre le mur où il s'écroula, sonné.

Il y eut des cris de surprise, quelques murmures de protestation, mais aucun des témoins ne se leva pour intervenir, pour séparer Gabriel et Bernard qui s'étaient empoignés et luttaient pour se repousser tout en se rouant de coups. Ils roulèrent sur le sol et grognèrent en luttant tandis que les hommes faisaient un cercle autour d'eux après avoir rapidement reculé les chaises vers la table de billard.

— Dix sur le Muet !

— Vingt sur Saucier !

— Vingt-cinq sur Saucier !

Jean-François Cliche sourit à Rock Lemire : enfin de l'animation dans la place ! Il paria sur Saucier, même si le Muet l'étonnait par sa souplesse et sa manière d'encaisser les coups. Ce n'était pas la première fois qu'il se battait, c'était évident. Qui l'eût cru ? Un gars si tranquille…

— Il faut toujours se méfier de ce monde-là. On ne sait jamais ce qu'ils pensent, les maudits Indiens.

Bernard hurla quand Gabriel saisit son oreille gauche, mais il réussit à se dégager et prit la tête de son adversaire à deux mains et la frappa contre le sol. Francis, qui s'était ressaisi, prit un bock rempli de bière et le lança au visage de Bernard qui rugit de colère. Gabriel s'empressa de rouler sur le côté. Francis se pencha vers lui, tendant la main.

— Viens, c'est assez. On n'a rien à faire ici.

— Ce n'est pas fini ! clamèrent les parieurs.

— Maudits peureux ! beugla Bernard Saucier en se ruant vers eux, mais il dérapa sur le sol mouillé et tomba sur les fesses. Brûlotte se précipita pour l'aider à se relever à l'instant où le contremaître poussait la porte latérale.

— Qu'est-ce qui se passe ici ?

Les hommes se dispersèrent sans répondre, tandis que Richard Bryson se plantait devant Bernard Saucier sans quitter Francis et Gabriel du regard. Leurs vêtements déchirés trahissaient la récente lutte.

— On s'est juste brassés un peu pour le *fun*.

— Je ne veux pas de ça ici. Est-ce que c'est clair ? Je t'ai à l'œil, Saucier. Puis vous autres aussi. Allez vous arranger.

Francis et Gabriel sortirent en silence, mais ne regagnèrent pas leurs chambrées respectives. Ils se dirigèrent vers la rivière, même si le secteur n'était pas éclairé. Ils descendirent lentement vers le bord de l'eau sans s'adresser un mot, s'assirent pour écouter le clapotis de la cascade plus haut. Le hululement d'un rapace finit par rompre le silence.

— C'est un hibou.

— Non, c'est une chouette rayée, le corrigea Gabriel.

— Je devrais te remercier.

— Pas nécessaire. Je ne peux pas sentir Saucier.

— On va avoir des problèmes avec lui. Et Brûlotte. Il devrait s'occuper de son petit trafic au lieu de nous écœurer.

— C'est sûr. Tu devras surveiller qui est dans ton dos à partir de cette nuit.

— Je regarderai aussi qui est dans le tien.

Gabriel eut un rire rauque avant de dire que Francis regardait déjà son dos avant l'affrontement.

— Ça te dérange ?

— Non, ce sont tes affaires. Mais pas les miennes.

— Je comprends.

Francis était à la fois triste et soulagé ; il ne pourrait plus s'illusionner, se persuader que Gabriel était peut-être gay. Pourquoi s'amourachait-il toujours d'hommes qui n'étaient pas pour lui ? Avait-il peur de s'engager, comme l'affirmait Hope ? « Quand tu tombes amoureux d'un hétéro, tu peux te dire qu'il se refuse à toi parce qu'il n'est pas gay. Pas parce que tu n'es pas charmant ou intelligent ou beau ou aimable. Tu as peur du rejet, de devoir te remettre en question. » Sa meilleure amie avait-elle raison ?

Un autre oiseau poussa une longue plainte. Gabriel et Francis le nommèrent en même temps : la tourterelle triste dont le chant vous froissait le cœur.

— Je l'ai souvent entendue quand je me rendais au chalet de mon oncle, murmura Francis.

— Où ?

— Dans les Laurentides. J'y suis allé jusqu'à mes quinze ans. Ensuite, il ne m'a plus invité. Il avait peur que je pervertisse leur fils. Il croyait que l'homosexualité était contagieuse.

— Tu observes les oiseaux depuis longtemps ?

— Des années. C'est reposant et excitant à la fois. Cette immobilité, cette attente. On semble calme, mais on est fébrile, plein d'espoir. Et si le grand héron se pose sur le lac ou qu'un colibri butine une fleur devant nous, on a l'impression d'assister à un spectacle privé. D'être élu. Privilégié d'être en vie. Ça équilibre les choses.

— Pour les fois où on voudrait ne pas être là.

— Il y a des jours où je me demande où je m'en vais…

— Tu n'as plus le goût d'être médecin ?

— Je ne suis pas toujours sûr de faire le bon choix.

— Mais tu en fais un.

Il y eut un silence, puis Gabriel avoua qu'il ne voulait pas travailler toute son existence sur des chantiers, mais qu'il ne pouvait gagner sa vie comme il le souhaitait.

— Je peins. Ça ne rapporte rien. Pas une cenne. J'ai vingt-sept ans et je n'ai vendu que dix toiles dans ma vie. Ce que je peins désarçonne les gens. C'est différent. J'ai des dessins plein mes cartons…

— J'aimerais ça les voir, assura Francis en s'étonnant que Gabriel ait presque trente ans ; il paraissait vraiment plus jeune.

— Quand tu pars dans le bois tout seul, reprit-il, c'est pour dessiner ?

Gabriel acquiesça avant de préciser qu'il s'éloignait simplement pour jouir du silence. De l'espace. Il avait besoin d'air.

— J'ai toujours l'impression d'étouffer. D'avoir un poids sur le cœur.

Francis hésita un moment avant de s'informer ; avait-il consulté un médecin ?

— Pas nécessaire. Il ne trouverait rien.

— C'est moi qui étudie dans ce domaine. Tu peux être oppressé parce que tu as un problème cardiaque ou respiratoirc. Ou parce que tu manques bêtement de magnésium. Aussi simple que ça. Tu n'aurais qu'à avaler des comprimés et tu te sentirais mieux.

— Merci, docteur, pour le diagnostic, dit Gabriel en se relevant. Du magnésium ?

— J'en prends chaque jour. Si je l'oublie, j'ai le souffle court, je me sens menacé, on dirait que les murs se rapprochent de moi ou que le ciel me tombera sur la tête. Et je suis triste sans raison. Je peux te filer des comprimés. Tu verras si tu te sens mieux. Sinon, tu feras des tests.

Gabriel secoua la tête ; il n'irait pas à l'hôpital. Il avait de trop mauvais souvenirs de ses séjours dans ces établissements.

— Tu y es allé souvent ?

— Oui.

Comme Gabriel ne précisait pas pour quelle raison il avait été hospitalisé, Francis ne se crut pas autorisé à le questionner. Ils rentrèrent en silence vers leurs chambrées, mais le ton de la voix de Gabriel était amical quand il souhaita une bonne nuit à Francis.

Francis se laissa tomber sur sa couchette en songeant que c'était peut-être mieux d'avoir gagné un ami plutôt qu'un amant. Personne auparavant, hormis sa mère, n'avait pris sa défense. Jamais il n'oublierait ce que Gabriel avait fait ce soir-là. Sans lui, il n'aurait pu effacer des années d'humiliation et de peur, des nuits blanches à redouter les lendemains à l'école, des nausées de terreur, des milliers de jours à espérer vainement un geste de soutien. Ce geste s'était produit ce soir : Gabriel lui avait rendu une certaine dignité.

***

19 juillet 2011

Amélie Tellier relisait le reportage consacré à la mort violente de Bernard Saucier en dressant l'oreille ; dès qu'elle entendrait le grincement des ressorts du matelas de la chambre à coucher, elle refermerait le journal et irait préparer le café comme si tout était normal. Elle trancherait le pain qu'elle avait cuit la veille, sortirait le beurre du réfrigérateur, les œufs, le fromage, et offrirait à Elias, son mari, de lui cuisiner une omelette. Elle devrait faire un effort pour manger, sinon il s'apercevrait de son trouble.

Mauvaise idée. Pas d'omelette aujourd'hui. Elias Sansregret se contenterait de pain grillé avec un morceau d'oka et de la confiture de fraises. Elle pourrait prétendre qu'elle avait déjà pris son petit déjeuner si elle mettait tout de suite une tranche de pain dans le grille-pain. L'odeur, les miettes de la croûte prouveraient qu'elle avait mangé. Voilà ce qu'elle devait faire. Il fallait se lever, refermer le journal, cesser de regarder la photo de Bernard Saucier, cesser de détailler ces lèvres qu'elle avait si souvent baisées, cette chevelure argentée qu'elle avait caressée. Se lever, oui, mais ses jambes étaient de plomb, comme si elle avait été vidée de son énergie avec la mort de Bernard.

Elle réagit pourtant en percevant le bruit des ressorts du lit conjugal, se précipita vers le grille-pain, y glissa une fine tranche avant de verser de l'eau dans la cafetière. Elle éviterait de servir un verre de jus à son mari, car ses mains tremblantes la trahiraient. Il fallait qu'elle parvienne à maîtriser son angoisse ; n'avait-elle pas réussi durant des mois à dissimuler à Elias sa passion pour Bernard ? Elle ne pouvait imaginer que tout était fini. Comment avait-il pu la rejeter après lui avoir promis qu'ils partiraient ensemble en Australie à la fin de l'été ? Elle avait tout accepté pour lui, craint chaque fois qu'elle le rejoignait de croiser un militant qui répéterait tout à Elias Sansregret. Elle avait piétiné des années de lutte pour Bernard, bafoué ses convictions, risqué de ruiner la crédibilité d'Elias. Comment les membres du groupe Grandir auraient-ils réagi s'ils avaient appris que sa femme le trompait avec le promoteur du complexe hôtelier contre lequel ils se battaient depuis si longtemps ? Elle s'était perdue corps et âme dans cette relation. Et pourquoi ?

Le déclic du grille-pain la fit sursauter. Son cœur palpitait trop vite depuis trop longtemps. Comment parviendrait-elle à survivre à cette journée ? Et à toutes les autres ? Elle avait tant espéré que Bernard change d'idée.

Et s'il avait parlé de leur relation à quelqu'un ?

Si les enquêteurs découvraient tout ? Elle croyait n'avoir touché à rien chez lui, mais, dans l'état où elle était lors de leur dernière rencontre, comment en être certaine ?

Elle faillit ouvrir de nouveau *Le Soleil*, se força à regarder le café s'égoutter lentement. La journée serait longue. Elle aurait dû disparaître aussi. Ou ne jamais succomber à Bernard Saucier. Elle se souvenait de leur première rencontre, dans un bureau du gouvernement, alors qu'Elias, le vice-président et trois membres de Grandir avaient rendez-vous avec le sous-ministre. Elias était déterminé à convaincre ce dernier que leurs objections à la construction du complexe hôtelier étaient plus que légitimes, mais Bernard avait exposé très habilement l'intérêt que représentait son projet, offert des garanties en ce qui concernait la protection de l'environnement sur le site choisi. Elle le détestait alors comme tous les militants de Grandir. Comment avait-elle pu tomber amoureuse de lui ? Ils avaient échangé un regard quand elle était revenue dans la salle de réunion pour récupérer une écharpe oubliée et, la semaine suivante, il l'avait attendue devant chez elle, l'avait suivie, abordée, étonnée.

Aurait-elle pu résister à sa fougue qui la rajeunissait de dix ans ? Bernard était à peine plus jeune qu'Elias, mais il émanait de lui une vitalité qu'elle avait oubliée, qui n'existait plus à la maison. Où Elias était si peu souvent de toute manière, couchant quasiment dans les locaux de Grandir. Dévoué à la Cause. Et l'oubliant, elle qui s'inquiétait d'avoir perdu sa beauté. Le désir de Bernard l'avait ranimée, ressuscitée.

Puis il avait subitement décidé de rompre… Et il était mort. Mort. Elle n'était même pas capable de pleurer. C'était trop absurde. Elle aurait tout donné pour qu'on lui dise que ce n'était qu'un cauchemar.

***

Le thermomètre indiquait 24 degrés Celsius quand Maud Graham sortit dans le jardin pour boire son thé. Elle avait préféré se lever plus tôt afin de pouvoir siroter le Darjeeling First Flush à sa guise ; elle avait besoin de ce calme particulier pour éclaircir ses idées à propos de Bernard Saucier. L'odeur miellée, la couleur ambre du thé la réconfortaient et lui permettaient d'aborder plus sereinement la journée. Qui promettait d'être longue. Rouaix, heureusement, était rentré la veille et, malgré le décalage horaire qu'il subirait, il lui avait promis d'être au bureau à six heures afin qu'elle l'informe de tout ce qui concernait le meurtre le plus médiatisé du Québec.

Le goût de céréales délicatement torréfiées du Darjeeling lui rappela que Saucier n'avait aucun penchant pour le thé. Elle n'avait vu qu'une vieille boîte de Oolong dans les armoires, alors qu'il y avait une machine à espresso très performante sur le long comptoir de la cuisine. Buvait-il son café avant ou après s'être entraîné dans ce gym où elle avait dénombré huit appareils ? Un gym qui jouxtait la piscine intérieure ; Bernard Saucier se maintenait en forme. Était-ce ce qui lui permettait de s'autoriser des excès de table ou d'alcool ? On avait retracé les invités qui avaient partagé le dernier repas de Saucier et ils étaient unanimes : leur hôte savait recevoir et ne lésinait ni sur la qualité ni sur la quantité des mets et des vins. Ils avaient eu droit à des montagnes de tempura et de crabes à carapace molle, de gyoza, de grandes assiettes de sashimis, de sushis de toutes les formes, de toutes les couleurs. Le traiteur avait confirmé qu'il préparait souvent de tels repas pour Bernard Saucier. Il déplorait déjà la perte de ce client qui pouvait dépenser autant en une soirée et qui lui avait attiré beaucoup de nouveaux adeptes.

Combien de personnes regrettaient la mort de Bernard Saucier ? En interrogeant ses ex-épouses et ses collègues, la veille, Maud Graham avait deviné chez la plupart d'entre eux plus d'admiration que d'affection, plus de fascination que d'attachement pour le personnage. Si certains avaient exprimé quelque retenue quant à son caractère autoritaire, ils avaient aussitôt ajouté que Saucier avait les qualités de ses défauts : oui, il était parfois tyrannique, mais sa détermination et son obstination l'avaient mené là où il était. « On ne fait pas d'omelette sans casser des œufs », avait dit Gordon Brewster, son associé et partenaire au club de golf le plus huppé de la région.

Mais peut-être qu'il avait fait trop d'omelettes, songea Graham qui eut subitement envie d'un œuf au miroir mais qui avait la flemme de sortir une poêle pour le préparer. Lorsqu'elle était seule, son menu se composait de tartines, de salades, de sandwiches. Pas de cuisson, pas de vaisselle. Depuis cinq ans, elle s'alimentait beaucoup mieux. Depuis que Maxime était entré dans sa vie. Hier soir, en rentrant à minuit, elle avait trouvé un bref courriel dans lequel son protégé racontait que son équipe avait remporté la coupe du jeu de nuit. Elle s'était empressée de lui répondre, lui avait donné des nouvelles d'Alain et de Grégoire avec qui elle avait échangé sur Skype. Sans oublier de mentionner que Léo s'ennuyait de lui, qu'il semblait attendre son retour en dormant en boule sur son lit.

Maxime manquait aussi à Graham, mais elle était néanmoins contente de ne pas avoir à se soucier de lui pour les prochains jours, car elle avait déjà trop à penser avec l'affaire Saucier. Rouaix s'occuperait de rencontrer ses partenaires financiers tandis qu'elle verrait les aînés de la victime. Ils étaient au parc du Bic quand leur mère, depuis New York, leur avait appris la nouvelle. Ils étaient rentrés aussitôt à Québec.

Jules et Livia Saucier devaient avoir de bonnes relations s'ils avaient décidé de partir ensemble là-bas. Ensemble contre Saucier?

Marjorie avait laissé entendre que les rapports étaient tendus entre Jules et Bernard Saucier. À quel point? En avait-il eu assez de lui obéir? Marjorie avait dit que ses enfants, heureusement, avaient de meilleurs rapports avec Bernard Saucier. Graham avait pourtant fait vérifier l'alibi de Thierry et d'Axelle, même si elle ne croyait guère à leur culpabilité. Ne rien négliger, se répétait-elle à chaque enquête. De jeunes meurtriers, ça existait. Elle n'oublierait jamais les deux adolescents qui avaient tué un livreur de pizza par curiosité.

À 5 h 55, Maud Graham garait sa voiture derrière la centrale de police. Elle s'était arrêtée pour acheter un cappuccino pour Rouaix qui avait dû renoncer aux trois jours de vacances qu'il avait prévus à son retour. Mais personne n'avait le choix de se présenter au poste pour les prochains jours : Saucier faisait la manchette de tous les journaux de la province et son patron serait aussi mécontent qu'elle de cette couverture médiatique. Elle se réjouit que Gagné soit rentré plus tôt. Il s'était plaint du temps d'attente aux douanes, mais il était arrivé au poste en fin d'après-midi et avait pris le contrôle des opérations, au grand soulagement de Maud Graham qui n'aimait que le travail sur le terrain.

— Saucier déplaisait à beaucoup de gens, fit Rouaix après avoir remercié Graham pour le café. J'ai vu que la liste était longue en jetant un coup d'œil aux premiers rapports que tu as fait livrer chez moi.

— Désolée de t'avoir assommé dès ta descente de l'avion, s'excusa Graham.

— Non, c'est parfait, j'étais réveillé à trois heures à cause du décalage. J'ai eu le temps de tout lire. Saucier connaissait tellement de monde ! Tu continues à t'occuper de la famille tandis que je vois les partenaires financiers ?

— Oui, Andy Nguyen a commencé à se charger des collègues et j'en ferai autant quand j'aurai parlé à chaque membre de la vaste famille de Saucier. Francesca Tozi m'attend à l'hôtel à huit heures avec ses enfants.

— Comment est-elle ?

— Réservée. Calme. J'ai été inspirée de l'accueillir moi-même à l'aéroport. Je tenais à être la première à lui parler. Elle n'avait pas grand-chose à me dire cependant, mais on verra tantôt.

— Quand Bouvier doit-il avoir l'autorisation de jouer dans les ordinateurs et les téléphones de Saucier ?

— Aujourd'hui, je suppose. Ou plutôt, je l'espère.

— Du côté des militants ?

— C'est Moreau qui s'en occupe. Il a du pain sur la planche. Ils sont nombreux à avoir une dent contre Saucier à propos des terrains expropriés, de la construction de son complexe hôtelier.

— Bonne chance à tous, fit Rouaix. J'espère que le relevé des empreintes sera significatif… Qui s'occupe de Thierry Saucier ?

— McEwen. Elle lui a accordé quelques heures avec Marjorie et Axelle, puis elle l'interrogera. Il était de l'autre côté de l'océan, son alibi est en béton. McEwen tentera plutôt de savoir si Saucier se sentait menacé ou s'il avait changé récemment.

Chapitre 3

Québec, 19 juillet 2011

Francesca Tozi était aussi blonde que les deux autres épouses de Bernard Saucier, mais son apparence était moins sculpturale, moins sportive ; les fines attaches de ses poignets, de ses chevilles, son cou gracile lui conféraient une allure délicate qui devait susciter chez les hommes l'envie de la protéger. Graham n'aimait pas trop ces femmes qui jouaient les fleurs fragiles pour mieux manipuler les gens. Et pas davantage les hommes qui étaient assez sots pour se faire piéger à ce petit jeu. Auquel avait participé Saucier, vingt-six ans plus tôt. Où avait-il rencontré Francesca Tozi, le célèbre mannequin qui était toujours aussi belle deux décennies plus tard ? Comment faisait-elle pour ne pas vieillir ?

«Je suis jalouse», songea Maud Graham en cherchant à se garer, sans succès, aux abords du Château Frontenac. Elle finit par abandonner sa voiture devant l'hôtel, confiant les clés à l'un des employés qui la mettrait au garage. Elle aurait peut-être pu montrer sa carte, user de son pouvoir, mais elle ne voulait pas attirer l'attention sur sa visite à Francesca Tozi qui, à sa suggestion, s'était inscrite sous un faux nom pour éviter d'ameuter les journalistes. Ils la trouveraient rapidement, bien sûr, mais Graham l'aurait vue avant. Elle l'avait accueillie à l'aéroport, la veille, et lui avait posé quelques questions sur son alibi, son travail et ses relations avec la victime. Elle l'avait accompagnée jusqu'à son hôtel où l'attendaient ses enfants, qui avaient été interrogés dès leur retour du Bic. Livia vivait à Québec, mais Jules et Francesca avaient préféré louer une suite à l'hôtel. Graham leur avait expliqué qu'on devait prendre leurs empreintes afin de pouvoir les comparer à celles qu'on avait relevées chez Saucier, puis elle les avait quittés en promettant de revenir le lendemain. Si jamais Mme Tozi était impliquée dans la mort de son mari, elle avait un alibi en béton en étant à des centaines de kilomètres du lieu du crime. Sa présence à New York avait été confirmée par plusieurs personnes et son nom n'apparaissait sur aucune liste de vol entre Québec et Manhattan. On oubliait un trajet en voiture : Saucier avait été abattu à l'aube, Francesca Tozi n'aurait pu rentrer assez vite à New York pour recevoir l'appel de Tiffany McEwen lui annonçant la mort de son ex-mari. À moins qu'une autre femme n'ait répondu à sa place. L'appel avait été enregistré et on avait comparé les voix lorsque Graham avait téléphoné à la première épouse pour lui demander quand elle arriverait à Québec. C'était bien elle qui avait pris l'appel de McEwen. Son alibi la mettait provisoirement à l'abri des soupçons mais n'empêchait pas Maud Graham de l'interroger.

Graham faillit se perdre dans le labyrinthe des couloirs du plus vieil hôtel d'Amérique du Nord. Francesca Tozi avait-elle opté pour le Château Frontenac pour sa si belle piscine ou pour son bar aux fauteuils de cuir où on s'enfonçait en contemplant le Saint-Laurent ? Le bar favori de Maud Graham et de Grégoire qui s'y retrouvaient pour boire des martinis.

La bouteille de Chivas sur le buffet indiqua à Maud Graham que Mme Tozi, contrairement à elle, préférait le scotch au gin. À moins que ce ne soit ses enfants? Non, ils devaient préférer ces boissons à la mode plus exotiques. Pourquoi Graham s'entêtait-elle à penser « les enfants » alors que Jules avait vingt-cinq ans et Livia, vingt-quatre? Les alibis de Jules et Livia Tozi-Saucier étaient moins solides, car ils témoignaient mutuellement de leur présence au chalet familial perdu entre le Bic et Métis-sur-Mer. L'un d'entre eux avait pu revenir vers Québec et repartir ensuite vers le chalet pour rejoindre l'autre. Jules avait pu tuer son père et retourner aussitôt au Bic sans que Livia se soit aperçue de son absence. Il avait pu la droguer avec des somnifères. Et elle pouvait être sa complice. Elle était peut-être restée au chalet afin qu'il y ait bien quelqu'un pour y apprendre la nouvelle du décès de Bernard. Et s'en étonner.

Tout était possible. Graham n'oubliait jamais que les meurtriers sont généralement connus de leurs victimes. Et que Marjorie avait sous-entendu que les relations entre Bernard et ses aînés étaient conflictuelles. Disait-elle la vérité ou avait-elle tenté d'orienter ses recherches vers Jules et Livia? Dans quel but? Jouait-elle un rôle dans ce drame ou Jules et Livia étaient-ils réellement en mauvais termes avec leur père?

— Avez-vous réussi à dormir? s'enquit Graham après avoir accepté le café que Francesca Tozi lui proposait.

— Plus ou moins. Tout me paraît tellement irréel. Bernard est mort...

— Vous avez pourtant déclaré à McEwen que vous pensiez qu'il se tuerait.

— Sur la route, il se prenait pour un pilote de formule 1, répondit Francesca avec une pointe d'accent italien délicieux qui devait aussi affoler les hommes.

— Avec nous, il conduisait prudemment, la contredit aussitôt Livia après s'être tamponné les yeux.

Elle était la seule à être ravagée par le chagrin. Était-elle sincère ou non ? Francesca paraissait plus contrariée que triste et Jules, plus anxieux que peiné. Il évitait le regard de Maud Graham et croisait et décroisait les bras trop fréquemment.

Quelles étaient les relations entre la mère et la fille ? Et le fils ?

— Tu n'es pas obligée de le défendre, intervint Francesca. C'est une victime, pas un accusé.

— Les gens commencent déjà à faire son procès, rétorqua Livia. Comme si c'était sa faute s'il a été tué !

— Il n'avait pas que des amis, fit remarquer Jules. Les mouvements écologistes et les employés du centre qui a fermé…

— S'il avait conservé le centre commercial, il aurait beaucoup perdu. Tu le sais aussi bien que moi ! Et la construction du complexe hôtelier faisait l'affaire des gens du coin.

Les enfants étaient peut-être partis complices en vacances au chalet, mais la mort de Bernard Saucier avait altéré leurs rapports.

Un silence se prolongea assez longtemps pour que Graham identifie le bruit d'un aspirateur dans une chambre voisine. Francesca saisit brusquement le téléphone et exigea qu'on leur apporte de nouveau du café.

— Nous en avons besoin.

— Oui, j'ai lu aussi les journaux, reprit Maud Graham. Ceux qui écrivent ces articles ne fréquentaient pas votre père. Comment était-il ?

— Absent, dit Jules en regardant pour la première fois Maud Graham dans les yeux. Elle crut y lire une sorte d'acceptation de ce qui n'avait pas été et ne serait jamais.

— Arrête ! protesta Livia. Il était généreux et il nous encourageait dans tout. J'ai fini mon droit avec les meilleures notes. Parce que papa me soutenait.

— C'était dans son intérêt. Il n'y avait jamais trop d'avocats autour de lui.

— Il était différent avec vous ? fit Graham.

— Nous n'avions pas beaucoup de points communs. Il déteste l'eau. J'ai étudié la biologie sous-marine à l'université de Rimouski. J'aime les fosses abyssales, alors que notre père pilotait un avion.

— Tu aimais ça quand il t'emmenait avec lui pour traverser la frontière.

— Vous voliez souvent ?

— Non. C'est arrivé trois fois.

— Vers les États-Unis ?

Jules acquiesça ; Bernard Saucier avait une propriété à Bar Harbor.

— Avec la maison de Bar Harbor, celle de Westmount, le condo en Floride et le chalet, ça fait cinq résidences. Il y en a d'autres ?

— Notre père venait d'acheter un bateau.

Graham nota l'information en jurant intérieurement ; encore un lieu à scruter au peigne fin.

— Il y a aussi un appartement à Paris, compléta Livia. Tout le monde y allait, même maman. N'est-ce pas ?

Francesca confirma ; elle habitait effectivement rue de la Bourse quand elle séjournait en Europe.

— Marjorie aussi. Et ses enfants, ajouta Livia. Et je suis sûre que Lily voudra continuer à en profiter quand William et Chloée seront plus grands.

— Si M. Saucier vous prêtait les clés de son appartement parisien, c'est que vous n'étiez pas en mauvais termes, avança Graham. J'ai pourtant cru comprendre, en lisant la presse, que les divorces de M. Saucier avaient été pénibles.

— Sur le moment. Après tout ce temps…

Maud Graham hocha la tête même si elle éprouvait de la difficulté à comprendre ce type de relations : quand Yves l'avait quittée, elle avait jeté tout ce qui la liait à lui dans l'espoir de gommer son souvenir plus rapidement, mais des années plus tard, et bien qu'elle soit heureuse avec Alain, elle n'avait pas oublié son désarroi, sa détresse au moment de la rupture, sa colère. Elle n'aurait jamais pu devenir amie avec Yves, alors qu'Alain entretenait une belle amitié avec Johanne, avec qui il avait vécu. Était-elle trop rancunière ? Est-ce que Francesca était sincère en affirmant qu'elle n'en voulait plus à Saucier pour l'échec de leur mariage ou était-elle hypocrite pour continuer à bénéficier de ses largesses ?

— À qui appartient l'appartement new-yorkais ?

— À moi. Je l'avais déjà quand j'ai rencontré Bernard. Mon mari a acheté l'appartement voisin. Mais Bernard m'avait offert Bar Harbor. Quand pourra-t-on récupérer le corps ?

— Ce ne sera pas dans l'immédiat. Nous devons attendre tous les résultats de…

Un gémissement de Livia retint Graham de prononcer le mot autopsie. Elle patienta quelques secondes avant de s'informer : qui s'occuperait des arrangements funéraires ?

— Marjorie, Lily et moi, déclara Francesca. C'est mieux pour nos enfants. Nous en avons discuté, hier soir. Nous nous sommes séparé les tâches. Le plus difficile sera de renoncer à une certaine intimité ; nous ne pouvons refuser que Bernard reçoive les hommages des gens qui l'ont apprécié.

— Et qui aurait pu détester votre ex-mari ?

— Je vous l'aurais dit hier soir, voyons ! Vous perdez votre temps à nous interroger.

— Vous avez vécu plusieurs années avec Bernard Saucier, vous saviez alors qui étaient ses détracteurs.

— Tous les hommes qui convoitaient les mêmes entreprises que lui. Mais en admettant qu'il se soit fait un ennemi mortel, pourquoi aurait-il attendu à aujourd'hui pour tuer Bernard ? Ça n'a aucun sens.

Maud Graham se posait la même question mais ne la rejetait pas, contrairement à Francesca Tozi. Elle se tourna vers Jules et Livia.

— Vous m'avez dit hier soir que vous aviez vu votre père avant de partir pour votre randonnée au parc du Bic. Était-il soucieux ? Avait-il pu recevoir des menaces ?

Jules secoua la tête ; son père était égal à lui-même. Il s'était plaint de la lenteur du gouvernement à rendre une décision concernant les travaux sur la rivière qui l'opposaient aux écologistes.

— Il était furieux contre eux ! déclara Livia. Les gens de la place ont voté pour la construction d'un complexe hôtelier. Ils ont besoin de cet argent, sinon leur ville ne survivra pas. Il n'y a que le tourisme pour l'empêcher de devenir une ville fantôme. Le projet de Bernard Saucier les sauvera !

Livia parlait-elle souvent de son père comme d'un personnage, un héros ? L'Empereur Saucier régnait aussi au sein de sa famille. Recomposée. Graham se rappelait les propos de Vivien Joly sur la vie des César, Tibère, Claudius et Néron : leurs proches avaient comploté contre eux. Il y avait eu de nombreux empoisonnements dans ces familles de la Rome antique. Qui avait choisi les prénoms de Jules et de Livia ?

Et où étaient-ils la nuit du 17 au 18 juillet ?

Graham se retira en espérant que, de leur côté, les entretiens de Rouaix et de McEwen avaient été plus fructueux.

Alors qu'elle ouvrait la porte de la chambre, elle pivota sur elle-même et interrogea Livia et Jules.

— Est-ce que votre père s'intéressait aux oiseaux ? Il aimait piloter…

— Aux oiseaux ? s'étonnèrent-ils avant de faire un geste de négation.

— Il n'était pas fou des animaux, mentionna Jules. Nous n'avons jamais pu avoir de chien ni de chat. Pourtant, il ne les aurait même pas vus, il n'était jamais là…

— Donc les oiseaux le laissaient froid.

— Il n'était pas vraiment un écolo, fit Jules.

— Il composte et il a acheté une voiture électrique ! protesta Livia.

— Ce n'est pas lui qui s'occupait du tonneau. C'est l'homme à tout faire.

— Papa vient juste de mourir… Comment peux-tu le critiquer ? s'indigna Livia.

— Ce n'est pas ça, une critique, rétorqua Jules. Je le critiquerais si je disais qu'il était intolérant.

— Il l'était ? fit Graham.

— Je ne ferai pas semblant que nos relations étaient agréables, dit Jules. Vous découvririez vite que ce n'était pas le cas.

— Tu exagères, s'insurgea Livia. Ce n'était pas toujours facile, mais…

— Peux-tu nier qu'il trouvait ça lamentable que je sois gay ? Il m'a refusé beaucoup de choses. Et pas seulement un chien.

Avait-il des reproches plus précis à adresser à son père ? se demanda Graham. Elle devrait interroger de nouveau le jeune homme. Et sa sœur si véhémente.

Francesca Tozi regarda sa tasse de café vide et soupira ; pourquoi ne leur avait-on pas encore apporté une cafetière pleine ?

— Nous sommes un peu trop émotifs, s'excusa-t-elle auprès de Maud Graham. Et nous ne pouvons pas vraiment vous aider.

Il y eut un silence ; Francesca Tozi espérait mettre fin à cet entretien et Graham décida qu'elle lui laisserait l'impression qu'elle avait assez de pouvoir pour y parvenir. Mme Tozi semblait être une femme habituée à ce qu'on se plie à ses volontés. Elle jeta un coup d'œil vers Jules, mais il fixait de nouveau le sol.

— Une dernière question : M. Saucier était-il un homme prudent ?

— Oui, affirma Francesca, sauf au volant de ses voitures. Il vérifiait tout, contrôlait tout.

— Était-il aussi vigilant avec le système de caméras de sa maison ?

— Vigilant ?

— Le système était désactivé la nuit de sa mort. Peut-être qu'il ne l'activait que lorsqu'il s'absentait ?

— Non, répondit Francesca, il a toujours voulu des caméras en permanence. Il y en a dans toutes ses propriétés.

— Il avait bu, nous avez-vous dit ? fit Jules. Il a pu se coucher sans y penser. Ça lui arrivait de s'enivrer, n'est-ce pas, maman ?

— C'est sûrement ce qui s'est produit.

Maud Graham quitta la suite en songeant que Francesca s'était très rapidement rangée à l'opinion de son fils. Elle entendit Livia critiquer le service de l'hôtel ; le café leur serait-il enfin apporté ? Graham, qui adorait le vieil établissement où Alain l'avait déjà invitée à dormir, la classa dans la catégorie des capricieuses. Livia et Jules étaient-ils des enfants rois à qui tout était dû ?

***

Chantier, 22 juin 1981

Gabriel Siméon était allongé sur le tapis de mousse et regardait les nuages joufflus qui dérivaient doucement vers l'est, les enviant de se laisser porter ainsi par le vent. Il aurait aimé être un cumulus sans but, sans attaches. Pourquoi Chantale n'était-elle jamais là quand il lui téléphonait ? Pourquoi n'avait-elle pas répondu à ses lettres ? Elle détestait écrire, d'accord, mais lui non plus n'aimait pas ça et il faisait des efforts pour lui raconter sa vie au chantier entre deux dessins. Sa blonde avait dit qu'elle était très occupée avec son nouvel emploi, mais elle ne travaillait quand même pas au bureau après le souper.

L'odeur de la forêt, le vent dans les fougères parvinrent à rasséréner Gabriel, l'aidèrent à se persuader qu'il s'inquiétait pour rien. Chantale était une fille populaire qui avait énormément d'amies. C'était l'été, elles sortaient s'amuser, profitaient des beaux jours. Lui-même ne goûtait-il pas le plaisir de respirer le parfum d'humus après la pluie ? Il pensait avoir repéré des champignons. Peut-être que le cook pourrait lui faire une omelette ?

Il se relevait lorsqu'un frémissement dans les cèdres le fit s'immobiliser. Quel animal était tapi là ? Un lièvre ? Une perdrix ? Il tendit l'oreille tout en rampant lentement vers les fougères. Un infime mouvement lui indiqua la cachette de la bête. Il crut apercevoir du brun, du noir, du blanc. Une oie sauvage ? Il continuait à s'avancer quand un froufrou de plumes et de feuilles le surprit. Il vit l'oiseau tenter de s'envoler, retomber sur le sol. Il s'approcha et aperçut le piège qui le retenait. Il libéra lentement l'outarde dont une des ailes présentait un angle anormal et une vilaine plaie. Elle avait probablement été happée par un renard ou une loutre. Comment avait-elle survécu à l'attaque ? Il hésita à la toucher, sachant qu'elle ne pourrait retourner à la vie sauvage une fois imprégnée de son odeur humaine, mais elle souffrait et il fallait la soulager... Il flatta la tête de l'oiseau, lui parla doucement pour le rassurer, sentant son cœur affolé battre à tout rompre.

— On va te soigner. J'ai un ami qui est médecin.

Il se félicita d'avoir quitté le chantier pour se réfugier en forêt avec son grand sac. Il pourrait glisser l'oiseau à l'intérieur, le temps de se procurer ce qu'il fallait pour lui construire un abri, car la blessure requerrait des soins durant plusieurs jours. Il trouverait des bouts de bois, du grillage pour faire une cage provisoire loin du chantier. Il avait de la chance que la journée soit terminée et que les gars se préparent maintenant à souper ; il pourrait récupérer ce dont il avait besoin sans attirer l'attention. Et si on l'interpellait, il raconterait qu'il voulait planter des graines de citrouille et de tournesol, mais qu'il devait les protéger des écureuils. On le croirait. De toute manière, qui s'intéressait à lui, hormis Francis ? Francis qu'il devait trouver au plus vite pour soigner l'oiseau. Il se dirigea vers sa chambrée, la dernière au bout de l'enfilade de baraquements. Serge Brûlotte en sortit avec Paul Corriveau.

— Francis est là ?

— Non. Il est à l'infirmerie. Il s'occupe de Rock en attendant que le doc revienne. Il s'est coupé tantôt. Qu'est-ce que tu lui veux, à ton nouvel ami ?

— Rien de spécial.

Gabriel s'éclipsa avant que Serge et Paul lui posent une autre question et il évita de se diriger aussitôt vers l'infirmerie, ne voulant pas attirer l'attention des deux hommes. Il s'éloigna vers sa propre chambrée, déserte heureusement, et il ouvrit son sac pour permettre à l'oiseau de mieux respirer. Ses yeux affolés roulaient en tous sens.

— On n'en a plus pour longtemps.

Gabriel attendit tout de même encore quelques minutes avant de gagner l'infirmerie. Francis et Rock se tenaient sur le pas de la porte.

— Je changerai ton pansement demain. Il ne faut pas que ça s'infecte. Et n'oublie pas les antibiotiques. Pas d'alcool. En tout cas, pas trop...

— Pas trop ? répéta Rock. On a juste ça à faire ici, prendre un verre avec la gang.

— C'est seulement pour la semaine.

— Je ne sais pas si le doc dirait la même chose, commença Rock.

— Il n'est pas ici. En attendant qu'on nous envoie un autre médecin, c'est moi qui suis responsable de l'infirmerie. On va soigner ta blessure et on verra après si je suis si nul.

— OK, je n'ai rien dit, marmonna Rock en se dirigeant vers le camp principal.

Il dévisagea Gabriel mais ne lui adressa pas la parole. Celui-ci attendit qu'il se soit suffisamment éloigné pour dire à Francis qu'il aurait dû permettre à Rock de boire autant qu'il le voulait.

— Tant qu'à moi, il peut se noyer dans une barrique de gin. On ne perdrait pas grand-chose. Je n'en peux plus de les endurer. Après une journée de travail, je veux la paix. Ils sont toujours sur notre dos. Quand ce n'est pas toi, c'est moi qui les subis. J'ai failli me battre avec Lemire tantôt, si le boss n'était pas arrivé...

Francis hocha la tête : il détestait également Lemire et Brûlotte, leurs propos racistes et homophobes. Il était pourtant heureux que l'ostracisme dont Gabriel et lui étaient victimes ait tissé ce lien entre eux, même si être de nouveau un bouc émissaire réveillait ses pires souvenirs. Il ne nourrissait plus aucune illusion envers Gabriel, mais il n'avait pas perdu au change. L'Innu était assez ouvert pour lui témoigner de l'amitié. Il était hétéro, mais ne se sentait absolument pas menacé par l'intérêt qu'il lui portait. Il lui avait même parlé des berdaches, les hommes-femmes de la mythologie amérindienne. Les choses étaient claires entre eux. Ils étaient complices.

— J'ai besoin de ton aide.

Gabriel ouvrit sa grande sacoche et fit signe à Francis de se pencher pour mieux y voir.

Ce dernier sursauta lorsque l'outarde s'agita en découvrant la lumière.

— Qu'est-ce que… ?

— Une outarde, la *Canada goose*! Elle est blessée. Il faut la soigner. Occupe-toi d'elle pendant que je lui construis une cage. Elle aurait pu se faire dévorer.

— Elle est belle, dit Francis en admirant la courbe du cou, les couleurs de terre et de ciel du plumage, l'œil si vif.

Ils rentrèrent à l'infirmerie et, tandis que Gabriel sortait doucement l'oiseau terrifié de son sac, Francis posait une grande serviette blanche sur une table.

— Attention !

L'outarde avait tenté de s'échapper, mais Gabriel la retint et désigna son aile gauche.

— On dirait qu'elle a été broyée par le piège.

Francis déplia doucement l'aile blessée, conscient d'infliger une douleur à l'oiseau.

— Il faudrait que je l'endorme un peu.

Il farfouilla dans ses poches pour trouver les clés de l'armoire vitrée où étaient rangés les produits pharmaceutiques, les drogues, et dénicha une petite bouteille, prit un tampon et l'approcha du bec de l'oiseau qui dodelina rapidement de la tête avant de s'affaisser.

— Je vais pouvoir m'occuper d'elle, maintenant.

— On dit « elle », mais c'est peut-être un mâle.

— Oui, les bernaches font partie des rares oiseaux à posséder le même plumage, mâle ou femelle.

— Je te laisse faire, je me charge de la cage. Le plus compliqué, c'est de dénicher un coin tranquille. Je n'ai pas envie que des imbéciles la dérangent.

— Les gars ne s'aventurent pas plus loin que le bord de la rivière qui est nettoyé. Plus haut, en amont, la rive est rébarbative. Personne n'y est retourné depuis le feu du printemps. On devait faire une corvée, mais on remet toujours ça... Il commence à pleuvoir, tu devrais être tranquille.

— Bonne idée. Tu me rejoins là quand tu auras fini. On l'appellera Nishk, déclara Gabriel.

— C'est joli, approuva Francis.

— C'est la traduction d'outarde.

Gabriel repartit vers la chambrée, la contourna pour reprendre les morceaux de bois et le grillage qu'il avait cachés là et descendit vers la rivière. Pas une âme à l'horizon, que le clapotis de la pluie qui se mêlait au bruit de l'onde. Il longea le bord de l'eau. La grève était de moins en moins hospitalière à mesure qu'on s'éloignait du camp, les galets, les pierres, les vieilles souches se multipliaient. Il atteignit la partie qui avait été brûlée en avril, y déposa les morceaux de bois, le grillage et son sac où il avait rangé ses outils. Il jeta un coup d'œil aux alentours afin de déterminer quel était le meilleur endroit pour Nishk et s'attela à la tâche.

***

Québec, 19 juillet 2011

Elias Sansregret avait des traits marqués, des yeux profondément enfoncés dans leur orbite, mais il avait une chevelure noire que bien des hommes devaient lui envier. À cinquante-sept ans, il galvanisait autant les militants que vingt ans auparavant, quand il avait fondé une association pour la protection de la nature. À ses débuts, l'association Grandir comptait une centaine de personnes qui s'étaient réunies pour contester un projet gouvernemental qui prônait la construction d'une autoroute à la limite de leur village. Les rangs de Grandir s'étaient étoffés et, aujourd'hui, des milliers de personnes appuyaient Elias Sansregret dans sa lutte pour sauvegarder des sites naturels où pouvaient vivre et grandir ces animaux que trop peu de gens savaient menacés d'extinction.

— Je n'ai pas pleuré en apprenant la mort de Saucier, déclara Sansregret à Maud Graham. Je ne suis pas hypocrite, contrairement à ce visage à deux faces. Mais je ne l'ai pas tué.

— Vous avez dit à mon collègue Moreau que vous étiez à l'île d'Orléans. Qui pourrait en témoigner ? demanda Graham.

— Ma femme, je suppose. Elle dormait aussi. À cette heure-là, c'est plutôt normal.

Graham se retint de soupirer ; elle était parfaitement consciente que la plupart des gens qu'elle interrogerait lui feraient la même réponse.

— Peut-être que tous les membres de l'association ne sont pas aussi équilibrés que vous. Parfois, des gens trop passionnés, trop enflammés ou trop jeunes pour mesurer les conséquences...

— Non, Grandir n'est pas une association qui fait l'éloge de la violence.

— Vous avez quand même pendu Saucier en effigie. C'était assez clair comme message.

Sansregret sourit à l'évocation de la marche du 1er mai où les militants de Grandir avaient rejoint les membres d'une centrale syndicale s'opposant à Saucier pour manifester devant le parlement de Québec, alors que ce dernier s'y trouvait pour rencontrer le ministre de l'Environnement. Sansregret avait payé cher la marionnette qui devait incarner Saucier, mais l'artisan qui l'avait fabriquée avait bien travaillé. Le pantin qui mesurait trois mètres portait évidemment une chemise blanche et sa tête de cire reproduisait fidèlement celle de Saucier avec ses sourcils épais, son menton puissant, son nez si droit.

— J'étais assez content de l'effet, reconnut Sansregret, surtout quand la tête de Saucier s'est mise à fondre. L'artisan voulait la faire en terre, mais j'ai refusé. Je voulais l'image du crâne dégoulinant pour les médias.

— C'était éloquent. Vous le détestez depuis l'affaire des battures ?

— Il nous avait juré qu'il ne s'y intéressait pas, mais depuis des années il a fait acheter par ses sbires toutes les terres qui longent la rivière et il s'apprêtait à construire ces maudits hôtels de merde. Qui que ce soit qui ait descendu Saucier, on lui doit un fier service.

— Un homme qui a été froidement abattu, M. Sansregret...

— Je vous ai dit que je ne suis pas hypocrite. Et je suis aussi sans regret, ajouta-t-il en souriant.

— Un peu trop facile, commenta Maud Graham.

— C'est comme le coup des biscuits, on doit vous le faire souvent.

— Ça aussi, c'est facile.

— Savez-vous que les biscuits Graham existent depuis 1829, que c'est un pasteur presbytérien qui les a créés ? À cette époque, et même au moment où ma mère préparait des gâteaux avec ces fameux biscuits, il y avait des monarques dans les champs. Si on aperçoit un papillon ou deux par année aujourd'hui, c'est le maximum. C'est ça que nous cherchons à préserver, c'est pourquoi nous nous opposions à Saucier. Il faut que…

— Épargnez-moi les discours que vous servez à vos adeptes, le coupa Graham.

— Vous parlez de Grandir comme s'il s'agissait d'une secte, protesta Sansregret.

— Peut-être que vous avez des fanatiques parmi les militants, insista-t-elle. Ou des gens désespérés. Il y aura des expropriations, non ?

— Qu'attendez-vous de moi ? Que j'en montre un du doigt ?

— Si vous avez des doutes, oui. Nous avons la liste de tous les membres de Grandir. Nous devons tous les rencontrer, mais si on savait vers qui se diriger pour commencer nos interrogatoires, ça nous serait utile.

— Je n'ai jamais eu la fibre délatrice.

— Mais peut-être rancunière ? À cause des arrestations du 1er mai ? Les trois militants qui ont dormi une nuit en cellule étaient coupables de destruction de biens publics. Ils se sont opposés aux représentants de l'ordre avec violence.

— Vos enquêteurs sont sûrement en train de les interroger. Pourquoi m'en parlez-vous ?

— Parce qu'on pourrait profiter de cet événement pour partir sur de nouvelles bases. Si vous acceptiez de coopérer avec nous…

— Quels en seraient les avantages ?

Maud Graham se retint de soupirer ; elle tournait en rond. Et Sansregret l'avait deviné.

Elle n'avait encore rien de concret sur quoi s'appuyer pour l'interroger plus longuement. Oui, il avait proféré des menaces contre Saucier, il l'avait maudit publiquement. Et alors ? Ça ne signifiait en rien qu'il l'ait tué ou qu'il ait commandé le meurtre à un des militants. Et si l'un d'eux avait pris cette initiative, il n'en avait pas automatiquement informé Sansregret.

Graham referma son carnet avant de donner sa carte à Sansregret. Elle allait quitter sa demeure quand elle désigna un châle rose suspendu à un crochet derrière la porte d'entrée.

— J'aurais aimé m'entretenir avec votre épouse.

— Amélie est à notre chalet de l'île d'Orléans. Je la rejoindrai tantôt. L'été, nous sommes rarement en ville.

— Vous êtes mariés depuis longtemps ?

— Vingt-deux ans. Mais vous savez sûrement tout ça. Vous avez enquêté sur nous, c'est évident.

— Nous aurons besoin de parler à votre femme.

— Pourquoi ?

Maud Graham haussa les épaules : Amélie Tellier était bien un membre actif de Grandir ? Tous les militants sans exception seraient interrogés. Elias Sansregret soupira, mais il ne la regardait pas quand il affirma qu'elle dérangerait inutilement les membres de l'association.

En quittant la demeure, Graham s'immobilisa devant la gigantesque sculpture de bois qui trônait devant la maison.

— C'est audacieux, dit-elle à Sansregret qui était resté sur le pas de la porte.

— C'est l'œuvre d'un artiste de Kamouraska. Ça vous plaît ?

— Je ne sais pas, reconnut Graham.

— Là, vous êtes honnête.

— Je l'étais aussi tantôt en vous priant de collaborer. Réfléchissez-y.

***

Chantier, 30 juin 1981

Francis observait Gabriel qui dessinait l'outarde et s'étonnait de la vitesse à laquelle celle-ci avait récupéré. Elle ne pouvait pas voler, mais elle n'était plus du tout abattue et protestait quand Gabriel la rattrapait pour la mettre dans la cage quand ils la quittaient. Ils l'avaient vue deux fois par jour, à tour de rôle, pour s'assurer de sa guérison, et leurs efforts étaient récompensés ; les plumes de l'outarde étaient plus lustrées et elle mangeait avec un bel appétit.

Gabriel avait esquissé les lignes qui définissaient l'outarde et commençait à reproduire les séparations entre les couleurs des plumes.

— Tu vas mordiller le dessin ? demanda Francis.

— Oui, le tour de l'oiseau pour créer une surimpression.

— C'est fascinant. Je n'avais jamais entendu parler du mordillage.

— C'est une forme d'art qui nous appartient. Ma grand-mère me l'a enseignée. Je me souviens des premières écorces que j'ai mordues. Ce n'était pas très réussi, mais grand-maman me félicitait quand même. Maintenant, j'utilise les mâchoires de différentes bêtes, ours, caribou, loup.

— C'est à la fois traditionnel et moderne. Toutes ces marques de dents qui dessinent un motif.

— J'ai peiné à trouver les bons tissus, assez solides pour supporter le poids de la peinture, mais assez fins pour que les marques des dents puissent y apparaître.

— Tu as pensé tout de suite à utiliser cette forme d'art avec la peinture ? Tu dois être le seul à faire ça... Je ne comprends pas que tu ne vendes pas plus de toiles.

Gabriel sourit ; comment Francis pouvait-il croire autant en son talent ?

— Tu manques peut-être d'objectivité.

— Arrête avec ça. Tu es de mon goût, c'est vrai, mais mon jugement n'est pas guidé par ça. J'ai déjà été amoureux d'un musicien et je détestais ce qu'il jouait.

— C'est toi qui l'as quitté ou c'est lui ?

Francis hésita ; Gabriel faisait sûrement allusion à Chantale. Il avait bien reçu une lettre de la jeune femme, mais elle manquait de chaleur et il s'inquiétait de leur avenir. Il avait même songé à quitter le chantier pour rejoindre Chantale.

— Peut-être qu'elle a déjà décidé de me laisser. Elle n'a pas envie de vivre avec moi dans la communauté. Elle veut s'installer en ville. On s'est disputés souvent pour ça. Je ne veux pas quitter mon coin. Je veux rester chez moi, l'école n'a pas réussi à me transformer en Blanc. Je suis fier de ma culture. C'est pour ça que je hais Saucier qui nous méprise.

Gabriel avait élevé la voix et l'outarde s'agita, inquiète de ces bruits qu'elle ne connaissait pas. Il baissa aussitôt le ton pour la rassurer et lui flatta le dessus de la tête.

— Savais-tu que les oies volent par paire, pour se soutenir l'une l'autre ? Autrefois, en Chine, on offrait une oie pour des fiançailles. Ça signifiait qu'on donnait sa parole. Qu'on promettait fidélité.

Francis regarda Gabriel.

— Je ne suis pas certain de rester ici jusqu'à la fin de l'été, dit-il. C'est de pire en pire avec la gang.

— J'ai envie de les tuer, avoua Gabriel.
— Tu n'es pas le seul ! J'ai déjà vécu le rejet quand j'étais jeune, je ne suis plus capable d'endurer ça !

***

Québec, 19 juillet 2011

Maud Graham avait écouté en grignotant une pomme le compte rendu que Rouaix lui avait fait de ses rencontres avec les partenaires financiers et les employés de Bernard Saucier. Elle s'était félicitée d'avoir résisté aux noix de cajou, mais elle pensait déjà au souper. Pourquoi avait-elle toujours faim ? Elle n'était pourtant pas en pleine crise d'adolescence comme Maxime qui vidait le frigo à une vitesse étonnante.

— On n'a rien d'excitant, conclut Rouaix. Partenaires et concurrents tiennent le même discours : « les affaires sont les affaires », « le plus fort l'emporte ». Il leur a soufflé certains marchés ? C'est le jeu.

— Et ce n'est pas mieux du côté des employés.

— On a vérifié une partie des alibis de ceux qui ont été congédiés, mais pour l'instant on fait chou blanc.

— Nous avons à la fois trop et pas assez de monde à suspecter, râla Rouaix.

— Et une balle d'un calibre 9 mm, c'est banal. J'espère que l'expertise balistique nous fournira des détails. Il n'y avait aucune drogue dans le sang, mais de l'alcool, comme l'avait prévu Alain. Une bonne quantité…

— Pas assez pour l'abrutir, continua Rouaix, sinon il ne se serait pas réveillé.

— Mais assez pour oublier d'activer les caméras et le système d'alarme ? Francesca Tozi assure qu'il était prudent.

Et sa femme de ménage jure que les caméras vidéo fonctionnaient en tout temps, de jour comme de nuit.

— Je soupe avec Provencher, annonça Rouaix. Tu te joins à nous ?

— Tu n'es pas trop crevé ? Avec le décalage ?

— Je n'y pense pas. On attend encore des réponses des politiciens. Je me demande ce que récoltera Provencher. Saucier connaissait beaucoup d'hommes à tous les niveaux du pouvoir.

— Il était partout. On a du boulot...

— Et un point de presse dans l'heure, rappela Rouaix.

— Que peux-tu leur annoncer ?

— Très peu de choses.

Il ne mentionnerait ni la douille retrouvée ni la plume glissée dans la chemise de Saucier. Aucun des invités interrogés ne l'avait remarquée. Cette plume avait été placée là après leur départ.

— Qu'est-ce que ça signifie ?

— Aucune idée, avoua Graham. Il l'a peut-être ramassée, mais il ne s'est jamais intéressé aux oiseaux... Je crois plutôt que c'est un message du tueur.

— Il n'est pas clair, se plaignit Rouaix.

— Pour l'instant. Peut-être qu'un des proches de Saucier sait quelque chose à ce sujet, mais qu'il, ou elle, a gardé l'information pour lui. Le lien le plus évident à faire entre Saucier et une plume, ce sont les écolos qui se sont battus pour empêcher Saucier de construire son complexe hôtelier. Ils soutenaient que ça détruirait la faune, que les oiseaux déserteraient la région ou disparaîtraient. Il y en a parmi eux qui seront expropriés. Ce n'est pas seulement leur amour de la nature qui les a fait se rallier à Grandir, mais la peur de perdre leur chalet. Ceci dit, on en a interrogé plusieurs sans résultat, mais on est loin d'avoir terminé.

— Il y a pourtant quelqu'un qui le détestait assez pour le tuer. Quelqu'un qui s'est présenté chez lui en pleine nuit pour lui loger une balle dans le cœur.

— En tout cas, ce n'est pas Thierry ni Axelle. Ni les tout-petits. Il nous reste quatre proches : Lily, Marjorie, Livia et Jules.

— Il peut avoir d'autres enfants, non reconnus.

— Et frustrés de ce fait ?

— On doit en tenir compte.

Chapitre 4

Québec, 20 juillet 2011

Maud Graham coupa la communication en souriant. Elle avait espéré parler directement à Jules Saucier en appelant à l'hôtel et elle avait eu de la chance, il lui avait répondu. Sa mère et sa sœur devaient être près de lui, car il avait été très bref et avait accepté tout de suite de la rencontrer à l'extérieur du Château Frontenac. Étonnant, non ? Il ne lui avait même pas demandé pourquoi elle tenait à le revoir.

Était-ce la confiance d'un innocent ou l'arrogance, l'assurance d'un coupable ? Était-il allé chez son père le soir du meurtre ? Graham s'était rappelé que Gaétan Morel, le dernier convive à avoir quitté la propriété de Saucier après la petite fête, avait vu une voiture garée sur le côté de la route à un kilomètre de la maison. Une Suzuki blanche. Vers 1 h 30.

Comme celle que conduisaient des centaines de personnes à Québec. Et comme celle de Jules Saucier. Elle blufferait.

Elle lui avait suggéré de la rencontrer au Temporel, rue Couillard, parce qu'elle avait envie d'un cappuccino moelleux. Elle aurait pu adopter une attitude plus formelle, le convoquer au poste puisqu'elle était persuadée qu'il lui avait menti, mais elle lui avait pourtant proposé un café. Il était déjà assis près de la fenêtre quand elle arriva avec quelques minutes de retard perdues à chercher un endroit pour garer sa voiture.

— Je ne sais pas quoi faire, dit-il immédiatement.

— À propos de… ?

Allait-il lui avouer son mensonge ? Expliquer pourquoi il s'était tu devant sa mère et sa sœur, se justifier ?

— Je vis à Rimouski, mes amis sont là-bas, mon travail. Ici, j'attends les funérailles en essayant d'échapper aux journalistes. J'ai hâte de retourner chez moi. Est-ce que ce sera encore long ?

— Je ne crois pas.

Elle faillit redemander à Jules Saucier quand il avait vu son père pour la dernière fois afin de lui donner la possibilité de dire la vérité, mais elle s'informa plutôt de la fréquence de ses visites à Loretteville.

— Voyiez-vous souvent votre père ?

— Tous les mois, quand je descendais à Québec.

— Avez-vous déjà vu des canards, des oies près de la maison ?

Jules écarquilla les yeux. Des canards ?

— Non, sauf ceux qu'on mange. C'était le plat préféré de notre père. J'en ai déjà vu voler au-dessus de la piscine, mais c'est tout. Il n'y a pas de mangeoires autour de la maison. Je vous l'ai dit, mon père n'aimait pas les animaux. Surtout les chats, qu'il considérait comme des parasites.

Graham songea à Léo qui s'était endormi contre son épaule quand elle était rentrée la veille. Oui, elle le nourrissait, mais il lui donnait tant en retour. Sans lui, en l'absence de Maxime et d'Alain, la maison aurait semblé si vide. Comme un hôtel sans âme. Comment pouvait-on ne pas aimer les chats ?

— Notre père adorait le canard à l'orange, précisa Jules. C'était ce qu'il souhaitait pour son dernier repas, mais il aura eu des sushis.

— Qui vous l'a appris ?

— J'ai discuté avec Gordon Brewster, son principal associé.

— C'étaient des amis proches ?

— Mon père a des associés, des partenaires.

— Mais pas d'amis ?

Jules haussa les épaules avant de réclamer un menu. Parce qu'il avait faim ou pour se donner une contenance ?

— Vous semblez plus critique que Livia envers votre père.

— Livia s'est toujours évertuée à le séduire, mais la compétition était féroce. Les épouses de notre père sont trop belles. Ma sœur, malheureusement, lui ressemble. Ça aurait dû être l'inverse. Si j'avais davantage tenu de lui…

— Comme Thierry ?

— Oui, il est parfait.

— Mais Livia devait travailler bientôt pour votre père, non ?

— Oui. Moi, j'ai démissionné depuis des années…

Jules expliqua qu'il était sans illusions depuis qu'il avait compris qu'il était gay. Il n'avait aucune chance de plaire à son père.

— Il me tolérait. À condition que personne n'apprenne mon orientation.

— En 2011 ?

— S'il l'avait pu, Bernard Saucier aurait choisi des époux et des femmes à tous ses enfants. Je l'avais déjà déçu par mon peu d'intérêt pour ses affaires. Ma vie privée n'arrangeait rien. Thierry est là heureusement pour prendre le relais. Il a le même esprit de compétition que notre père. Étonnamment, je m'entends bien avec lui. Il est très aimable avec moi parce qu'il est plutôt content que je lui aie laissé toute la place en me passionnant pour les fonds marins.

— Les universitaires ont toujours besoin d'argent pour leurs recherches, non ?

— C'était le prix de ma discrétion, convint tout de suite Jules.

Ce fut au tour de Maud Graham d'être surprise ; elle ne croyait pas que le jeune homme serait aussi direct avec elle.

— Vous l'auriez appris de toute manière, continua-t-il. Vous enquêtez sur chaque membre de la famille. Les gens, dans notre entourage, vous confieront que nos relations étaient compliquées. Mais vous perdez votre temps en vous intéressant à nous. Nous n'avions rien à gagner à sa disparition.

— Que faites-vous de l'héritage ? On parle de millions, monsieur Saucier. Ça permet plusieurs voyages au fond des océans. Ou l'achat d'un bateau semblable à celui du capitaine Cousteau, par exemple.

L'odeur alléchante d'un croissant pur beurre précéda l'arrivée de la serveuse qui déposa la pâtisserie devant Jules, qui lui sourit avec une gentillesse non feinte. Il paraissait plus jeune, subitement. Il pouvait être charmant. Graham nota un léger tremblement quand il déchira le bout du croissant pour le tremper dans la confiture. Séquelles d'un lendemain trop arrosé ou angoisse d'être avec elle, d'avoir à répondre à ses questions ?

— Je suis prêt à parier que nous toucherons l'argent par versements. Personne ne sera millionnaire du jour au lendemain. Et notre père a sûrement légué beaucoup de fric à la fondation qui porte son nom. Mais pour eux non plus, ce n'est pas une bonne nouvelle que mon père soit mort. C'est la mine d'or qui finira par se tarir, alors qu'il aurait pu alimenter la fondation jusqu'à la fin de sa vie.

— Une fondation pour quoi ?

— Un melting-pot. Recherche médicale et mécénat. La dernière fois qu'il nous en a parlé, il en était très fier. Il avait vu les plans des architectes pour la construction d'un pavillon pour les personnes souffrant d'alzheimer. Il était très enthousiaste.

— Vous en avez discuté quand vous vous êtes vus avant de partir pour le Bic ?

— Non, c'était au printemps.

— Tout a pu changer. Vous conduisez bien une Suzuki SX4 ?

Jules eut un léger mouvement de recul, mais acquiesça ; il était sans doute normal que Maud Graham connaisse ce détail. Tous les membres de la famille seraient le point de mire des enquêteurs et des journalistes ; dans un premier temps, ce sont toujours les proches qui sont soupçonnés lorsqu'un crime est commis.

— De quoi avez-vous discuté quand vous vous êtes vus pour la dernière fois ?

— On vous l'a raconté, Livia et moi lui avons remis son cadeau d'anniversaire. Nous ne nous sommes pas attardés.

— Non, je voulais dire quand vous êtes retourné le voir, le soir du meurtre, après minuit. On a repéré votre véhicule près de la maison. Qu'aviez-vous donc de si urgent à annoncer à Bernard Saucier ? Et pourquoi m'avez-vous caché cette visite ?

Jules échappa son croissant, se mordit les lèvres, puis se tassa sur sa chaise.

— Je n'ai pas pu lui parler. Il était au téléphone avec une femme quand je suis entré. Il m'a fait signe de me servir un verre en disant « c'est juste Jules ». Il ne m'a même pas souri. Il semblait assez ivre. Je me suis assis sur la terrasse et j'ai attendu, mais il continuait à discuter comme si je n'étais pas là. Comme d'habitude. Je suis reparti. Je ne sais pas pourquoi j'ai eu l'idée que ce serait différent parce que j'ai eu une mention très bien pour ma maîtrise. Il s'en foutait.

— Il n'a pas tenté de vous rattraper ?

— Non.

— De quoi vouliez-vous l'entretenir ?

— De notre entente. J'ai rencontré quelqu'un et je ne veux plus me cacher.

— Vous aurait-il coupé les vivres ?

— Je ne sais pas. Je lui aurais proposé de déménager à Marseille où personne ne nous connaît. Il y a un centre d'océanographie. J'aurais pu y poursuivre mes études et y travailler. Je venais tâter le terrain...

Mensonge ou vérité ? Jules était-il prêt à renoncer à une existence dorée pour vivre son amour au grand jour ?

— J'ai un emploi, un appartement, assura Jules comme s'il lisait dans les pensées de Graham. Je n'ai pas besoin de mon père.

Était-il si idéaliste ? Ou comptait-il sur sa mère fortunée et mariée à un banquier ?

— À qui parlait-il au téléphone ?

— Je l'ignore, mais mon père était agacé. Il répétait à cette femme de ne plus l'appeler, que leur histoire était finie. Rompre par téléphone, quelle élégance !

— Il voyait une personne en particulier ?

Jules eut un rire sec. La vie sexuelle de son père était trop changeante pour qu'il ait envie de s'y intéresser. Il mâchonna un morceau de croissant avant d'interroger Maud Graham : sa visite nocturne à Loretteville le plaçait-elle en tête de la liste des suspects ?

— J'étais à la mauvaise place au mauvais moment, mais ce n'est pas moi qui l'ai tué.

— Et Livia ?

— Livia ?

— Elle se sentait peut-être mise de côté à cause des nombreuses conquêtes de votre père ?

— N'exagérons rien, elle est sa fille aînée ! protesta Jules. Elle a une place à part. Elle n'a pas hérité de la beauté de maman, mais elle allait être la brillante avocate qui le défendrait contre ses méchants détracteurs.

— Je n'ai jamais eu l'impression que votre père avait besoin de protection. Mais je me trompais, à l'évidence...

— M'imaginez-vous vraiment avec une arme ? Je ne sais même pas tirer. Mon père m'a emmené deux fois à la chasse et c'était catastrophique. Je ne voulais pas qu'il tue le gibier, ça me dégoûtait. Ça m'effrayait qu'il puisse tirer sur un animal innocent. J'avais neuf ans. C'est la première fois où il m'a traité de tapette. Je lui ai donné raison... Ça lui a déplu de ne pas s'être trompé.

— Il n'aimait pas être pris en défaut ?

— On ne se risquait pas à le lui faire remarquer. Il devait régner sur tout.

— Sur ses femmes et ses enfants.

— Je lui ai échappé, fit Jules avec un sourire triste.

Leur relation était un gâchis qui ne pourrait être corrigé, maintenant. Et peut-être que Jules se reprocherait, d'ici quelques jours, d'avoir quitté la maison. S'il était resté auprès de son père, peut-être le meurtrier aurait-il fait marche arrière. Ou les aurait tués tous les deux. Avait-il envisagé cette hypothèse ?

Jules Saucier fixa Maud Graham ; oui, il y avait réfléchi. En fait, il ne réfléchissait qu'à cela depuis l'assassinat. Si, si, si. S'il était resté. S'il n'était pas venu. S'il avait été tué, lui aussi. S'il avait vu le meurtrier. S'il avait pu aider les enquêteurs.

— Vous étiez donc seul quand vous avez rendu visite à votre père en pleine nuit ? Vous n'avez rien remarqué d'étrange ?

— Je vous l'aurais dit.

— Vous ne nous avez pourtant pas raconté que vous étiez là. Pourquoi avez-vous éprouvé le besoin de le visiter à cette heure-là ? insista Graham. Votre discussion ne pouvait pas attendre quelques heures ? Vous avez quitté le Bic pour vous pointer à Loretteville pour retourner ensuite là-bas. C'est beaucoup de route en très peu de temps.

— J'ai agi sur un coup de tête. J'étais au chalet. Livia était couchée. On avait parlé de notre père durant la soirée, j'ai eu envie de vider mon sac. Ça me pesait de cacher l'existence de mon chum.

— Vous auriez dû nous dire que vous étiez là, lui reprocha Maud Graham. On a trouvé vos empreintes sur un verre à vin blanc. Vous avez sonné en entrant ?

— Non, j'ai les clés. C'est la maison familiale, se vexa Jules.

— Avez-vous dû composer le code pour arrêter le système d'alarme ?

Jules battit des paupières avant de secouer la tête ; non, son père n'était pas couché. Il n'avait pas activé le système.

— Y a-t-il autre chose que je devrais savoir ou préférez-vous continuer à nous faire perdre notre temps ? s'enquit Maud Graham. Peut-être que vous n'avez pas envie qu'on découvre le meurtrier de votre père ?

Elle avait baissé la voix même si elle avait pris soin, en s'assoyant près de Jules Saucier, de jeter un coup d'œil aux clients de la table voisine. C'étaient des touristes allemands qui avaient déployé une carte de Québec et ne s'intéressaient pas du tout à leur conversation. En les voyant sourire devant les chocolats à l'ancienne dégoulinants de crème que leur apportait la serveuse, elle frémit ; elle adorait aussi la chantilly, mais comment pouvait-on avoir envie d'une telle boisson en pleine canicule ?

— Peut-être que je me fous de celui qui l'a tué, admit Jules. Qu'est-ce que ça change ? Je crois toutefois que c'est un militant, une de ces personnes qui devraient être expropriées à cause de la construction du complexe hôtelier. Quelqu'un qui ne voulait pas perdre sa maison, déménager, changer de vie.

— Contrairement à vous qui êtes parti à Rimouski.

— C'était mon choix. Personne ne m'a obligé à tout quitter... Ou alors, c'est une femme qui n'a pas accepté d'être remplacée par une autre. À qui mon père a fait des promesses qu'il n'avait pas l'intention de respecter. Il était doué pour ça.

Graham nota la sincérité du ton, mais elle ne pouvait savoir que Jules ne songeait pas à une des maîtresses de Saucier. C'était plutôt à Livia qu'il pensait. Livia qui avait tant attendu que leur père lui fasse signe de prendre place à ses côtés.

— Vous êtes-vous souvenu de menaces que votre père aurait pu évoquer ?

— Il me semble qu'il a déjà mentionné les illuminés de Grandir, mais sans rien préciser.

Sansregret prétendait que ses militants étaient innocents, mais peut-être cherchait-il à s'en persuader, se dit Graham. Il ne peut pas tous les connaître intimement.

Maud Graham prévint Jules Saucier de ne pas s'éloigner de Québec sans son autorisation. Elle espérait obtenir rapidement des renseignements concernant les appels de Saucier. Jules avait-il inventé cette histoire de rupture par téléphone au moment où il était chez son père ? Et si c'était vrai, qui était l'interlocutrice de Saucier ?

***

Québec, 20 juillet 2011

Livia Saucier était assise sur le canapé devant Maud Graham et tentait de dissimuler sa nervosité. Est-ce que cette femme devinerait son trouble juste à la voir jouer avec son bracelet ? Elle se répéta que c'était normal qu'elle veuille la questionner ; tous les membres de la famille étaient assujettis à un interrogatoire. C'était la procédure. Jules avait discuté plus tôt avec Maud Graham et tout s'était bien déroulé. Elle avait été rassurée alors, mais face à la détective elle avait peur de ses réactions. Elle se racla la gorge et se décida à lui demander ce qu'elle voulait savoir de plus.

— Il me semble que je vous ai déjà tout dit.

— Probablement. Mais vous étiez vraiment sous le choc, vous veniez d'apprendre que votre père avait été assassiné. On vérifie plusieurs fois chaque déclaration. Pour chaque enquête, c'est la routine. Avec un homme aussi connu que Bernard Saucier, nous ne voulons rien laisser au hasard, aucun détail, même le plus petit, ne doit nous échapper. Vous étiez donc au chalet du Bic le soir du drame ?

— Oui. C'est étrange de songer que je dormais pendant que mon père…

— C'est un chalet que vous avez depuis longtemps ?

— Quelques années. Papa l'a acheté pour se reposer, mais il n'a… n'avait jamais le temps d'en profiter. Il travaillait tellement !

— Ça ne vous effrayait pas un peu ?

— D'être au chalet ?

— Non, de suivre le rythme de votre père. J'ai cru comprendre que vous deviez le rejoindre pour être l'avocate du groupe Saucier. C'est ça ?

Livia hocha la tête tout en regardant par la fenêtre sans voir le fleuve qui se dessinait à l'horizon. Oui, elle devait travailler avec son père, assura-t-elle à Maud Graham en évitant d'ajouter que Saucier lui avait dit deux mois plus tôt qu'elle devrait attendre encore un peu avant d'œuvrer à ses côtés. Il souhaitait qu'elle fasse ses preuves ailleurs. Il lui avait pourtant promis de la prendre auprès de lui dès qu'elle aurait terminé ses études. Promis aussi de l'emmener en Europe pour les dernières négociations dans le rachat d'une chaîne d'hôtels, mais elle avait compris qu'il étirait le temps. Qu'il voulait attendre Thierry pour lui confier les responsabilités dont elle aurait dû hériter. C'était Thierry qu'il emmenait en voyage d'affaires. C'est Thierry qui tiendrait les rênes du pouvoir avec Gordon Brewster.

— C'est pour travailler au sein du groupe que j'ai étudié, rappela Livia.

Elle était sincère en disant cela et Maud Graham le sentirait sûrement.

— J'aurais eu des horaires un peu fous, mais ma place est… était auprès de mon père.

— Vous n'êtes pas le genre de femme à rester à la maison ? Contrairement aux ex-épouses de votre père.

— Pas maman, protesta aussitôt Livia. Elle est très occupée avec sa galerie. Elle a du succès à New York.

— Vous deviez entrer en fonction bientôt au sein de l'entreprise ?

— En septembre. Tout était décidé, mentit Livia. Nous avions tout réglé. Nous ne changerons rien. Je respecterai la volonté de mon père.

— Il n'y avait que Jules et vous, au chalet ? Vous êtes certaine de n'avoir vu personne ?

— Non. On a soupé à l'Auberge du Mange Grenouille...

— Je connais, s'enthousiasma Graham, c'est tellement charmant, cet endroit !

Livia parut surprise par le commentaire joyeux de Graham, mais acquiesça.

— Oui, nous y sommes fidèles. Et mauvais cuisiniers, Jules comme moi. Nous soupons toujours là lorsqu'on se rend au chalet. Papa ne savait pas faire cuire un œuf, nous avons hérité de...

— Vous avez quitté le resto à quelle heure ? la coupa Maud Graham.

Livia haussa les épaules ; elle avait déjà déclaré qu'elle ne s'en souvenait pas précisément. Elle avait trop bu au restaurant, mais il était tôt. Jules avait pris le volant, ils s'étaient rendus au chalet et s'étaient couchés.

— On sait aujourd'hui que Jules est descendu à Québec. Il vous a sûrement dit qu'on l'a questionné là-dessus. Vous n'avez rien entendu quand il est parti ? En pleine nature, vous auriez dû percevoir le bruit du moteur de la voiture, non ? Vous nous avez pourtant affirmé lors de notre première rencontre que votre frère et vous étiez restés ensemble au chalet. Vous nous avez menti.

Livia secoua la tête ; non, elle portait des bouchons pour dormir.

— Dans un endroit aussi calme ? s'étonna Graham.

— J'en porte toujours. J'avais bu, alors j'étais assommée. J'étais certaine que Jules était couché. Je ne sais pas ce qui lui a pris de partir à cette heure-là. Jules a toujours été impulsif. On avait discuté de sa relation avec papa, durant le souper. C'est un peu de ma faute, je l'ai encouragé à lui parler ouvertement. Mais je ne pensais pas qu'il se déciderait si vite !

— Et quand il est revenu au chalet ?

— Je l'ai vaguement entendu, mais je me suis rendormie. J'avais mal à la tête.

Maud Graham prit quelques notes dans son calepin tout en songeant que cette jeune femme avait décidément un sommeil très profond. Trop ?

— Comment vous sentiez-vous au réveil ?

— Un peu vaseuse...

Maud Graham sourit ; ça lui arrivait d'abuser quand elle sortait dans un aussi bon restaurant.

— C'est vrai ?

— Mais oui, nous aussi, on s'amuse, dit Graham. Et je conserve un excellent souvenir de la cuisine du Mange Grenouille. Donc, vous vous êtes levée un peu pâteuse. Et ensuite ?

— Ensuite ? J'ai bu du Perrier. Et maman nous a appelés.

Elle ferma les yeux en se remémorant cet instant.

— Comment avez-vous réagi ?

— Comment voulez-vous que j'aie réagi ? s'impatienta Livia. J'étais sous le choc ! Je ne pouvais pas le croire !

— Votre mère a pensé qu'il avait été victime d'un accident de la route.

— Moi aussi, c'est sûr.

Graham feuilleta son calepin, fronça les sourcils.

— Vous avez pourtant soutenu hier que votre père conduisait prudemment.

— Oui, mais... ça dépendait. Pas toujours...

Livia se tut, baissa la tête ; est-ce que cet entretien durerait encore longtemps ?

— Vous n'avez jamais pensé que votre père était menacé, c'est ça ?

— C'est ça. Il n'était pas ami avec tout le monde. C'est normal dans son métier.

— Vous étiez près de lui, non ? Sa future collaboratrice…

— Oui.

— Il ne vous a pas dit s'il avait reçu des menaces ?

— Des menaces ? Non.

— Est-ce qu'il avait une maîtresse au moment de sa mort ?

Livia esquissa un sourire forcé ; probablement. Son père ne restait jamais longtemps seul.

— Vous la connaissiez ?

Elle secoua la tête ; elle ne se mêlait pas de la vie privée de son père.

— Et la vôtre ?

— La mienne ?

Graham avait-elle cru déceler une certaine fêlure dans la voix de la jeune femme ? Elle avait encore détourné le regard.

— Oui, la vôtre. Est-ce que Bernard s'en mêlait ? Connaissait-il votre amoureux ?

— Je n'ai pas d'amoureux, déclara trop vite Livia. En quoi mes affaires sentimentales vous regardent-elles ?

— J'essaie de me faire une idée de votre famille. C'est nécessaire lorsqu'il y a un meurtre.

Livia ouvrit la bouche, puis la referma. Il était préférable d'éviter tout commentaire sur le terrain glissant de ses relations amoureuses. Il s'agissait peut-être seulement de curiosité de la part de cette enquêtrice. Mais si elle découvrait l'identité de son amant ? Elle avait toujours été très prudente. Seul Jules savait avec qui elle s'envoyait en l'air. Seul Jules s'en réjouissait. Ce n'était certainement pas lui qui lèverait le voile sur sa vie privée.

— Je m'excuse de vous avoir posé ces questions un peu personnelles, mais c'est la procédure, affirma Graham. Moi non plus, je n'aime pas qu'on m'interroge sur ma vie privée. De toute manière, je ne peux pas en parler ouvertement.

— Ah ?

— Je vis avec un pathologiste. C'est lui qui a pratiqué l'autopsie et qui procède aux examens complémentaires.

Elle vit Livia pâlir, déglutir, avant de l'assurer qu'Alain était très respectueux dans sa pratique.

— On vous rendra bientôt le corps de votre père.

Elle referma d'un coup sec son calepin. Livia sursauta.

Dans l'ascenseur qui menait au rez-de-chaussée de l'hôtel, Graham songea que cette jeune personne était décidément très nerveuse. Avec ou sans raison ? Même si Saucier avait beaucoup d'ennemis, Graham continuerait à creuser les liens entre la victime et ses proches. Il y avait trop d'argent en jeu. Et trop de tensions.

***

Lévis, mars 1993

Vincent Corriveau regardait son émission préférée avec ses sœurs quand son père était rentré à la maison, mais les aventures de ses héros ne pouvaient plus retenir son attention maintenant. Il fit signe à Claudie et à Isabelle de se taire et tendit l'oreille ; entendrait-il un pas traînant ou normal ? Son père avait-il bu ou non ? Sa mère était à la cuisine, attendant de réchauffer le repas de son mari. Se plaindrait-il que tout n'était pas prêt, alors qu'il ne rentrait jamais à la même heure, que sa mère ne pouvait deviner quand il arriverait ? La porte du réfrigérateur s'ouvrit, Vincent perçut le bruit d'une bouteille qu'on décapsule. Son père viendrait s'affaler dans le fauteuil, derrière eux, et Vincent se demanderait s'il devait lui adresser la parole. Claudie demeurait immobile, mais Isabelle était trop jeune pour comprendre qu'il valait mieux rester tranquille.

— Emmène-la dans votre chambre, chuchota-t-il avant que Paul Corriveau fasse son apparition dans le salon.

Celui-ci marmonna une vague protestation quand Vincent lui demanda d'une voix faussement enjouée s'il avait passé une bonne journée. Il se laissa tomber sur le canapé et le bruit du cul de la bouteille sur la table basse trahit l'état d'ébriété de Paul Corriveau. Il n'était pas resté dans la cuisine, heureusement. Peut-être qu'il ne lèverait pas la main sur sa mère, ce soir. Elle lui apporterait les lasagnes dans quelques minutes. Vincent croisa les doigts pour qu'il mange sans rien dire et qu'il s'endorme ensuite sur le canapé. Son père aimait les lasagnes. Comme lui. C'était un de leurs rares points communs.

— Ferme la télé ! ordonna-t-il. J'ai mal à la tête.

Vincent s'exécuta aussitôt et se leva pour gagner sa chambre.

— Où tu vas ?

— Voir si je peux aider maman.

— Elle n'est pas bonne à grand-chose, mais elle doit être capable de m'apporter mon souper.

Il y eut un silence, puis Corriveau tapota le coussin du canapé pour indiquer à son fils de s'asseoir près de lui. Vincent obéit, mais il aurait cent fois préféré s'enfermer dans sa chambre et attendre que le sommeil le gagne. Il ne savait pas quoi dire pour susciter l'intérêt de son père. Les finales de hockey ?

— Penses-tu que les Canadiens gagneront demain soir ?

— Ils ont des chances. Avec les salaires qu'ils font, ils seraient mieux de nous en donner pour notre argent. Tu dois trouver ça plate que je ne t'emmène pas au forum pour voir un match…

— C'est correct de les regarder à la télé… commença Vincent, mais son père lui coupa la parole.

— Non, ce n'est pas correct. Je suis sûr que Bernard Saucier emmène son fils. Il a une loge à l'année, lui. Je devrais en avoir une, moi aussi, s'il ne m'avait pas menti. S'il avait tenu ses promesses. Mais c'est juste un maudit menteur.

Il but une longue rasade, tendit la bouteille vide à Vincent.

— Va m'en chercher une autre. Elle coûte moins cher qu'au forum, autant en profiter.

— Papa…

— Quoi, papa ?

— Rien. Je reviens.

Sa mère pinça les lèvres quand elle le vit prendre une autre bière dans le réfrigérateur. Ils échangèrent un regard chargé d'angoisse alors qu'elle déposait les lasagnes dans une assiette.

Est-ce que Paul Corriveau la lancerait ou non à la tête de sa femme ?

***

Chantier, 11 juillet 1981

Francis Guérin relisait la lettre que lui avait tendue Gabriel et tentait vainement d'y trouver un élément qu'il aurait pu interpréter positivement, mais la missive était bien une lettre de rupture. Écrite avec tact certes, mais le message était trop clair pour laisser place à l'espoir. Chantale pensait qu'elle et Gabriel devaient se séparer, que leurs vies prenaient des chemins différents. Ils s'étaient aimés, mais les derniers mois avaient vu naître trop de conflits. Ces divergences d'opinions avaient éclairé Chantale sur leur relation ; ils aspiraient à des vies opposées. Il souhaitait communier avec la nature, y trouver son inspiration, elle rêvait d'un travail dans le milieu de la finance, au cœur d'une mégapole, de New York ou de Mexico. Elle ne pouvait lui demander de renoncer à ce qu'il était, pas plus qu'il ne pouvait comprendre son goût pour les grandes villes. Leur jeunesse les avait fait s'aimer, mais la passion s'était effilochée, révélant les manques, les frustrations. Il valait mieux se quitter maintenant avant de s'adresser des reproches et de gâcher leurs beaux souvenirs.

Gabriel tapota la lettre et Francis faillit l'échapper.

— Si on a de beaux souvenirs, on peut s'en fabriquer d'autres ! Je vais faire ce qu'elle veut ! Je vais lâcher la peinture !

— Es-tu fou ? Tu as trop de talent pour tout abandonner.

— Il n'y a que toi qui aimes mes gribouillages. Chantale a toujours pensé que je perdais mon temps, même si elle me disait le contraire. Je vais aller lui parler.

Francis se tut, sachant très bien que Gabriel n'irait pas rejoindre Chantale, car elle avait précisé dans sa lettre qu'elle partait pour quelques semaines aux États-Unis où elle avait de la famille, afin de leur permettre de prendre un vrai recul.

— Elle n'a pas le droit de décider ça toute seule ! Je vais appeler son frère, il va me dire où elle est ! J'ai fait du *cash* ici, je prendrai l'avion et…

Il ne termina pas sa phrase, relut la lettre puis la froissa d'un geste brusque, étouffa un sanglot avant de se mettre à courir vers les bois. Francis aurait voulu le suivre, mais il devinait que son ami avait besoin d'être seul.

***

Québec, 21 juillet 2011

Depuis la fenêtre de la cuisine, Alain observait Maud qui arrachait avec une énergie rageuse les tiges de fraisier qui envahissaient la pelouse, les feuilles de pissenlit et de plantain. Il hésita à lui apporter la théière de Kukicha, préféra se verser une tasse et attendre que Maud ait passé un peu de sa colère sur les mauvaises herbes. Qu'aurait-il pu lui dire, de toute façon ? Que Pascal Poudrette avait été aussi rapide que les enquêteurs qui suaient sur l'affaire Saucier ? Ou que le journaliste avait d'excellents contacts qui lui avaient permis d'apprendre en même temps que Provencher que, trente ans auparavant, Saucier avait causé un accident qui avait rendu infirme un des employés du chantier du nord où il travaillait ?

Il y avait une photo de Jean-François Cliche dans le journal en page 3. Il était assis dans un fauteuil roulant et souriait à l'objectif du photographe. Il était maigre et c'étaient probablement ces traits émaciés, ces lèvres trop fines, ce front dégarni qui le faisaient paraître plus vieux que son âge, car dans l'article de Pascal Poudrette il était écrit que l'infirme avait fêté ses quarante-neuf ans la veille du meurtre de Bernard Saucier.

Coïncidence ? Graham avait juré ce matin en lisant le reportage ; était-ce vraiment nécessaire de mentionner ce détail ?

— Poudrette n'aurait pas dû écrire ça ! avait-elle tonné en balayant le journal du revers de la main avant de sortir dans le jardin.

Alain avait ramassé le quotidien, remis les feuilles en ordre et lu calmement l'article signé par Poudrette. Ainsi, Saucier était à l'origine du malheureux accident qui avait changé la vie de Jean-François Cliche ; un tronc d'arbre de quinze pieds était tombé sur lui, écrasant sa colonne vertébrale. Il n'avait plus jamais remarché. C'était un miracle qu'il ne soit pas tétraplégique. Dans l'article, Cliche affirmait qu'il n'en voulait plus depuis longtemps à Bernard Saucier, que ce genre d'accidents arrive sur les chantiers. Peut-être que Saucier avait été négligent, il aurait dû arrimer à plus de trois points le billot de bois. Mais peut-être que non. En tout cas, c'était de l'histoire ancienne et, aujourd'hui, il ne se réjouissait pas de l'assassinat de Saucier. Une chose était certaine, ce n'était pas lui, dans son état, qui avait pu commettre le meurtre.

Graham revint à la cuisine au moment où Alain repliait le journal.

— Qu'est-ce que tu en penses ?

— La même chose que toi. Cliche peut avoir commandité le meurtre pour se venger de sa vie brisée. Mais si ton hypothèse est juste et que Saucier a payé pour améliorer ses conditions d'existence, il n'avait pas intérêt à ce qu'il disparaisse. Et puis, pourquoi aurait-il attendu tant d'années ?

— On saura très vite d'où Cliche tire ses revenus. Ce n'est pas sa pension d'invalidité qui peut lui permettre d'habiter au Mérici. McEwen m'a dit qu'il est très bien installé.

— Grâce à l'assurance-accident du chantier ?

— On vérifie tout ça. Sais-tu combien coûte un appartement avec vue sur les Plaines ?

Elle sourit quand Alain hocha la tête, se rappelant que son ex-amie, Johanne, avait habité aux Jardins Mérici des années auparavant. Elle avait déménagé à Montréal depuis et, si elle n'avait pas rencontré Arne Christiannssen, si elle n'avait pas choisi de vivre avec cet ingénieur suédois, Graham aurait eu de la difficulté à ne pas s'inquiéter, même juste un peu, des soirées qu'Alain et elle partageaient trois ou quatre fois par année. Il lui rapportait toujours leurs conversations, leurs découvertes; leur plaisir étant d'essayer de nouveaux restos. Johanne était la partenaire idéale pour cette activité, ayant délaissé l'univers de la vente pour l'hôtellerie où elle excellait également, et elle terminait actuellement un cours en sommellerie.

— Cliche n'a pas quitté son fauteuil roulant depuis son retour du chantier, sur une civière, et il n'en voudrait pas du tout à Saucier? Je maintiens qu'il doit avoir une bonne raison pour se montrer aussi magnanime.

— Avons-nous le rapport de l'accident?

— Un peu trop succinct à mon goût. J'ai lu les témoignages des hommes qui étaient au chantier. Ils se ressemblent.

— Ce n'est pas normal?

— À ce point-là, c'est étrange. Ou alors, j'ai trop d'imagination. Mais cette piste-là ou une autre... On n'a rien de concret.

— Et les proches de Saucier?

— Je ne les oublie pas, mais nous n'avons pas grand-chose pour nous permettre d'avancer. Même si je trouve très étrange que Jules ait ressenti un irrépressible besoin de se précipiter à Loretteville à une heure du matin, on ne nous autorisera pas une écoute électronique juste sur une intuition.

— Effectivement, vous êtes loin d'en être rendus là...

— Merci de me le rappeler, dit un peu trop sèchement Maud Graham qui s'excusa aussitôt. Tu aurais dû rester à Montréal au lieu de rentrer pour endurer ma mauvaise humeur.

— Je comprends que tu sois tendue, la rassura Alain. Gagné doit exiger des résultats.

— Il subit des pressions. Ce n'est pas lui, mon problème, c'est Saucier que trop de gens avaient tant de raisons de détester.

— Il y en a quand même qui l'aimaient. C'était un séducteur.

— Oui, soupira Maud Graham. Et ça ne nous simplifie pas la tâche. Un mari jaloux a pu décider qu'il en avait assez d'être cocu. Et il faut aussi songer qu'il peut y avoir des enfants illégitimes que Saucier aurait négligés. Qu'est-ce que les femmes lui trouvaient ?

— Il avait du charisme. Je l'ai déjà croisé à une soirée-bénéfice au Musée des beaux-arts de Montréal. Il irradiait une énergie... solaire.

— Il était peut-être solaire, mais il y avait des choses tapies dans l'ombre qui font maintenant surface, maugréa Graham. On ne l'a pas assassiné sans raison. J'ai hâte d'entendre Jean-François Cliche. Je ne serai pas de retour avant dix-neuf heures, j'aurais dû rester pour t'aider...

— Non, non, je m'occupe du souper de retrouvailles. Maxime ne rentre qu'en fin d'après-midi. C'est dommage que Grégoire et Michel ne reviennent pas avant demain de Barcelone, ils auraient pu se joindre à nous.

— Je ne serai pas mécontente d'avoir Joubert avec nous au poste. C'est trop gros, la mort de Saucier...

Alain enlaça Maud, la rassura ; elle trouverait le coupable. Elle trouvait toujours.

— Dans combien de temps ? se lamenta-t-elle avant de se redresser et de sourire.

— J'ai hâte de voir Maxime !

***

Lorsque Maud Graham arriva au poste, la bonne humeur de Rouaix lui indiqua qu'il y avait de nouveaux développements.

— Provencher m'a appelé. Ils ont fini la vérification des communications de Saucier. Et devine quoi ? Le dernier numéro venait de l'île d'Orléans. Plus précisément de la demeure des Sansregret.

— Et d'Amélie Tellier ! ajouta Graham. McEwen m'a rapporté qu'elle semblait mal à l'aise quand elle l'a interrogée.

— Dans quel sens ?

— Elle surveillait les réactions de son mari. Elle répondait par monosyllabes et, comme Elias Sansregret, elle n'avait pas d'alibi. Ou plutôt, elle était son alibi et il était le sien, si on admet qu'ils ne nous ont pas menti. Mais si c'est elle qui discutait avec Saucier passé minuit, c'est qu'ils avaient une relation particulière... Enfin !

— On ne s'emballe pas, fit Rouaix pour tempérer son enthousiasme. Tu peux être déçue...

— On y va ! répondit-elle en lui enjoignant de la suivre.

Elle devança Rouaix jusqu'à la voiture, tapota le capot pour signifier son impatience ; elle avait hâte d'être rendue à l'île d'Orléans.

En voyant le pont, elle se remémora une de ses premières matinées avec Maxime. Alain les avait emmenés observer l'arrivée des bernaches. Le ravissement de l'enfant l'avait comblée de bonheur, rassurée ; malgré les drames qu'il avait vécus, il pouvait encore s'émerveiller. Le tumulte des oiseaux couvrait la voix de Maxime, mais elle avait deviné ses exclamations de joie en admirant cette mer mouvante brun et noir striée d'un blanc immaculé lorsque les oies battaient des ailes.

Quand ils étaient revenus à la maison, Maxime avait demandé comment le dessous des ailes des oies pouvait rester aussi propre.

Il n'y avait aucune oie quand Rouaix et elle traversèrent le pont de l'île, mais des corneilles et des hirondelles survolaient les champs qui s'étiraient jusqu'au fleuve. Ce maïs à perte de vue lui donna envie de manger un épi bien salé.

— J'ai faim.

— Tu as toujours faim, répondit placidement Rouaix.

— On achètera des framboises et du maïs au retour. Deux paniers, non, trois. Avec Maxime, ça ne durera pas très longtemps. Je n'en reviens toujours pas de tout ce qu'il peut engloutir !

Ils traversèrent un premier village avant d'arriver chez les Sansregret. Elias n'avait pas menti à Maud Graham lorsqu'il disait qu'il récupérait du bois et du métal pour réaliser ses sculptures ; il y avait un amoncellement de tôles au beau milieu de la cour, à côté d'une petite maison aux volets verts.

Rouaix et elle firent claquer les portières de la voiture, annonçant leur présence, et Graham, après avoir vainement cherché une sonnette, cogna à la porte.

Elias Sansregret apparut derrière la vitre et la dévisagea un moment avant de lui ouvrir.

— Qu'est-ce qui se passe ?

— Un appel a été fait à partir d'ici, M. Sansregret.

— Un appel ?

— Est-ce que votre femme est avec vous ?

— Amélie est dans le jardin.

— Nous devons vous parler à tous les deux.

— Dites-moi ce qui se passe ? fit-il en se dirigeant vers le fond de la pièce.

Une porte donnait sur l'arrière de la maison. Il éleva la voix pour héler son épouse qui s'arrêta sur le seuil en voyant les deux enquêteurs.

— On a des questions à vous poser.

— Vous avez mentionné un appel, dit Elias Sansregret. De quoi…

— Il a eu lieu après minuit, dans la nuit du 17 au 18 juillet. Et l'interlocuteur était Bernard Saucier. Nous voulons savoir si c'est vous ou votre femme qui avez fait cet appel. Et pourquoi ? Surtout à cette heure tardive. On peut entrer ?

Malgré le soleil qui pénétrait dans la maison, Maud Graham eut l'impression qu'un nuage assombrissait tout, subitement, et elle paria que le silence qui régnait se prolongerait. Elle laisserait à Amélie ou Elias Sansregret l'initiative de le rompre. Elle ne les quittait pas des yeux en s'assoyant dans la salle de séjour, cherchant à deviner si la surprise manifeste de l'homme était due au fait qu'il n'imaginait pas qu'on retracerait cet appel ou si c'était parce qu'il venait de comprendre que sa femme avait peut-être appelé Saucier et qu'il appréhendait d'en découvrir la raison. Il lâcha soudainement que c'était lui qui avait appelé Saucier.

— Vous ? fit Graham en observant Amélie Tellier qui avait gardé la tête légèrement baissée mais la releva d'un coup sec, comme si on lui avait tiré brutalement les cheveux par-derrière.

— J'avais bu. J'ai appelé Saucier pour lui dire ce que je pensais de lui, de ses manigances.

— Vous voulez dire que vous avez recommencé à boire ? fit Rouaix.

Sansregret le dévisagea, comprenant qu'on avait mené une enquête sur lui, découvert qu'il faisait partie des Alcooliques Anonymes depuis plusieurs années. Qu'avaient-ils trouvé d'autre à son sujet ?

— Vous avez le droit d'enquêter sur les gens sans raison valable ? protesta-t-il.

Le ton était faux. Graham l'avait entendu s'exprimer avec beaucoup plus de conviction précédemment.

— C'est nous qui posons les questions, rappela Maud Graham. On aurait pu vous convoquer au poste.

— Téléphoner n'est pas un crime !

— Non. Mais nous mentir n'est jamais une bonne idée. Pourquoi ne nous avez-vous pas parlé de cet appel fait le soir du meurtre de Saucier ?

— Je n'y ai pas pensé.

— Ce n'est pourtant pas un détail.

— J'ai oublié, mentit Sansregret.

— Que vous a répondu Saucier ? Il devait être furieux qu'on le réveille pour l'enguirlander.

— Il n'était pas content.

— Ça me surprend que vous ayez réussi à le joindre, dit Rouaix. Parce que son numéro est confidentiel.

Elias Sansregret esquissa une moue avant de prétendre que c'était Saucier lui-même qui le lui avait donné, à l'époque où il s'illusionnait sur cet homme.

— Quand on croyait qu'il préserverait la nature comme il le promettait.

— Vous étiez amis alors ?

— Amis ? Non. Mais on discutait ensemble à l'occasion.

— Ça remonte à combien d'années ?

Sansregret haussa les épaules ; quelques années ?

— Il est déjà venu ici ?

Sansregret hocha la tête.

— C'est à ce moment-là que vous l'avez rencontré, madame ? dit Maud Graham en s'adressant à Amélie Tellier qui frémit avant de battre des cils trop rapidement.

Toute sa personne trahissait son trouble. Elle croisa les bras pour dissimuler son agitation, mais sa voix chevrotait quand elle répondit aux enquêteurs.

— Je suppose, oui.

— Et vous aussi, vous vous entendiez bien avec lui à cette époque ?

— Oui.

— Et vous vous êtes mise à le détester en même temps que votre mari ?

— Oui.

Maud Graham mordilla le bout de son crayon, feuilleta son calepin comme si elle cherchait une précision sur une question à poser, puis le referma d'un coup sec, faisant sursauter Amélie Tellier. Elias Sansregret fit mine de poser sa main sur la sienne pour la rassurer, mais y renonça.

— Pouvez-vous nous dire ce que Saucier vous a répondu quand vous l'avez réveillé ?

— C'est vague, j'avais bu. Je n'aurais pas dû l'appeler, ça ne servait à rien de faire ça. Il m'a envoyé balader et il a raccroché.

— Votre appel était bref.

— Je... je ne sais plus, j'étais soûl. Je me suis endormi sur le sofa après cet appel.

— Vous n'auriez pas pu aller chez lui pour lui dire son fait en personne ?

— Non, j'étais trop ivre.

Maud Graham feuilleta de nouveau son calepin. Rouaix lui demanda ce qu'elle cherchait à vérifier.

— Les traces de pneus, je ne me souviens pas des marques des voitures qu'on a identifiées.

Elle fit une pause et leva le menton pour préciser aux Sansregret qu'elle devait vérifier si les traces correspondaient à celles de leurs voitures.

— Vous roulez avec une Toyota Yaris et une Prius, c'est ça ?

Graham continua à lire ses notes ; elle entendait la lourde respiration d'Elias Sansregret qui lui semblait trop rapide. Elle finit par hausser les épaules en s'adressant à Rouaix.

— Non, je ne retrouve pas ce que j'ai noté. Ça doit être resté au bureau.

Elle se dirigeait vers l'entrée quand Rouaix demanda à Elias Sansregret s'il était retourné aux AA.

— Ça ne vous regarde pas.

Le ton était coupant; la surprise de leur visite, de leurs questions s'était évanouie pour faire place à l'indignation.

Ou à la colère?

En s'assoyant dans la voiture, du côté du passager, Graham sourit à Rouaix; les Sansregret avaient multiplié les mensonges.

— Je suis toujours surprise que les gens s'imaginent qu'on ne verra pas les failles dans leur récit. En plus, je l'ai averti que ce n'était pas une bonne idée. Mais il n'a pas suivi mes conseils...

— C'est elle qui a appelé Saucier?

— Je ne sais pas. Je dirais que oui. Sansregret avait l'air vraiment interloqué quand on a évoqué ce coup de fil. Nous revoir ne l'aurait pas ébranlé autant. Il est habitué aux discussions musclées. Et aux policiers. Avec toutes les manifestations auxquelles il a participé. D'un autre côté, s'il savait que sa femme avait une histoire avec Saucier, il est peut-être vraiment allé sur place pour le confronter.

— Avec une arme?

— Tout a pu dégénérer. Il m'a dit dans un premier temps qu'il était à Québec. Maintenant, il prétend qu'il était à l'île quand il a appelé Saucier...

— Il aurait eu le temps de se rendre à Loretteville pour le tuer. S'il est parti tout de suite après l'avoir appelé...

— Ou s'il a entendu Amélie lui téléphoner, suggéra Graham. Il a pu savoir à qui elle parlait et perdre la tête.

— Sauf que nous n'avons pas de preuves. C'est vraiment rageant que la terre ait été aussi sèche et que l'allée où se garent les invités de Saucier soit si large. On n'a quasiment rien relevé comme traces de pneus.

— Mais ta remarque a tout de même inquiété Sansregret, affirma Rouaix. Il tentait de rester impassible, mais il n'aimait pas te voir fouiller dans ton carnet. Et sa femme n'en menait pas large non plus. C'est peut-être elle qui s'est pointée chez Saucier... Jules t'a dit que son père lui avait donné l'impression de rompre au téléphone. Si c'est vrai et qu'Amélie ne l'a pas accepté ? Tu as vu comme elle évitait nos regards ?

— On achète des fruits et on rentre.

***

Chantier, 13 juillet 1981

Il y avait cette odeur de sel et de gras, et la fumée qui dessinait une colonne grise à l'écart des bâtiments, et Francis, toute sa vie, se sentirait coupable d'avoir trouvé ces arômes appétissants. Toute sa vie, il se souviendrait du choc qu'il avait ressenti en comprenant que Saucier avait tué et fait cuire l'outarde, de cette seconde où il s'était détesté d'avoir aimé ce parfum de barbecue, puis de la seconde suivante où il avait vu Gabriel étendu par terre. Il s'était précipité vers lui tandis que Serge Brûlotte clamait qu'il avait voulu tuer Saucier juste parce qu'il avait fait griller l'oiseau.

— Il y en a plein le bois. Je comprends qu'il soit fâché parce qu'il l'avait engraissée, mais Bernard la trouvait trop tentante. Il n'aurait peut-être pas dû, mais...

Francis avait levé la tête, dévisagé Saucier qui avait des marques sur les joues, du sang sur son tee-shirt et il regretta que Gabriel ne l'ait pas tué. Ils méritaient tous de mourir, Saucier, Lemire, Corriveau, Brûlotte, Cliche. Tous ceux qui avaient ri de la bonne blague qu'ils avaient faite à Gabriel. Il pouvait entendre Saucier leur dire que Gabriel n'était qu'un Indien ; que pouvait-il contre eux ? Il se fâcherait, c'est sûr. Puis après ? Il attraperait un autre oiseau et voilà tout. Lui, Bernard Saucier, en avait marre de la tambouille du chef et avait envie de manger du gibier pour souper. Brûlotte avait découvert la cachette de Gabriel en le suivant, la veille. Ils n'allaient quand même pas attendre que Gabriel déguste tout seul la grosse oie ? Il en aurait eu trop pour lui, de toute manière.

— Puis moi ? fit Saucier. Tu ne me soignes pas ? Il a voulu m'étrangler !

— Il avait raison.

— Je lui ai juste donné un petit coup pour le repousser, mentit Saucier. Il est tombé. C'est tout. C'est lui qui m'a attaqué. J'ai des témoins. C'est un sauvage.

— Ta gueule, Saucier !

— C'est vrai, j'oubliais que c'est ton petit ami. Penses-tu qu'on ne le sait pas que tu le manges des yeux ? Que tu la trouves à ton goût, la petite tapette sauvage ? On n'a rien dit parce qu'il travaille bien et parce que tu remplaces le docteur, mais on est tannés de vous avoir dans la face. Ce n'est pas votre place, ici.

Gabriel ouvrit alors les yeux, fixa Francis qui agita sa main gauche devant lui.

— Qu'est-ce qui s'est…

— Tu as perdu conscience. Peux-tu suivre ma main ? As-tu chaud ? Froid ? Entends-tu des bruits bizarres ?

Gabriel tenta de se relever.

— Attends un peu, respire lentement. Tourne la tête doucement vers la droite, je veux voir la plaie.

Gabriel gémit en obéissant à Francis qui examina la blessure. Elle ne paraissait pas très profonde, mais son ami souffrait tout de même d'une commotion cérébrale. De quelle intensité ?

— As-tu mal au cœur ?

— Non. Je suis... étourdi. Je veux m'en aller d'ici.

— Je t'emmène à l'infirmerie.

— Ils l'ont mangée, murmura Gabriel. Ils ont mangé Nishk...

— Je sais, dit Francis en combattant une subite nausée.

Ce n'était pas le temps d'être malade, il devait aider Gabriel, mais il aurait voulu vomir sur Bernard Saucier. Comment avait-il pu tuer Nishk ?

Gabriel s'agita et Francis l'aida à se lever en plaçant son bras sous ses aisselles.

— Appuie-toi sur moi. Doucement.

Ils s'éloignèrent lentement du feu de camp où rôtissaient les dernières pommes de terre. Francis avait un goût de cendre dans la bouche dont il ne saurait plus se débarrasser. Un goût de mort qui se mêlait à celui du plomb qu'il gardait de son enfance. Il avait tellement serré les dents lorsqu'on le maltraitait que le métal des obturations s'était désagrégé dans le sang de ses lèvres fendues.

Chapitre 5

Québec, Jardins Mérici, 21 juillet 2011

En poussant la lourde porte d'entrée du hall des appartements des Jardins Mérici, Maud Graham soupira d'aise, goûtant la climatisation. Elle se rappelait ses premières années au sein de la police quand elle était affectée à la circulation. Ou plus tard, quand elle surveillait un suspect dans une voiture banalisée surchauffée. Elle n'affronterait aujourd'hui la canicule que par brefs instants, entre les rencontres avec les témoins, la réunion au poste de police et les déplacements dans son auto climatisée. Elle se revoyait, jeune constable, patrouillant Les Saules, Québec, Limoilou ou Saint-Roch. C'était la meilleure école et une excellente manière de connaître sa ville. Après des années à Québec, elle avait sa géographie en mémoire, ses recoins, ses ruelles sombres, ses secrets, ses boisés trop touffus, ses entrepôts et ses stationnements à l'abandon, ses terrains vagues où on pouvait abandonner un cadavre.

Le meurtrier de Saucier, lui, n'avait pas entraîné sa victime loin de son domicile. Il l'avait exécutée sur place. Parce qu'il avait décidé de ce geste ou parce que Saucier l'avait menacé ou poussé à bout ? Graham penchait davantage pour la préméditation ; l'assassin était arrivé armé à Loretteville. Pour l'instant, on n'avait relevé ni les empreintes de Sansregret ni celles de sa femme, là-bas.

Le couloir qui menait à l'appartement de Jean-François Cliche était silencieux et Graham entendit le bruit de la sonnette quand elle appuya sur le bouton. On lui ouvrit aussitôt ; l'homme attendait manifestement sa visite. Elle resta dans le corridor le temps qu'il manœuvre son fauteuil roulant, puis perçut le glissement des roues derrière elle sur le parquet verni. La lumière qui entrait par les larges fenêtres faisait briller les électroménagers de la cuisine et la sculpture en métal sur une des tables basses de la salle de séjour.

— Vous avez une vue splendide !

— Oui, j'aime regarder au loin, c'est reposant.

— Vous êtes installé ici depuis longtemps ?

— Des années. Voulez-vous un café ?

Graham refusa, expliquant qu'elle en avait déjà trop bu, ce qui était faux, mais elle redoutait d'avoir à ingurgiter un Oolong commercial trop âcre si elle précisait qu'elle buvait plutôt du thé.

— C'est sûr qu'avec ce qui vous tombe dessus, vous devez avoir des horaires de fous et boire beaucoup de café pour vous tenir éveillés.

— Quel est votre avis sur tout ça ? s'enquit Maud Graham.

Elle choisit le fauteuil le plus bas afin d'éviter de donner à Cliche l'impression d'être dominé, de vivre un interrogatoire plutôt qu'une simple discussion.

— D'après ce que j'ai lu dans le journal, reprit-elle, et ce que vous avez confié au constable McEwen ce matin, vous avez été victime d'un grave accident, causé par la négligence de Bernard Saucier sur un chantier où vous avez travaillé ensemble, il y a trente ans.

— La responsabilité de Saucier n'a pas été prouvée à cent pour cent. On n'a jamais trop su ce qui s'était passé.

— Des câbles ont cédé ?

— Il y en a un qui s'est détaché, le billot a été déséquilibré et il est tombé sur moi. Je n'aurais pas dû être là. J'aurais dû être plus haut sur le chantier. J'étais revenu chercher mes gants. Si je ne les avais pas oubliés, je marcherais comme tout le monde. J'ai surpris Saucier qui se croyait tout seul. Il a eu un moment d'inattention.

— Il avait mal attaché le câble ?

Jean-François Cliche esquissa un geste vague du revers de la main. C'était de l'histoire ancienne.

— Êtes-vous croyant ? demanda Maud Graham.

— Moi ?

— Je ne suis pas certaine que je pourrais pardonner à un homme qui m'aurait rendue infirme. Mais peut-être que la foi le permet.

— Ça changerait quoi que je me réveille la nuit pour le détester ?

Ce fut au tour de Maud Graham de hausser les épaules. Elle aurait aimé croire Cliche et l'admirer d'être aussi philosophe, mais elle était là pour s'en méfier et chercher plus loin. Elle croyait peu à la magnanimité des gens. Cliche devait avoir la jeune vingtaine au moment de l'accident ; combien de rêves brisés ?

— Qu'est-ce que les gars du chantier ont pensé de l'accident ?

— Ils n'étaient pas là. Je suppose que certains étaient prêts à accuser Saucier et d'autres non. Je ne pourrais pas vous dire qui, j'étais à l'hôpital.

— Parlez-moi de Saucier. Quel genre d'homme était-il à l'époque ?

— Le même qu'aujourd'hui. Un leader-né. Je n'ai pas du tout été surpris par sa réussite. Il avait déjà de grands projets quand on était au chantier.

— On a tous des projets à vingt ans. Pourquoi ceux de Saucier vous semblaient-ils plus viables ?

— Parce qu'il savait persuader les gens de ses idées. S'imposer.

— Par la force ?

— Par la force ?

— Avait-il recours à la violence ?

Cliche hésita un instant avant d'admettre que Saucier avait mauvais caractère, oui, qu'il se mettait facilement en colère.

— Il a été mêlé à quelques batailles là-bas.

Il ajouta aussitôt que Saucier n'était pas le seul à s'emporter rapidement.

— On était une gang de têtes brûlées. Des gars qui s'ennuyaient. Les bagarres étaient une sorte de soupape ou de distraction. On pariait même sur ceux qui se battaient. C'était stupide, mais on n'avait rien à faire quand on ne bossait pas. On avait des horaires mal équilibrés. Un gars pouvait faire soixante-douze heures en quatre jours et avoir ensuite trois jours *off*. Le premier jour, tu récupères, après, tu te tournes les pouces. Il y avait bien une salle de billard, mais bon… La vie au chantier était dure, épuisante. On se chicanait parce qu'on était crevés.

— Les gars se disputaient pour quelles raisons ?

— N'importe quoi. La politique. Les séparatistes contre les fédéralistes. Les gars de la ville contre les gars des régions. Les Francos contre les Anglos.

— Les hétéros contre les gays ? avança Graham en songeant aux révélations de Jules Saucier.

— Quoi ?

— Peut-être que les gays n'étaient pas bien vus au chantier. En 1981, c'était peut-être difficile pour eux.

Maud Graham n'avait pas cessé de fixer Jean-François Cliche qui baissa les yeux. Parce qu'il était gay ou parce qu'il voulait lui cacher quelque chose ? Quand il la regarda de nouveau, il avait retrouvé sa sérénité.

— C'étaient plutôt des problèmes de trafic de drogue et de gambling qui causaient des chicanes. Serge a eu du trouble avec deux gars qui ne payaient pas. Ou qui voulaient sa place.

— Serge ?

— Serge Brûlotte. Il dealait. Je n'ai pas été surpris d'apprendre qu'il était mort.

— Quand ? demanda Graham en notant enfin une nouvelle information.

— En 1990 ou 91. Si tu t'associes avec des motards, tu ne peux pas être certain de vivre vieux.

— Il a été assassiné par les Hells ou les Rock Machine ?

— Je ne sais pas. Il a reçu une balle dans le cœur.

Cliche fit une pause avant de dire qu'il était mort comme Saucier.

— C'est drôle. D'habitude, c'était Brûlotte qui imitait Saucier.

— Précisez.

— Saucier était un chef.

— Votre chef d'équipe ? Votre contremaître ?

Cliche secoua la tête ; Richard Bryson dirigeait le chantier, mais la plupart des hommes se regroupaient autour de Saucier. Ils croyaient tous qu'il aurait sa propre entreprise en quittant le chantier, qu'il pourrait en embaucher plusieurs.

— C'est d'ailleurs ce qui est arrivé. Saucier a fourni de la job à bien du monde en ouvrant son premier hôtel.

— Et à Serge Brûlotte ?

— Non. Lui, il a continué avec la dope. Il a fait du *cash*, d'après ce que Florent Picard, un Amérindien qui était aussi au chantier, m'a raconté avant de mourir. Ça ne m'étonne pas. Il aurait pu vendre n'importe quoi à n'importe qui. Il dealait, mais il vendait aussi toutes sortes de bébelles pour distraire les gars. Saucier le trouvait drôle. Et ils avaient du *fun* à parler ensemble en espagnol.

— En espagnol ?

— Bernard parlait anglais et espagnol, mais Serge comprenait aussi un peu les autochtones.

Maud Graham jeta un coup d'œil à son carnet.

— Vous avez parlé d'un autre mort. De quoi est décédé Florent Picard ?

— Cancer du foie.

— Vous êtes resté en contact avec plusieurs des hommes du chantier.

— J'ai des loisirs, peu de visite. C'est encore plus facile aujourd'hui avec Internet, Facebook. Ça m'occupe. C'est la dernière gang avec laquelle j'ai travaillé. Je n'ai plus eu d'emploi après l'accident.

— Avez-vous des photos de cette époque ?

— Oui, je peux les chercher dans mon fouillis et vous rappeler. Comme vous le savez, j'ai tout mon temps. J'ai même le projet d'écrire un livre sur le chantier. Je ne vois pas le rapport avec le meurtre de Bernard, mais bon…

— C'est pour mieux cerner le personnage. Plus on en sait sur lui, plus ça nous aide à choisir une direction pour mener l'enquête. Vous êtes resté en contact avec lui, vous ne voyez personne qui aurait pu lui en vouloir ?

— On ne se rencontrait pas souvent, il était tellement occupé ! Un souper en tête-à-tête, puis le souper annuel avec les gars. Il nous invitait dans le temps de Pâques au Château Frontenac. À la grande salle.

— Qui était là ?

— Ça dépendait des années. Lemire, Brûlotte, moi. Fraser est venu une fois.

Graham fit préciser les prénoms des invités de Saucier.

— Vous alliez toujours au Champlain lors de votre rituel annuel. Diriez-vous que Saucier était un homme d'habitudes ?

— Non. Ça prend des facultés d'adaptation pour faire une carrière comme la sienne. Bernard avait opté pour le Château parce qu'il aimait boire un verre en regardant le fleuve. C'est bête, il venait tout juste de s'acheter un bateau. Il n'en a même pas profité.

— Lorsque vous étiez seuls tous les deux, parlait-il de ses enfants ?

— Un peu des plus vieux. De Thierry, il était fier de lui. Il prendra sa relève, c'est sûr. Mais on jasait surtout du chantier, des gars. Je le tenais au courant des nouvelles. Saucier racontait qu'il avait eu la piqûre pour les gros chantiers là-bas, qu'il avait compris qu'il aimait construire. C'était le début de sa carrière : il a bâti de tout partout ensuite...

— Est-ce que Serge Brûlotte trafiquait beaucoup au chantier ?

— Il avait sa clientèle. J'ai essayé de fumer, ce n'était pas pour moi.

— Et Saucier ?

— Un joint à l'occasion. Rien d'exagéré. Il fallait être en forme pour travailler. Avoir toute sa tête. Tout peut arriver sur un chantier.

— Comme votre accident.

— Oui. Comme mon accident, répéta Cliche.

— Saucier devait cependant beaucoup apprécier que vous lui ayez pardonné son erreur. C'est l'assurance du chantier qui vous a permis d'habiter ici après votre accident ?

Cliche dévisagea Maud Graham et finit par esquisser une moue : Saucier avait payé une partie du condo.

— Je ne lui ai jamais rien demandé. C'est lui qui y tenait. Pour se sentir mieux.

Ou pour acheter le silence de Cliche ? Ce dernier n'avait-il pas mentionné qu'ils étaient seuls tous les deux au moment de l'accident ? Est-ce que Saucier avait à ce point un ascendant sur ses pairs pour réussir à persuader Cliche de ne pas le poursuivre en justice ? Avait-il déjà assez d'argent pour pouvoir lui faire des promesses ?

Graham se leva et se dirigea vers la sortie en priant Jean-François Cliche de la prévenir dès qu'il aurait retrouvé les photos du chantier.

— Peut-être que des détails vous reviendront à l'esprit ? Quelqu'un parmi vous pouvait en vouloir à Saucier...

— Voyons donc ! Il aurait attendu trente ans pour le tuer ? Ça n'a pas de bon sens.

— On doit tout explorer, répondit Graham sans conviction, tenant à ne pas alarmer Cliche, mais désireuse de s'entretenir de nouveau avec lui.

Il avait éludé la question concernant le statut des homosexuels au chantier. Y en avait-il plusieurs ? Comment étaient-ils traités ? Quelle était l'attitude de Saucier à leur égard ? Elle tentait d'imaginer Grégoire sur un chantier de construction des décennies plus tôt ; quel sort lui aurait-on réservé ?

— Je vous rappelle quand j'aurai trié les photos. Ça ne sera pas long.

En refermant la porte derrière Maud Graham, Cliche souriait, content de lui. Il savait parfaitement que les photos du chantier étaient en ordre, mais c'était passionnant de recevoir la visite d'un enquêteur et il s'était arrangé pour qu'elle revienne briser la monotonie de ses journées. Ça le distrairait de la question qui l'obsédait depuis le meurtre de Bernard. Ce dernier l'avait-il couché sur son testament comme il l'avait promis ?

***

Chantier, 15 juillet 1981

Si Francis Guérin ne s'inquiétait plus à propos de la plaie à la tête de Gabriel Siméon, il en était autrement en ce qui concernait son moral. La mort de l'outarde les avait profondément bouleversés, mais Gabriel n'aurait pas été aussi abattu s'il n'avait pas déjà été en deuil de sa relation avec Chantale. L'assassinat de l'oiseau l'avait rendu catatonique et Bryson, le contremaître, l'avait réprimandé au début de la matinée. S'il continuait à jouer les zombies, il finirait par avoir un accident : il avait encore oublié de s'attacher. C'était la deuxième fois en deux jours. Entendait-il au moins ce qu'il lui disait ? Gabriel n'avait pas réagi, s'était contenté de nouer le câble de sécurité à sa ceinture.

Il n'avait pas non plus semblé entendre les paroles d'encouragement de Francis qui désespérait de le faire parler. Il fallait qu'il se vide le cœur. Il n'avait pas prononcé une phrase complète depuis le sacrifice de Nishk. Que devait faire Francis ? Il avait proposé à Gabriel de quitter le chantier pour quelques jours, mais celui-ci avait refusé.

— Ça nous ferait du bien de ne plus voir leurs maudites faces ! avait insisté Francis.

— Non, avait répondu Gabriel avant de s'éloigner vers la rive droite, vers le lieu où ils avaient sauvé la bernache.

Était-il sain de retourner vers cet endroit où il avait réalisé tant d'esquisses de l'oiseau ? Où il avait eu ce projet d'une série de toiles mordillées ayant pour thème les anatidés. Il avait même projeté d'aller vers le nord dans l'espoir de voir la bernache nonnette au si joli masque blanc. Francis s'était demandé s'il oserait lui proposer de l'accompagner ou s'il avait peur d'un refus.

Maintenant, il craignait que Gabriel n'ait goût à aucun projet. Comment le secouer ?

***

Québec, 21 juillet 2011

Un petit garçon courait derrière les pigeons qui se massaient au pied de la statue de Samuel de Champlain et Jules Saucier lui envia son innocence joyeuse. Avait-il déjà été un enfant heureux ? Ses toutes premières années, peut-être. Avant que son père se détourne de lui, le regarde comme s'il était une erreur. La seule erreur de Bernard Saucier, l'homme qui avait toujours raison. Envers et contre tous.

Quand avait-il commencé à le détester ? Lorsqu'il avait compris qu'il lui préférait Thierry ? Jules aurait pu en vouloir à Thierry, mais celui-ci n'était pas responsable de l'intérêt que lui portait leur père. C'était Bernard, le seul coupable. Un père doit aimer également ses enfants. Pourquoi n'avait-il jamais vu les efforts qu'il faisait pour lui plaire ? Et ceux de Livia, si pathétiques. Elle avait sacrifié ses rêves d'artiste pour devenir avocate. Il était le seul à savoir que Livia voulait chanter. Personne, et surtout pas Bernard Saucier qui se piquait d'être un vrai mélomane, n'avait pris au sérieux sa passion pour la musique…

Jules s'approcha de la rambarde de la terrasse Dufferin pour contempler le Saint-Laurent ; tout rentrerait dans l'ordre quand il partirait pour Rimouski, retrouverait sa vie quotidienne, sa promenade sur les rives du fleuve. Il aurait beau marcher aujourd'hui durant des heures, il ne pourrait chasser de son esprit le visage méprisant de son père.

Contrairement à ce que Livia croyait, il avait eu raison d'être franc avec Maud Graham en ce qui concernait ses relations filiales ; elle aurait fini par découvrir qu'elles étaient tendues, trop de gens savaient qu'ils s'adressaient à peine la parole. Pour Livia, c'était différent, elle avait su dissimuler son ressentiment. Elle était plus habile que lui à ce jeu. Même leur père ne s'était pas douté qu'il l'avait trop déçue.

***

La chaleur était un peu moins accablante, mais l'humidité se faisait toujours sentir et Maud Graham avait l'impression d'être poisseuse. Elle n'avait eu qu'à sortir de sa voiture, traverser le terrain de stationnement et rejoindre Provencher pour être en nage. Elle s'était essuyé les mains, mais elles lui semblaient toujours moites. Elle détestait ce genre de chaleur molle qui grugeait son énergie.

— C'est la dernière journée, dit Rouaix qui accompagnait Provencher. Demain, le mercure descendra. On recommencera à respirer.

Ils s'installèrent tous les trois dans la salle de réunion et Provencher leur annonça aussitôt qu'il avait récupéré le dossier de Serge Brûlotte.

— Un individu particulièrement sympathique : agression, trafic de drogue et pour finir un vol à main armée. Arrêté deux fois.

— Et relâché ? Où a-t-il été tué ? Au pénitencier ?

— Non, devant chez lui, précisa Provencher. Il avait repris son commerce. D'après ce qui est écrit dans un des rapports, il s'est montré trop hésitant entre deux groupes criminalisés.

— Son cœur balançait entre les Hells et les Rock Machine ? ironisa Rouaix. C'est touchant.

— L'ennui, c'est qu'on ignore, à la SQ, quel groupe s'est senti trahi, avoua Provencher. Les enquêteurs n'avaient pas beaucoup d'indices à l'époque. On sait seulement qu'on lui a tiré une balle dans le cœur.

— C'est maigre, maugréa Graham.

— D'autant que Cliche t'a bien dit que Saucier ne s'intéressait pas au trafic de Brûlotte.

— Il n'était pas un consommateur, non. Mais il a pu trouver rentable le *sideline* de Brûlotte. Ce ne sont que des suppositions. Ça fait plus de vingt ans, mais il a été tué d'une balle dans le cœur, comme Saucier.

— Ce n'est pas extraordinaire pour un criminel, dit Rouaix.

— Du côté des associés, les alibis tiennent tous la route à première vue, mais on continue de chercher.

— Pareil du côté des militants, fit Graham. On en a interrogé des dizaines. Personne n'appréciait Saucier, mais certains commencent à croire qu'il leur avait tout de même fait quelques concessions. Ils s'inquiètent de savoir qui récupérera le dossier de la construction du site touristique.

— Qui s'en chargera ? s'informa Rouaix.

— Son associé principal, Gordon Brewster, reprendra la direction. Livia prétend qu'elle sera à ses côtés. Marjorie Pelletier croit plutôt que c'est son fils Thierry qui aura tout de suite sa place au sein de l'empire Saucier. Jules retournera à ses fonds marins dès qu'il le pourra. Les autres enfants ne sont pas majeurs.

— Leurs mères ?

— Elles vont, paraît-il, gérer l'héritage des mineurs, mais elles n'ont pas encore rencontré le notaire.

— À combien se monte la succession ? s'enquit Rouaix.

— Des millions, siffla Provencher. Son notaire sera de retour lundi. On aura peut-être des surprises. L'étude est ouverte, mais maître Désy s'occupait personnellement des affaires de Bernard Saucier. Il est actuellement au Japon.

— C'est le problème, l'été. Tout le monde est éparpillé, soupira Graham avant de sourire. Maxime revient à la maison ce soir. Venez donc souper.

Rouaix refusa ; sa sœur et son beau-frère étaient en visite à Québec. Même leur fils Martin ferait un effort pour être présent.

Provencher promit d'y être puis jeta un coup d'œil à l'horloge murale : Manuel Lantier les rejoindrait dans quelques secondes. Le téléphone sonna ; on annonçait la visite du capitaine Lantier. Provencher ouvrit grand la porte pour l'accueillir. Il y eut des exclamations de plaisir, des rires. Graham vit un homme au crâne tanné par le soleil, en polo rouge, étreindre Provencher avant que celui-ci fasse les présentations.

— Manuel Lantier a enquêté sur la mort de Serge Brûlotte. J'ai pensé que vous aimeriez le rencontrer.

— Brûlotte était connu de vos services quand il a été assassiné. Quelle a été votre première impression ?

— Que mon informateur avait raison de dire qu'il était trop gourmand, affirma Lantier. Dans les derniers temps, il essayait de faire monter les enchères entre ses clients. J'ai tenté de savoir pourquoi il avait agi ainsi. Il paraît qu'il voulait quitter le pays, qu'il voulait faire un coup d'argent avant de partir au soleil.

— Avec sa feuille de route ? Il avait été arrêté deux fois.

— Avoir de faux papiers n'était pas un problème pour lui.

— Et vous n'avez rien découvert à propos de Saucier et de Brûlotte ? questionna Rouaix.

— Rien. Mais on n'a pas cherché en profondeur de ce côté, avoua Manuel Lantier, même si on a interrogé plusieurs des amis qu'il avait gardés du chantier. On cherchait plutôt du côté du monde interlope. Le chantier, ça remontait déjà à dix ans quand il a été abattu. Il n'avait travaillé là qu'un été.

— Et après ?

— Il est retourné à Sorel. C'est là que je l'ai arrêté une première et une deuxième fois. Il a été emprisonné vingt-sept mois. Puis relâché. Puis de nouveau emprisonné.

— Et il réussissait à remonter un commerce à chaque sortie de prison ? Il était bien organisé.

— Il avait des contacts à la frontière.

— Il parlait espagnol, se rappela Maud Graham.

— Il est souvent allé dans le Sud, confirma Lantier.

— Ça ne nous rapproche pas de Saucier, fit Rouaix.

— Brûlotte et lui avaient continué à se voir, leur apprit Lantier. Avec d'autres gars du chantier. Ils se retrouvaient à Québec pour un souper annuel. Que Brûlotte vende de la dope ou sorte de prison n'avait pas l'air de trop les déranger.

— Un souper annuel ?

— Brûlotte s'était vanté devant moi de connaître du monde important. Il avait nommé Saucier. Je l'avais rencontré à l'époque. Il m'avait confié qu'il regrettait le chemin qu'avait suivi Brûlotte, mais que ce n'était pas à lui de juger de sa vie. Ça m'avait tout de même étonné qu'il ne soit pas plus soucieux du qu'en-dira-t-on. Si on apprenait qu'il fréquentait un repris de justice…

— Les gars du chantier habitaient tous dans le coin ?

Manuel Lantier secoua la tête ; non, seulement Cliche et Saucier.

— Lemire habite en Mauricie. Je l'ai interrogé quand Brûlotte a été tué à Trois-Rivières. Et Cliche. Et Saucier. Ils n'avaient aucune idée à propos de cet assassinat.

— Est-ce qu'il y avait une plume dans les vêtements de Brûlotte ? demanda Maud Graham. C'est un détail bizarre qui m'a frappée.

— Une plume ?

L'expression d'incompréhension de Lantier était une réponse ; aucune plume n'avait été retrouvée sur le cadavre de Brûlotte.

— On n'a jamais su qui avait tué Brûlotte, déclara-t-il. J'ai continué à me poser des questions jusqu'à ma retraite. Et je m'en pose toujours.

— Vous avez pourtant dit que cette fin était prévisible pour un *dealer*, souligna Rouaix.

— Oui. Mais le souper annuel de cette bande-là m'avait frappé. Qu'ils se soient entendus au chantier, quand ils avaient la vingtaine, c'est une chose. Qu'ils se retrouvent chaque année en est une autre. Avaient-ils tant de souvenirs à partager après un été ou deux au chantier ? Il ne s'agit pas d'un conventum scolaire ou d'une réunion de vétérans.

— Il faut croire qu'ils ont eu vraiment du plaisir ensemble, conclut Rouaix.

— Je reverrai Jean-François Cliche, promit Graham. Il peut avoir encore des choses à m'apprendre… Il voyait Saucier au moins deux fois par année, pour un tête-à-tête au Château Frontenac et le souper de groupe. Je veux parler à tous ceux qui y ont participé.

— Même si ça fait trente ans qu'ils ont quitté le chantier ?

— Nous n'avons pas davantage de pistes pour aujourd'hui. Rien pour l'instant du côté des militants ou d'anciens partenaires en affaires. Et je sens que Cliche me cache quelque chose. Mais quoi ?

— Avait-on récupéré à l'époque la balle avec laquelle Brûlotte a été abattu ?

— Oui, répondit Lantier. Calibre 9 mm.

— On a aussi trouvé une balle de calibre 9 mm dans le corps de Saucier. Avez-vous gardé la balle ?

— Elle est partie au laboratoire, annonça Provencher. On les comparera… Ah, j'oubliais… Au chalet des Saucier, au Bic, on n'a rien remarqué d'anormal, rien relevé. Si c'est Jules qui a fait le coup, il s'est débarrassé de l'arme. Il a longé le fleuve durant des kilomètres, alors…

— Qui est ce Jules ? questionna Lantier.

— Le fils aîné de Saucier. Il a eu six enfants.

— Ils doivent hériter de millions, non ? C'est toujours tentant, autant de fric. L'envie est un puissant aiguillon…

— Ou la jalousie, compléta Graham. On a besoin d'en savoir plus sur Elias Sansregret et Amélie Tellier.

— Le fondateur de Grandir ?

— Oui, il est possible que sa femme ait eu une relation avec Saucier. On ignore si Sansregret était au courant.

— Il n'aurait pas voulu que cela s'ébruite, murmura Lantier.

— « Le silence n'a jamais trahi personne », dit Rouaix. Ce n'est pas de moi, mais de Rivarol. Je le relirai à ma retraite…

— Arrête de nous énerver avec ta retraite, dit Provencher. Est-ce que j'en parle, moi ?

***

Chantier, 18 juillet 1981

Dans le silence de la nuit, un sifflement comparable à celui d'une flûte à bec annonça la présence de la petite nyctale. Il fut suivi d'un bruissement d'ailes et du couinement du rongeur que le rapace venait d'attraper. Francis Guérin frémit ; il pouvait imaginer les serres broyant l'échine d'une bestiole, car il avait lui-même l'impression d'avoir le cœur pressé dans un étau depuis maintenant cinq heures.

On avait retrouvé le corps de Gabriel avant le souper. En bas de la chute. Lemire et Cliche étaient venus le chercher, même s'il n'y avait plus rien à faire pour sauver Gabriel Siméon. Il avait vu le corps sur les grandes pierres plates, tordu dans une étrange posture. Le sang qui avait coulé vers la cascade.

— C'est de votre faute ! avait-il crié aux gars qui étaient accourus vers les lieux du drame. C'est vous qui l'avez tué !

— On n'était pas là ! avait protesté Brûlotte. Tu le sais, tu étais avec nous. Gabriel était tout seul ici.

— C'est un accident, avait décrété Saucier. Il a perdu l'équilibre.

— Pas d'accord, avait marmonné Florent Picard. Il n'a jamais eu le vertige de sa vie. Il est meilleur que moi.

— Ça peut quand même arriver de perdre pied.

— Il s'est jeté en bas ! À cause de vous ! avait répété Francis.

— Tu ferais mieux de fermer ta gueule au lieu de dire n'importe quoi. Ton petit ami filait un mauvais coton. C'est pas de notre faute si sa blonde l'a lâché.

Francis s'était rué en rugissant sur Bernard Saucier qui, surpris par la rapidité de l'attaque, était tombé à la renverse. Il avait tenté de se dégager, mais la douleur avait décuplé les forces de Guérin qui s'acharnait avec une rage insensée sur l'homme qu'il tenait responsable de la mort de Gabriel. Brûlotte et Corriveau les avaient séparés.

— Tu vas me payer ça, Guérin, avait juré Saucier. Ce n'est pas parce que tu es le seul médecin ici qu'on va continuer à t'endurer. On n'a pas besoin de tapettes qui pètent les plombs.

Francis Guérin s'était dégagé de l'emprise de Corriveau et Brûlotte et avait levé la main. Elle se détachait comme une étoile dans le soleil couchant, cinq doigts pour cinq coupables.

— Je vous maudis tous jusqu'à la fin de vos jours ! Je vous ferai tous payer pour la mort de Gabriel.

— Tu te prends pour qui ? avait lancé Lemire. Un grand manitou ? Ton Indien t'a initié aux mystères des sorciers de sa race ?

— Ferme-la ! avait tonné Picard.

— Oui, tais-toi, Lemire, avait renchéri Cliche. Laisse tomber.

— Je suis écœuré de ce donneur de leçons qui nous regarde de haut depuis qu'il a pris la place du doc. Retourne donc dans ta câlice d'université. Tu n'as pas ta place ici.

L'arrivée du contremaître avait fait taire les hommes. Il les avait dévisagés un à un et s'était approché du corps de Gabriel Siméon. Il s'était signé avant de déclarer qu'il fallait alerter les autorités.

— Pour quoi faire ? avait demandé Saucier. Il s'est suicidé. C'est clair.

Bryson avait ignoré cette remarque et s'était éloigné rapidement pour téléphoner au poste de la Sûreté le plus près du chantier après avoir ordonné à Cliche et à Picard de dresser un périmètre de sécurité autour du cadavre.

— Prenez des planches, faites ce qu'il faut pour qu'il ne soit pas attaqué par des bêtes avant que la SQ débarque ici.

— On va le laisser à l'air libre? avait dit Saucier. Ça va puer.

Francis Guérin avait vomi en entendant ces trois mots. Jamais il n'oublierait que Saucier avait à ce point manqué de respect à la mémoire de son meilleur ami.

Devant la cage vide où Gabriel et lui avaient soigné la bernache, Francis se demandait si la sensation d'écrasement qui lui coupait le souffle disparaîtrait un jour. S'il survivrait à cette nuit, à la douleur qui le submergeait en songeant à celle de Gabriel, trop forte, qui l'avait poussé à se jeter dans le vide. À sa culpabilité; il aurait dû rester auprès de lui au lieu d'aller travailler au chantier. Il aurait dû être là. Pourquoi l'avait-il cru, la veille, quand il lui avait dit qu'il se sentait mieux? Parce qu'il paraissait beaucoup plus serein, parce qu'il lui avait souri? Comment n'avait-il pas su deviner qu'il était aussi calme parce que sa décision était prise?

Son cœur était dorénavant plongé dans des ténèbres plus profondes que cette nuit où même la lune semblait se cacher pour pleurer la mort de Gabriel.

***

Québec, 21 juillet 2011

Les rires qui, du fond de la cour, parvenaient à Maud Graham ne réussissaient pas à la distraire. Elle repensait aux témoignages recueillis sur Bernard Saucier et n'arrivait pas à deviner ce qui l'agaçait le plus: qu'il y ait tant de gens pour le détester, tant de pistes à explorer ou le fait que le portrait qu'on lui traçait de cet homme était si caricatural. Depuis qu'un journaliste l'avait surnommé l'Empereur, Saucier semblait s'être efforcé de correspondre à cette image. Ses détracteurs utilisaient les mots despote et tyran pour le décrire, ses proches décrivaient un être tenace, téméraire et fier, à juste titre, de ses succès. Il aurait pu être un parrain de la mafia, songeait Graham. Craint de tous, mais aimé par qui ? Qui le connaissait intimement ? Ses ex et ses enfants avaient surtout parlé d'un homme absent qui se rachetait en se montrant prodigue. Encore un cliché.

Alain poussa la porte-moustiquaire pour sortir la salade de pommes de terre du réfrigérateur.

— Les magrets sont cuits.

— J'apporte la sauce aux framboises. Maxime a encore grandi. Je ne peux pas croire qu'il a déjà dix-sept ans !

Alain hocha la tête avant d'attraper une baguette de pain.

— J'ai bien fait d'en acheter deux. Je croyais que Michaël et lui seraient rassasiés par le potage glacé, mais j'aurais dû prévoir des saucisses pour eux en plus du canard.

— On a quatre magrets, ça devrait suffire, le rassura Maud Graham.

— Max a l'air content de retrouver Michaël. Comme s'ils avaient été séparés durant des mois !

— J'aurais aimé connaître ce genre d'amitié, mais je n'étais pas douée pour créer des liens. Je restais à distance.

— C'est peut-être ce qui te permet d'avoir une vue d'ensemble d'une situation. D'être si observatrice.

Maud sourit à Alain ; paraissait-elle à ce point découragée de l'affaire Saucier pour qu'il tente de lui remonter le moral avec des compliments ?

— C'est impossible que personne ne sache rien, dit-il. Vous aurez bientôt un témoin qui fournira des informations, surtout avec cette forte récompense promise par la famille Saucier.

— Qui en a eu l'idée ?

— Thierry. Marjorie a raison de dire qu'il ressemble à son père. Il est bouleversé par sa mort, mais McEwen a été étonnée par son calme. Il est très sérieux pour un jeune de son âge. Concentré. Les nerfs solides, mais moins soupe au lait que son père d'après ce qu'elle a appris.

Maud Graham versa la sauce aux framboises dans une tasse, attrapa le saladier et suivit Alain dans le jardin. Pierre-Ange Provencher et Michaël écoutaient Maxime raconter son séjour au camp et Maud se réjouit de la présence des adolescents qui leur interdisait de discuter immédiatement de l'affaire Saucier. Elle dégusta le verre de Reuilly Les Pierres Plates en terminant la soupe froide.

— C'est tellement onctueux, dit-elle à Alain. D'où vient la recette ?

— Je me suis inspiré de celle que j'ai mangée chez M, rue Masson, au début de l'été. Avocat et pomme verte.

— Je me souviens d'avoir goûté à Paris un délicieux potage glacé au chou-fleur et amandes grillées, dit Provencher. Lucie avait demandé la recette au chef.

Maud sourit, heureuse que Pierre-Ange puisse évoquer le souvenir de sa femme plus facilement.

Les arômes des viandes qu'Alain avait déposées sur la large planche de bois ne parvenaient pas à effacer le parfum des grands lys tigrés qui se dressaient à un mètre de la table de teck, et Graham songea que la soirée était parfaite, qu'elle devait en jouir, être attentive à ceux qu'elle aimait. Pourtant, quand Alain découpa le premier magret, elle se rappela que le canard était le plat préféré de Bernard Saucier.

Pourquoi y avait-il une plume dans la poche de sa chemise ?

— Biscuit, dit Maxime, est-ce qu'on peut manger notre dessert devant la télé ? Michaël a apporté un DVD et...

— Servez-vous une part de tarte aux fruits, mais laissez-nous-en un petit peu.

— Penses-tu que l'assassin de Saucier était vraiment un tireur expérimenté ? demanda Provencher à Alain Gagnon quand les garçons se furent éloignés. À l'autopsie, la balle était en plein centre du cœur, ce n'est pas commun...

— Non, acquiesça Alain. Pile entre les oreillettes et les ventricules, sur le nerf situé au milieu du cœur. Mais le tireur était près de Saucier.

— Ils devaient se connaître pour qu'il y ait cette proximité, dit Maud Graham. Sinon c'est un contrat. Un tueur engagé pour descendre Saucier.

— Il trempait peut-être dans des affaires louches ?

— Rien, dans les dossiers que la SQ a épluchés, ne nous permet de croire à cette hypothèse, nota Provencher. Peut-être que certains contrats de construction ont coûté plus cher qu'en réalité, peut-être que Saucier a tenté de frauder l'impôt...

— Ou des actionnaires ?

— Nous n'avons rien en ce sens, avoua Graham. Les mobiles habituels m'inspirent plus : haine, envie, colère, vengeance.

Elle fixa son verre un instant avant de déclarer qu'il était possible, en revanche, qu'on ait débranché les caméras le 17 juillet. Ce soir où il y avait eu tant de va-et-vient chez Saucier.

— Ce serait un de ses invités ? avança Provencher.

— Ou son fils aîné.

— Tu dis ça à cause des empreintes partielles trouvées sur le boîtier du système d'alarme ?

— Si c'était Saucier qui avait débranché le système, ses empreintes y seraient toutes. Et plus nettes.

— Ce n'est pas sûr, rétorqua Provencher. Saucier a pu les effacer en glissant la paume de la main. Il faisait une chaleur…

— En tout cas, moi, je ne crois pas beaucoup au besoin subit de Jules Saucier d'aller déballer sa vie amoureuse à son père, justement ce soir-là…

Chapitre 6

Trois-Rivières, 18 juillet 1991

Le trajet qui l'avait mené de Québec à Trois-Rivières avait semblé à la fois long et trop court à Francis Guérin. Se pouvait-il qu'il soit si près du but après toutes ces années ? Est-ce que Brûlotte avait beaucoup changé depuis dix ans ? Il avait vu sa photo dans le journal lorsqu'il avait été arrêté, mais ça remontait déjà à huit ans. Le pénitencier pouvait modifier l'apparence d'un homme. Ou son esprit. Mais Guérin s'était renseigné sur Brûlotte et celui-ci n'avait pas fait amende honorable ; il continuait ses petits trafics. Avait-il conservé cette barbe ridicule ?

Serait-il passé à l'action si son chemin n'avait pas croisé celui de Stanislas Lavigne, six mois plus tôt ? L'homme de vingt ans avait été admis à l'urgence de l'hôpital où travaillait Francis, le soir d'une de ces fameuses tempêtes du siècle. À minuit, les couloirs étaient déjà encombrés de civières où reposaient les blessés d'un grave accident d'autocar et les ambulanciers ne cessaient d'amener de nouvelles victimes. Les choses auraient peut-être été différentes pour Stanislas Lavigne sans cette catastrophe. Les policiers auraient exigé qu'il soit isolé des autres patients et l'auraient surveillé, mais dans l'affolement général et avec le peu de lits disponibles, Stan avait été soigné pour sa blessure à l'épaule puis dirigé vers le corridor central. C'était là que Francis l'avait revu à son réveil, après l'intervention. Il lui avait expliqué qu'il avait eu beaucoup de chance, que la balle avait traversé l'épaule.

— Pourquoi est-ce qu'il y a autant de monde ? avait demandé Stan, davantage curieux du brouhaha autour de lui que de sa propre condition.

— Un gros accident. On a douze blessés graves, sans oublier les treize blessés légers. On est débordés. C'est pour ça que tu n'es pas dans une chambre. On les a gardées pour les cas les plus critiques. On en a cinq entre la vie et la mort.

Cette information avait amené un sourire sur le visage tuméfié de Stanislas. Francis n'avait pu s'empêcher de le lui reprocher.

— Ça t'amuse ? Parce que, toi, tu t'en sors, tu te fous du reste du monde ?

— Non, c'est sûr que non. C'est le contraire. Je vous ferai de la place. Donne-moi juste quelques pilules contre la douleur.

Francis avait noté le tutoiement ; le blessé, membre d'un gang de rue, n'était pas impressionné par son statut de médecin.

— On ne met pas les malades dehors parce qu'on manque de place, dit-il simplement.

— J'suis correct. J'ai pas mal.

Francis avait levé les yeux au ciel ; bien sûr qu'il se sentait bien avec les doses de morphine qu'on lui avait administrées. Mais quand il n'en aurait plus ?

— J'peux pas rester ici. Il faut que j'me pousse avant que la police revienne.

— Mais celui qui t'a tiré dessus…

— C'est mes affaires. Je veux sortir d'ici. Je ferai n'importe quoi pour toi si tu me sors de l'hôpital.

— Ce n'est pas comme ça que ça fonctionne, avait commencé Francis avant qu'une alarme retentisse au loin.

Il avait regardé Stanislas Lavigne, lu sa peur et sa détermination au fond de ses grands yeux noirs et il avait promis qu'il reviendrait, qu'il l'aiderait.

— Dors, en attendant. De toute manière, les policiers en ont plein les bras avec l'accident. C'est le bordel total. Ils sont sur les lieux de l'accident.

Quand il avait revu Stan, celui-ci lui avait répété qu'il voulait quitter les lieux.

— Ou tu m'aides, ou je m'arrange tout seul.

— Ce n'est pas prudent.

— La prudence, c'est pas mon genre. Je suis dans une gang.

— Ça ne me regarde pas. Mais ton état de santé, oui. Si l'infection s'en mêle…

— J'veux pas rentrer en dedans !

— Tu aurais dû y réfléchir avant.

— Ma mère ne s'en remettra pas. Elle est veuve !

— Tu ne peux pas aller chez elle te rétablir, c'est la première place où les policiers iront te chercher.

Stan avait juré qu'il se débrouillerait. Il crécherait chez sa nouvelle copine. Personne ne la connaissait.

— On commence juste à sortir ensemble.

Francis Guérin avait capitulé, promis au jeune blessé qu'il l'emmènerait chez cette fille quand il quitterait l'hôpital. La surprise qu'il avait lue sur le visage de Stan était égale à la sienne. Comment avait-il pu proposer à un criminel de l'aider ? Il avait perdu la tête, n'était plus capable de réfléchir après trente-six heures à l'urgence, c'était la seule explication.

— Tu le regretteras pas, avait dit Stan.

Trois jours plus tard, Francis avait pansé l'épaule de Stan pour la dernière fois ; celui-ci se reposerait à la campagne, histoire qu'on l'oublie. Un ami était venu le chercher chez Francis Guérin et, avant de quitter l'appartement du médecin, le blessé lui avait remis un browning 9 mm muni d'un silencieux.

— Pour te remercier.

Francis avait refusé ; il ne voulait pas avoir d'armes chez lui. Mais Stan avait insisté et il avait pris l'arme.

Trois mois plus tard, il avait lu le nom de Serge Brûlotte dans le journal. L'homme qui avait mangé Nishk avec Saucier, Corriveau, Cliche et Lemire ne s'était pas amendé. Il venait d'échapper à la prison à cause d'un vice de procédure soulevé par son avocat durant le procès. La justice n'existait pas. Il devait se charger personnellement de le punir.

Quand Jean-François Cliche avait été blessé au chantier, Francis avait songé que Nishk et Gabriel avaient été vengés ; Cliche ne marcherait jamais plus et Saucier serait condamné pour avoir causé l'accident par négligence. Mais Saucier avait échappé à la condamnation. Et Corriveau, Brûlotte et Lemire avaient quitté le chantier en même temps que Francis sans que celui-ci ait trouvé une manière de leur faire payer leur ignominie. Il s'était couché tous les soirs depuis la mort de Gabriel en jurant de le venger. Il avait rêvé de mettre le feu aux baraques où ces ordures dormaient, mais l'incendie aurait pu causer la mort des innocents qui partageaient leur campement. Il n'avait rien fait et il était retourné à Montréal avec le sentiment d'être un lâche, d'avoir abandonné Gabriel.

À Noël, il s'était rendu à Pointe-Bleue pour rencontrer la sœur et la mère de Gabriel à qui il avait avoué son sentiment d'impuissance, sa honte de ne pas avoir su défendre Gabriel avant et après sa mort.

— Je vous ai rapporté ses dessins même si j'avais envie de les garder. Il était tellement doué !

Il avait sorti les œuvres de Gabriel, la série inachevée où Nishk semblait prête à s'envoler et il avait éclaté en sanglots. La main de Marie-Lyse posée sur son épaule avait fini par l'apaiser, mais il avait répété qu'il aurait dû deviner à quel point Gabriel était malheureux.

Mme Siméon l'avait fait taire : Gabriel avait déjà tenté de se suicider trois ans plus tôt.

— Son âme était malade. Depuis longtemps. Depuis l'école… C'était dans toutes ses peintures.

— Si Chantale l'avait attendu, si les gars du chantier l'avaient oublié… Il s'est battu pour moi et je n'ai rien fait pour lui.

— Il m'avait écrit que tu admirais ses dessins, avait confié Marie-Lyse. C'était merveilleux pour Gabriel.

— Ce n'était pas assez. Je ne l'ai pas assez défendu quand les gars le harcelaient. J'ai été lâche. Je ne voulais pas qu'ils apprennent que c'était moi le gay, pas Gabriel. Ils l'ont trop écœuré. Lui, il avait tout compris et ne m'a jamais trahi.

— Tu t'intéressais à ses dessins, c'est le plus important. C'est parce qu'il voulait peindre qu'il refusait de quitter notre coin.

— Chantale n'était pas d'accord, avait repris la mère de Gabriel. Ils se sont connus trop jeunes. Je l'avais dit à mon fils, mais il ne voulait pas m'entendre. On ne peut même pas en vouloir à Chantale. Ils étaient simplement trop différents. C'est une bonne fille, mais elle veut s'amuser.

— Et gagner de l'argent, avait ajouté Marie-Lyse.

— Ce n'est pas interdit. Montre donc les œuvres de ton frère à Francis puisqu'il aime son travail.

Ils avaient marché dans les bois, longé une rivière jusqu'à ce qu'ils distinguent le toit noir de la cabane où Gabriel peignait. Et là, dans cette pièce unique où la lumière entrait par une large fenêtre située à l'est, Francis avait connu l'éblouissement: les toiles de son ami l'avaient bouleversé par leur puissance, par le mouvement quasi hypnotique qui se dégageait de ces formes représentant des animaux qui se fondaient les uns dans les autres, par l'intensité incroyable des couleurs et leur charge émotionnelle.

— Il y en a trente-huit, avait dit Marie-Lyse. Il en avait vendu dix.

C'est à ce moment précis que Francis Guérin avait décidé que les œuvres de son ami devaient vivre une reconnaissance posthume.

Il était reparti de la communauté de Mashteuiatsh avec dix toiles et avait fait le tour des galeries de Montréal entre ses heures de stage à l'hôpital Notre-Dame. Cinq semaines après sa visite dans la communauté innue, il avait réussi à intéresser un galeriste, Rupert Nelson, aux œuvres du disparu. Moins d'un an après leur première rencontre, vingt tableaux de Gabriel Siméon étaient exposés au regard du public et des critiques. Les avis étaient partagés et les articles dans la presse étaient soit horrifiés, soit dithyrambiques, ce qui avait réjoui Rupert Nelson. La controverse était une excellente publicité. Toutes les toiles avaient été vendues.

Rupert Nelson s'était rapproché de Francis, même si celui-ci lui avait dit qu'il ne pourrait plus jamais retomber amoureux. Ils avaient pourtant vécu ensemble trois ans jusqu'à ce qu'une leucémie foudroyante emporte Rupert. Francis avait quitté Montréal après le décès de Rupert. Dans le mois qui suivit l'arrivée de Francis à Saint-François d'Assise, un adolescent martyrisé fut admis à l'urgence alors qu'il était de garde. Le blessé mourut à l'aube sans avoir repris connaissance. La femme qui avait alerté les policiers avait relaté la scène d'horreur qu'elle avait surprise : cinq adolescents s'acharnaient sur le jeune en le traitant de tapette. Les journalistes avaient écrit sur ce crime homophobe en faisant état des agressions du même type qui s'étaient produites au Canada et aux États-Unis.

À l'hôpital, Francis Guérin avait vécu ce décès avec colère. Il aurait pu être ce martyr. Il rêvait encore la nuit aux bourreaux de son enfance. Il se réveillait en sueur, tremblant de peur.

Le 9 mm luisait sur le siège du passager et Francis Guérin décelait l'odeur de la graisse qui avait servi à nettoyer l'arme. Se serait-il décidé à agir si sa mère n'était pas décédée la semaine précédente ? Elle s'était éteinte dans ses bras en répétant qu'elle était fière de lui, heureuse qu'il ait vaincu ses démons. Elle avait tort. Peut-être qu'en tuant Brûlotte il se libérerait ? Et que ce goût métallique dans sa bouche s'évanouirait enfin ?

Pourrait-il se servir du browning ? Est-ce que Jean-François Cliche lui avait fourni des informations valables ou Brûlotte avait-il déjà quitté Trois-Rivières ? Il avait revu Cliche alors qu'il commençait à travailler à Saint-François d'Assise. L'handicapé connaissait tout le personnel pour y avoir séjourné après l'accident du chantier. Il avait semblé surpris et peut-être un peu mal à l'aise de croiser Francis Guérin, mais celui-ci s'était montré compatissant, et si Cliche avait d'abord cru que son statut de médecin l'obligeait à adopter cette attitude, quelques conversations l'avaient convaincu que Guérin était vraiment désolé de ce qui lui était arrivé.

— Je ne me souviens de rien, avait confessé Cliche, mais Brûlotte m'a raconté que tu t'étais occupé de moi. Je ne t'ai jamais remercié.

— C'était normal.

— Tu aurais pu m'en vouloir.

Cliche était-il plus intelligent qu'il ne le croyait ?

— Je n'ai peut-être pas toujours été correct avec toi, avait insisté Cliche. On t'a dit des niaiseries quand on était au chantier. Mais c'était juste pour rire. On s'ennuyait. Il paraît que tu as pris le contrôle des opérations quand j'ai été écrasé. Je ne m'en souviens pas, mais Corriveau m'a rapporté la même chose que Brûlotte.

En bavardant avec Cliche, Francis Guérin avait appris qu'il était resté en contact avec tous ces hommes qu'il haïssait. Il serait donc ses yeux et ses oreilles. Il ne l'exécuterait qu'en dernier. S'il s'y décidait ; il avait tout de même été puni en perdant ses jambes. De toute façon, il avait le temps d'y réfléchir. D'autres disparaîtraient avant Cliche.

Il lui avait reparlé régulièrement et il en avait appris beaucoup sur Corriveau, Lemire, Saucier et Brûlotte. Ce dernier avait choisi une vie en marge de la société, mais les autres n'étaient sûrement pas aussi probes qu'ils le paraissaient. Il avait vu leur vraie nature à l'œuvre. Il n'avait rien pu obtenir sur Corriveau, mais Lemire avait arnaqué une cinquantaine de personnes dans une pyramide financière. Et si Saucier n'avait jamais fait l'objet d'une condamnation, on pouvait s'interroger sur l'essor si rapide de sa compagnie, sa capacité à racheter des industries en difficulté. Flair ou malhonnêteté ? Pour Francis, Saucier était simplement plus malin que les autres. Mais tout aussi méprisable.

Francis Guérin gara sa voiture dans un stationnement du centre-ville, près de la gare d'autobus où il acheta en vitesse un sandwich même s'il n'avait pas d'appétit. Devrait-il attendre Brûlotte durant des heures ? Il avait sillonné les rues afin de se familiariser avec les lieux. Il avait dissimulé l'arme sous le siège avant. Était-il vraiment à la recherche de Brûlotte pour le tuer ? Il aurait dû être anxieux, mais il était plutôt habité par un sentiment paradoxal d'étonnement et de grande lucidité. Ce qui devait arriver arriverait. C'était à la fois inconcevable et irrémédiable. Il entendait le rire gras de Brûlotte alors qu'il apostrophait Gabriel, qu'il lui demandait s'il s'habillait en squaw quand il retournait dans la réserve. Il repéra la maison de Brûlotte et attendit.

Il était près d'une heure du matin lorsque Francis reconnut la silhouette de Brûlotte. La chance était avec lui : Brûlotte était seul et la lune se réduisait à un fin croissant. Il attendit qu'il déverrouille sa porte et l'interpella. Brûlotte laissa la clé dans la serrure pour porter sa main à sa poche, mais Guérin lui ordonna de ne pas bouger.

— C'est qui ?

— Un revenant.

Il s'approcha de Brûlotte qui le dévisagea avec stupeur juste avant de recevoir une balle en plein cœur. Tout en regardant Brûlotte s'écrouler, Guérin songea que Stan ne lui avait pas menti, que le silencieux avait étouffé le bruit de la déflagration. Est-ce parce qu'il avait vu si souvent du sang, des blessés, qu'il ne ressentait rien d'autre qu'une grande lassitude ? Il se secoua, prit la plume d'outarde qu'il avait précieusement rangée dans la poche de son polo et la glissa dans celle de la veste de jeans de Brûlotte. Il murmura « en souvenir de Nishk et de Gabriel » et s'éloigna rapidement. Aucune nouvelle lumière ne s'alluma chez les voisins. Il longea le chemin de fer, passa devant le couvent des Ursulines et regagna sa voiture. Il ne croisa des voitures qu'en retournant vers le centre-ville pour rejoindre l'autoroute. Ce n'est qu'à Victoriaville qu'il s'aperçut qu'on avait mis une contravention sous l'essuie-glace droit de la voiture. Il frissonna malgré la chaleur de la nuit. Il n'aimait pas cette preuve de sa présence à Trois-Rivières. Il aurait dû retourner vers la voiture pour la garer ailleurs, mais il craignait de manquer l'arrivée de Brûlotte. Il s'efforça de se calmer en se répétant que personne ne regretterait la mort d'un *dealer*. Est-ce que les policiers mettraient beaucoup d'ardeur à chercher son assassin ?

Oui ou non, peu importe ; même si les enquêteurs chargés d'éclaircir les circonstances de la mort de Brûlotte faisaient correctement leur boulot, ils ne remonteraient pas jusqu'à lui. Comment ce browning 9 mm qui n'avait jamais servi aurait-il pu se retrouver entre les mains d'un honnête médecin ?

Parce qu'il était honnête, même si le geste commis était illégal. Il exerçait son métier avec un sérieux qui ne se démentait jamais. Tout récemment, un des patrons de l'hôpital l'avait complimenté devant ses pairs, affirmant qu'il devait servir de modèle. Il était honnête, oui. Car il avait agi avec honneur. Et amour. Il apprendrait à gérer l'inévitable culpabilité à force de se répéter qu'il avait fait le bon choix. En espaçant chaque exécution de dix ans, il réussirait à museler ses remords tout en se protégeant vis-à-vis des enquêteurs. Qui ferait le lien entre ces hommes morts à tant d'années d'intervalle ? Il avait dix ans moins un jour pour songer au prochain sur la liste.

***

Québec, 24 juillet 2011

Les orages avaient forcé Maud Graham à ralentir alors qu'elle se rendait au siège de l'association Grandir. Une rencontre de tous les membres de Québec, prévue des mois avant le décès de Saucier, avait lieu dans moins d'une heure et elle tenait à y assister. Elle était consciente que sa présence n'était pas désirée, mais elle s'en moquait complètement, tout comme Rouaix et Joubert, dont elle se réjouissait du retour, qui la rejoindraient bientôt. Elle voulait voir les membres réunis, sentir l'atmosphère qui imprégnait le siège de Grandir, tenter de déceler s'il y avait des dissensions, des postulants au rôle de chef des troupes qu'occupait actuellement Sansregret. Elle avait la liste de tous les membres de l'association. Ils avaient maintenant été interrogés par des enquêteurs dans plusieurs villes ; nombre d'entre eux n'avaient pas d'alibi au moment où Bernard Saucier avait été tué, mais aucun indice ne les reliait au meurtre. Hormis, peut-être, un désir secret de vengeance. Ce qui était bien insuffisant pour procéder à des interrogatoires plus musclés, des fouilles ou des écoutes téléphoniques. À ce jour, certains ex-partenaires, plusieurs associés, des ennemis déclarés avaient été éliminés de la liste des suspects potentiels, mais il restait de nombreux points d'interrogation à côté des noms de ceux qui n'avaient pu prouver qu'ils dormaient dans leur lit au moment du meurtre. Les enquêteurs devaient continuer à tout revérifier. Réentendre ces personnes, noter si elles ne déviaient pas de leurs déclarations.

Maud Graham eut un instant de doute en voyant tous les militants assis ensemble. Pris séparément, ils lui avaient paru déjà nombreux, mais regroupés c'était franchement décourageant. Elle ne verrait jamais la fin de cette enquête-là !

Elias Sansregret se leva lorsqu'il la reconnut, s'avança vers elle mais évita de lui serrer la main.

— Vous n'apprendrez rien de plus aujourd'hui, lui prédit-il.

— Vous parlerez sûrement un peu de Saucier. Vos membres s'interrogent probablement sur la suite des événements.

— Son associé dans ce projet semble déterminé à suivre les traces de l'Empereur. Gordon Brewster nous a fait savoir qu'il était inutile de revenir sur ce qui avait été décidé.

— Qu'allez-vous faire ? questionna Graham. D'après ce que j'ai entendu dire, il paraît encore plus ambitieux que Saucier.

— Vous devriez vous intéresser davantage à Brewster.

— Ça vous arrangerait qu'on oublie qu'un appel a été passé de votre domicile chez Saucier.

— Je vous ai dit que j'avais bu, fit Sansregret en baissant la voix. Je suis redevenu sobre. Cherchez donc plutôt du côté des héritiers.

— Pourquoi pas du côté des expropriés ? Ils sont nombreux ici, aujourd'hui ? Les expropriations sont à l'ordre du jour ?

— Trente personnes sont menacées de perdre leur maison. Oui, on va en parler.

— Qu'est-ce qui pourrait changer avec Brewster, s'il vous a dit qu'il maintenait le projet ?

— Saucier et lui n'ont pas reçu toutes les autorisations pour construire. On essaie de gagner du terrain de ce côté-là.

Il se tut en reconnaissant Rouaix, qui s'approchait avec Joubert, et il indiqua à Graham des sièges au fond de la salle avant de lui tourner le dos pour se diriger vers la tribune où il saisit le micro afin d'obtenir le silence. Il exposa les maigres résultats de sa rencontre avec Gordon Brewster et des murmures de protestations se firent entendre.

— On n'a pas dit notre dernier mot ! promit Sansregret. Depuis le temps que je me bats contre ce genre de vautours, je ne baisserai pas les bras aujourd'hui.

— Mais le ministre de l'Environnement ? dit un militant.

— Il ne devait pas être ici ? reprit une femme.

— Il s'en sacre de nos problèmes.

D'autres membres abondèrent dans ce sens. Cinq d'entre eux parurent plus vindicatifs à Maud Graham et elle les écouta se plaindre de leur sort, mais elle n'apprit rien de plus. Sansregret avait eu tort néanmoins de prédire qu'elle perdrait son temps à cette réunion. Elle était contente de pouvoir l'observer avec les membres de Grandir. Et avec sa femme. Amélie et lui évitaient de se regarder. L'esprit de Graham vagabonda tandis que d'autres membres émettaient des suggestions, proposaient des actions, votaient pour une manifestation au parlement. Elle revoyait Jules Saucier, au Temporel, suggérer de chercher du côté des militants, confier qu'il comprenait que tous ces gens qui seraient expropriés en veuillent à son père. Avait-il déjà rencontré l'un d'eux ? L'avait-on approché, avait-on tenté de le persuader de parler à Bernard Saucier ? Était-il d'accord avec Grandir ? Avec un membre en particulier ?

Quel militant ? Elle avait appris qu'une dizaine d'entre eux possédaient une arme, mais leurs permis étaient en règle et le calibre de leurs revolvers ou de leurs fusils de chasse ne correspondait pas à celui de la balle qui avait tué Saucier. Elle les avait repérés rapidement et avait remarqué qu'ils étaient assis assez près les uns des autres. Hasard ?

Elle se penchait vers Joubert pour le questionner, lorsqu'un brouhaha remplit la salle avec la clôture de la réunion. On déplaça les chaises, les militants se dirigèrent vers la table où des biscuits et du café les attendaient.

— On reste encore un peu ?

— Non, on ne pourra pas se mêler à eux.

Graham se dirigea vers la sortie, esquissa un signe de la main en direction de Sansregret qui se contenta de hocher la tête de l'air satisfait de celui qui a eu raison, une fois de plus.

Alors qu'ils regagnaient leurs véhicules, Graham dit à Joubert et à Rouaix qu'elle voulait revoir Jules Saucier.

— Je ne peux pas l'interroger de nouveau aujourd'hui puisque c'est la veillée funèbre, mais je le convoquerai après l'enterrement. Il me cache quelque chose. J'ai l'impression qu'il se sent coupable. Parce qu'il n'a pas réussi à plaire à son père, parce que leur dernière rencontre était encore ratée ou parce qu'il est mêlé à sa mort ?

— Il n'a pas nié avoir vu son père le soir du meurtre, mais nous n'avons rien qui le relie directement à l'assassinat.

— Non. Il est seulement le fils d'un homme richissime qui se trouvait sur les lieux du crime juste avant que le tueur agisse. Parce qu'il éprouvait un irrésistible besoin de s'entretenir avec son père... Je n'y crois toujours pas.

— C'est une drôle de coïncidence, fit Joubert. Mais c'est possible. C'est moi qui devrais l'interroger. Peut-être qu'avec un autre gay, il sera plus à l'aise.

Si Graham s'étonna que Joubert mentionne si ouvertement son homosexualité, elle n'en laissa rien paraître et approuva aussitôt sa suggestion.

— Je reparle à Gordon Brewster, dit Rouaix. Il n'a pas d'alibi, lui non plus... Et il était à la soirée chez Saucier. Rien ne l'empêchait de partir en même temps que les autres invités après s'être empiffré de sushis et de revenir ensuite. Saucier lui aurait ouvert, pensant qu'il avait oublié quelque chose.

— Tout est possible... On aura peut-être d'autres informations venant du laboratoire. Des tas d'empreintes n'ont pas encore été identifiées.

***

Québec, 25 juillet 2011

Le vent soulevait les pages du *Soleil* que Jean-François Cliche avait ouvert sur la table de la cuisine et il déposa sa tasse de café sur un des coins pour lire les dernières nouvelles concernant la mort de Bernard Saucier. Il avait demandé à son frère de venir le chercher pour l'emmener à l'église.

Y aurait-il des visages familiers pour lui aux funérailles, hormis les membres de la famille ? Jules et Livia ne se souviendraient probablement pas de lui, il ne les avait rencontrés qu'une fois, mais peut-être que Rock Lemire serait là. Il s'était toujours présenté à leur souper annuel, même s'il habitait à La Tuque. Les autres gars du chantier à qui il avait annoncé le décès de Saucier demeuraient encore plus loin. Ils ne feraient pas le voyage pour assister à l'enterrement. Quant à Francis Guérin, il résidait à Québec, mais Saucier et lui n'avaient jamais été amis. C'était plutôt le contraire, même si Guérin n'avait jamais dénigré Saucier quand ils s'étaient revus après l'accident. Quand Jean-François Cliche s'était excusé de s'être moqué de lui, Guérin avait dit que c'était de l'histoire ancienne, qu'il gardait surtout du chantier le souvenir d'avoir été utile. Cliche avait insisté ; il serait mort sans son intervention éclairée. Il était encore gêné, quand il repensait à son attitude au chantier ; comment avait-il pu rire d'un homme qui lui avait sauvé la vie ? Qui lui avait dit, quand il avait tenté d'en reparler, de ne plus revenir sur le sujet.

— C'est le passé. J'aime mieux aller de l'avant.

Peut-être que c'était vrai. Parce que Guérin avait un avenir. Mais pour lui, le passé était son présent. Et il devait se résigner : il n'y aurait plus de rencontre annuelle au Château Frontenac. Ils étaient tous morts, sauf lui et

Rock Lemire. Il ne s'imaginait pas en tête-à-tête avec lui. Ils n'avaient jamais beaucoup échangé. De toute manière, lorsqu'ils se retrouvaient, c'était Saucier qui animait leur soirée. Et depuis la disparition de la femme de Lemire dans une des tours du World Trade Center, Cliche ne pouvait être en sa présence sans songer à Tina et il craignait toujours de gaffer à son sujet. Il ne pouvait pas non plus discuter de ses fameuses pyramides. C'eût été encore plus délicat puisque Lemire avait dû démanteler ses réseaux financiers de peur que la justice ne s'en mêle. De quoi vivait-il maintenant ? De l'assurance-vie de Tina ? Les assurances couvraient-elles un décès dans de telles circonstances ? Pouvait-on s'assurer contre le terrorisme ? Ce mot qui revenait si souvent dans les reportages signifiait si peu lorsqu'ils étaient tous au chantier. Les gars n'avaient qu'une vague notion des attentats perpétrés à Paris ou en Irlande. C'était si loin.

Et si proche, aujourd'hui. Peut-être que les terroristes frapperaient un jour à Toronto ou à Montréal. Ou même à Québec. C'était la première ville fondée en Amérique du Nord, elle était classée patrimoine mondial par l'Unesco. Cliche tenta d'imaginer une bombe en plein cœur du Vieux-Port, repoussa aussitôt les images qui s'imposaient à lui. Il était fou de se créer de telles frayeurs. C'était ce qui arrivait aux gens qui restaient trop longtemps chez eux. Son frère avait raison, il devait sortir davantage. Francis Guérin aussi lui avait conseillé de s'aérer l'esprit, mais c'était plus fort que lui, il repensait constamment au chantier. Sa vie était figée là. Saucier ne le lui avait jamais reproché, lui. Il était content d'avoir des nouvelles des uns et des autres. Est-ce qu'on reprochait à Bernard d'évoquer le bon vieux temps du chantier ? Non. Personne ne critiquait Bernard Saucier.

Il y avait pourtant quelqu'un qui ne l'avait pas apprécié. Qui avait tiré sur lui.

Est-ce que son meurtrier assisterait aux funérailles ?

La sonnette de la porte le surprit. Il s'étonna de l'arrivée hâtive de son frère Jacques ; l'enterrement avait lieu dans plus d'une heure. Il fit rouler son fauteuil dans le corridor, ouvrit et fut surpris de découvrir Maud Graham à sa porte.

— J'aurais dû vous appeler, s'excusa-t-elle, mais j'étais dans le coin et je n'avais pas votre numéro avec moi. Je vous dérange ?

— On ne me dérange jamais. Je n'ai pas tant de distractions que ça ! Je pensais que c'était Jacques, mon frère, qui m'emmène à l'enterrement.

— J'y vais aussi. Je peux vous tenir compagnie en attendant votre frère ?

Jean-François Cliche sourit à Maud Graham avant de lui désigner le canapé tout en lui offrant un café.

— Je viens d'en faire. Je le buvais en lisant mon journal.

— Merci, j'en ai déjà trop bu.

— Ils ne disent pas grand-chose de neuf dans le *Soleil* à propos du meurtre.

— C'est parce qu'il n'y a rien à dire, reconnut Graham. Nous n'avançons pas beaucoup. C'est la raison de ma visite. Je voudrais que vous me reparliez de Bernard Saucier. Si quelque chose vous est revenu à l'esprit… Même si ça vous paraît insignifiant.

Jean-François Cliche saisit sa tasse de café avant d'installer son fauteuil en face de Maud Graham.

— Je ne sais pas trop ce que je peux vous dire de plus. Il n'a jamais pris au sérieux les menaces qu'il recevait. Au contraire, il s'en vantait. Ça prouvait qu'il avait du succès. « On n'envie pas les losers. »

— Quand a-t-il reçu ces menaces ? Comment ?

— Par courriel. C'est arrivé plusieurs fois. Il s'en foutait. On l'a apostrophé à la SAQ, la veille d'un de nos soupers. Il en riait quand on s'est retrouvés au Château.

— D'où venaient les menaces, selon lui ?

— D'un ancien partenaire. Mais j'ai oublié son nom. Il faut dire que nous avons bu beaucoup, ce soir-là. Cinq bouteilles à trois. Plus des digestifs. C'est Lemire qui a le plus picolé, mais je n'étais pas frais le lendemain matin. Saucier, lui, tenait l'alcool. Au chantier, il pouvait boire tous les soirs sans que ça paraisse à l'ouvrage.

— Aurait-il pu être en train de cuver sa bière quand il a oublié d'attacher le billot qui vous est tombé dessus ?

Cliche secoua aussitôt la tête, mais évita le regard de Maud Graham.

— C'était un accident, je vous le répète. Bernard n'avait pas de problème d'alcool. C'était un sportif. En forme. Il ne se serait pas rendu là où il était s'il avait traîné dans les bars. Il aimait faire la fête mais savait s'arrêter.

— Il a pourtant tâté de la drogue quand vous étiez au chantier. Il était ami avec Brûlotte qui avait son petit trafic...

— Il consommait comme tout le monde. Pas plus, pas moins. Brûlotte aurait dû tout arrêter après le chantier...

— Il est venu à vos soupers avant de se faire arrêter, puis tuer ?

— Oui. Avec Lemire. Saucier avait aussi invité Fraser au début parce qu'il travaillait dans la publicité, mais il n'est venu qu'une fois.

— Vous n'étiez donc qu'un petit groupe de quatre ou cinq gars, au chantier ?

— Saucier n'était pas ami avec tous ceux qui ont sué là-bas. Les Anglos ne se mêlaient pas à nous et Saucier ne s'entendait pas trop avec les Amérindiens. Je n'ai jamais su pourquoi.

— Les autochtones ?

L'image de la plume qui pointait sa tête marron hors de la poche de la chemise de Saucier s'imposa à Maud Graham.

— On avait des Cris, là-bas. Des Mohawks aussi. Des Hurons. Et des Montagnais. Il leur est arrivé de se battre… Je ne devrais pas rapporter ça, aujourd'hui, alors qu'on l'enterre, mais si je devais trouver un défaut à Bernard, c'était celui-là. Il était un peu chiant avec les Amérindiens.

— Chiant ?

— Il les provoquait.

— Pourquoi ?

— Je ne sais pas. C'est un univers particulier, le chantier. Avec des clans. Une hiérarchie. Bernard n'aimait pas les Amérindiens parce qu'il ne comprenait pas leur dialecte. Il s'imaginait qu'ils parlaient contre lui. Ça le dérangeait.

— Il était paranoïaque ?

— Méfiant. Ça l'a servi dans ses affaires. Il ne faisait confiance à quasiment personne.

— Et à vous ?

— Oh, moi… Il ne me confiait pas de gros secrets. Et puis, à qui je les aurais répétés ?

— Vous communiquez beaucoup par Internet avec des anciens du chantier, non ?

— Je leur écris, mais je n'ai pas tant de réponses que ça. Quelques mots de temps à autre. Ils doivent se sentir obligés de me répondre à cause de mon projet, ils ne veulent pas que j'écrive n'importe quoi sur eux.

— Dans votre livre ?

— Oui, j'ai trié les photos, si ça vous intéresse toujours…

Tandis que Jean-François Cliche s'éloignait vers la chambre à coucher, Maud Graham se demandait s'il avait raison d'écrire ce livre qui le maintenait dans le passé ; un tel ouvrage avait-il des chances d'être publié ? Qui s'intéresserait aujourd'hui à la vie de ces hommes sur un chantier ? Ce n'était tout de même pas celui de la baie James. Il y aurait quelques nostalgiques, comme Cliche, mais s'il parvenait à le faire éditer, il serait probablement déçu des ventes. Il rêve en couleurs, songea-t-elle tout en espérant pouvoir profiter de ses informations et mieux comprendre le personnage de Saucier en le situant dans un autre contexte. Où Brûlotte avait aussi évolué. Tué par balle, comme Saucier. Sa mort, compte tenu de ses relations, était plus prévisible, mais y avait-il un lien entre eux, à part le chantier ?

Jean-François Cliche revenait avec un immense album en cuir noir et, dès qu'elle l'ouvrit, elle douta encore davantage de l'intérêt d'un éditeur pour un tel ouvrage. C'était un ramassis de souvenirs hétéroclites : des photos des bâtiments, le plan du site, des badges, le menu quotidien du mois, les feuilles de temps et des pages de texte, glissées sous le papier cellophane, écrites à la main, qu'elle s'efforça de lire.

— C'est une sorte de journal. Que j'ai fait après l'accident en essayant de me rappeler le maximum d'événements qui se sont déroulés cet été-là. En reliant les quarts de travail, les menus, les activités, les visites des *big boss*, j'ai réussi à recréer à peu près trois mois. C'est bizarre, la semaine avant l'accident est restée floue. Les gars me l'ont racontée, comme ce qui s'est passé ensuite, mais c'est vague.

— Vous avez mis beaucoup de temps pour réaliser tout ça, dit Graham d'une voix admirative en notant que la première photographie qu'elle avait vue représentait Saucier, les bras croisés devant un grand baraquement. Il avait déjà ce regard carnassier qu'elle avait remarqué dans les images diffusées à la télévision depuis sa mort. Elle tournait les pages lentement, s'arrêtant parfois pour interroger Cliche sur le nom d'un homme sous une photo ou sur un mot qu'elle ne pouvait déchiffrer.

— Je taperai le texte à l'ordinateur quand j'aurai fini, mais…

— Qu'est-ce que c'est ? l'interrompit Graham en désignant une croix noire au-dessus de la photo d'un homme aux cheveux noirs, au visage grave.

Son hôte poussa un long soupir.

— C'est Gabriel Siméon. Il est mort là-bas.

— Un autre accident ?

— Pas comme le mien. C'était un suicide. Ce gars-là n'avait pas le vertige. Pourquoi serait-il tombé en bas de la falaise ? Il filait déjà un mauvais coton quand il est arrivé au chantier. Il ne parlait quasiment pas. Il restait dans son coin. Francis Guérin jasait avec lui et les autres Indiens, mais c'était à peu près tout. On a pourtant été surpris d'apprendre que sa blonde l'avait laissé.

— Pourquoi ?

Graham se rapprocha de la photo ; Gabriel Siméon était très beau.

— On pensait qu'il était gay. Mais non, il avait une blonde depuis un certain temps, d'après ce que m'a raconté Francis. C'est arrivé juste avant mon accident.

— J'ai entendu dire que Saucier avait un problème avec les homosexuels.

— Je ne sais pas qui vous a raconté ça, c'est exagéré. Il a agacé Gabriel une couple de fois, c'est tout. Comme Guérin. Parce qu'il était toujours fourré dans un livre, qu'il s'intéressait plus aux oiseaux qu'à nous autres. Il a arrêté après mon accident, quand il a vu ce que Guérin était capable de faire. Il m'a sauvé la vie ! S'il n'avait pas agi aussi vite quand le billot m'est tombé dessus, je serais mort au bout de mon sang. C'est un maudit bon médecin ! Il est à la page 81, où je parle de mon accident.

Graham continua à parcourir le lourd *scrapbook* et tapota la photo de Francis Guérin dans un cadre de carton doré.

— Il méritait bien ça.

Maud Graham referma l'album en sentant qu'un détail lui avait échappé. Soucieuse, elle reparla de l'aversion de Bernard Saucier pour les homosexuels.

— N'exagérez pas ! Je suis sûr qu'il y avait des gays qui travaillent… travaillaient pour lui dans ses hôtels. Il taquinait Gabriel Siméon, ce n'était pas sérieux.

— Et s'il avait appris qu'un de ses enfants était gay ?

— Qu'est-ce que vous supposez ?

— C'est possible.

— On ne jasait pas beaucoup de ses enfants quand on se voyait.

— Il vous a parlé de Thierry.

— Oui. Il n'est pas homo… Pourquoi cette question ?

— Pour avoir une meilleure idée de M. Saucier.

Chapitre 7

Québec, 25 juillet 2011

L'aurore mouchetait d'or les toits du quartier Saint-Roch et Francis Guérin fut presque ébloui en sortant sur la terrasse de son appartement pour boire son café dans l'espoir de profiter de la fraîcheur de la nuit, mais il était déjà trop tard, la chaleur s'était installée et il songea qu'il y aurait des vieillards déshydratés à l'hôpital. Des bébés. Des ados, aussi, qui joueraient trop longtemps au soccer sans penser à boire suffisamment. Mais personne ne le réclamerait à l'urgence aujourd'hui, il avait annoncé qu'il rentrait de Toronto le 26 afin d'avoir une journée au calme chez lui.

Sa mère était morte par une journée de canicule, vingt ans plus tôt, à une semaine près. Il faisait un peu moins chaud lorsqu'il avait tiré sur Brûlotte, quelques jours plus tard. Il avait regardé longuement la série des dessins de Nishk avant de partir pour Trois-Rivières, s'était rappelé les rires gras des hommes autour de la table afin de ne pas changer d'idée. Gabriel devait être vengé.

Francis s'était interrogé des centaines de fois depuis la mort de Brûlotte ; était-ce Gabriel qu'il vengeait ou lui-même ? Pour la perte de cet ami ? Il ne le saurait pas non plus, même si l'arrivée à l'urgence d'un ancien camarade de l'école primaire, la semaine précédente, avait démontré qu'il pouvait faire preuve de clémence. De pitié. Il avait lu l'affolement dans le regard de Benoît Marien quand il avait reconnu son souffre-douleur, le soulagement quand il l'avait entendu lui promettre qu'il sauverait sa jambe.

Tout s'était passé très vite, comme toujours à l'urgence où compte chaque minute, chaque seconde.

Comme dans la vie. Chaque instant a son propre poids, le poids de son passé naissant.

On dit qu'on revoit sa vie défiler devant soi lorsqu'on meurt. Qu'avait vu Saucier avant de s'écrouler ? Qu'avaient vu Brûlotte et Corriveau ? Que verraient Lemire et Cliche s'il poursuivait sa vengeance ? Chose certaine, il ne se sentait pas la force de respecter les dix ans d'attente qu'il s'était fixés entre chaque exécution. Il devait clore cette histoire. Il aurait voulu que tout soit déjà derrière lui. Tout oublier.

***

Michel Joubert et André Rouaix étaient déjà rendus à l'église quand Maud Graham les rejoignit.

— Toutes les places sont prises à l'intérieur, annonça Joubert, comme si Saucier était une vedette. Je me demande combien de gens l'aimaient dans toute cette foule…

— On n'a repéré aucun des militants de Grandir, dit Rouaix, ni Sansregret ni sa femme. Mais, à propos de Grandir, on vient d'apprendre que Daniel Constant, un membre de la première heure, près d'Elias Sansregret, possède plusieurs armes.

— On vient de l'apprendre ? pesta Graham. Comment ça ? Des recherches ont été faites sur chacun des militants !

— Calme-toi, il y a des centaines de membres. Certaines des armes de Constant ne sont pas enregistrées.

— On espère un mandat pour fouiller chez lui, fit Joubert.

— Si c'est lui, le meurtrier, dit Rouaix, ça m'étonnerait qu'il ait été assez bête pour conserver l'arme du crime. Moreau soutient que c'est un homme intelligent. Il serait cependant intéressant de creuser ses liens avec Elias Sansregret et Amélie Tellier. Et toi, de ton côté ?

— Cliche m'a rapporté que Saucier n'aimait pas les autochtones, leur apprit Graham.

— Les autochtones ? Quels autochtones ?

— Ceux qui étaient au chantier avec eux. J'ai repensé à la plume, dans sa chemise...

— Quel individu serait assez bête pour signer son crime ainsi ?

— Ça signifie quelque chose, affirma Graham. La plume n'était pas là par hasard. Personne ne se souvient de l'avoir vue dans la chemise de Saucier durant le souper de sushis.

— De là à croire qu'il y a un lien avec des Amérindiens, fit Rouaix, c'est prématuré.

Maud Graham acquiesça avant d'ajouter qu'il fallait creuser aussi cette piste, qu'elle rencontrerait les autochtones qui travaillaient au chantier en 1981.

— Cliche pourra m'aider à en retracer. Il consacre ses journées à écrire sur cette période-là, à tenter de joindre ses anciens camarades sur les réseaux sociaux. Je compte sur lui pour me les présenter aujourd'hui, s'il en vient.

Les enquêteurs s'avancèrent vers l'entrée de l'église au moment où retentirent les premières notes d'un requiem.

— Mozart, identifia Joubert.

Graham haussa les sourcils ; elle ignorait que Joubert connaissait la musique classique. En songeant aux goûts musicaux de Grégoire, si différents, elle se demanda ce qu'ils écoutaient lorsqu'ils étaient ensemble. Elle-même avait acheté un casque d'écoute hors de prix à Maxime afin de ne pas avoir à entendre ses groupes *heavy metal* préférés.

— Il y a trop de monde, déplora Rouaix, on ne verra pas grand-chose.

— J'essaie tout de même, dit Graham avant de se faufiler vers la droite, mais Rouaix avait raison.

Elle reconnut les chevelures blondes des ex-épouses de Saucier et les enfants, le frère missionnaire, des hommes politiques et des personnalités de la scène artistique et se rappela que Saucier jouait les mécènes. Une célèbre comédienne avait d'ailleurs confié à un journaliste que son décès endeuillait le monde du théâtre qui avait bénéficié durant des années de la générosité de Saucier.

Graham n'aurait pu dire quelle épître avait décidé de lire l'officiant, la cérémonie religieuse lui faisant toujours le même effet ; elle s'en désintéressait rapidement et parcourait des yeux la foule des fidèles assis sur les bancs de bois verni. Cliche était installé à gauche de la dixième rangée et elle crut voir Jules Saucier lui adresser un signe de tête avant de prendre Francesca et Livia par le bras pour marcher derrière le cercueil qu'on venait de soulever.

À une dizaine de mètres de l'église, des employés installaient des couronnes et des bouquets sur les landaus.

— Tel un mafioso, marmonna Provencher qui était arrivé après le début de la messe. Il y a huit landaus. Sans compter les limousines. Ils n'ont pas fini d'arranger les fleurs.

— Tant mieux, ça nous permettra d'observer tout ce beau monde.

Maud Graham était à l'affût d'une attitude suspecte, même si elle se doutait que, si l'assassin était parmi eux aujourd'hui, c'était qu'il ne craignait pas de se trahir.

Ou qu'il se serait trahi par son absence ?

Comme un fils, un frère, un ami intime, un fidèle associé ou un important partenaire ?

Ils étaient tous là…

Les proches s'avançaient vers les membres de la famille de Saucier ; Jules soutenait toujours Livia, dont les immenses lunettes de soleil noires accentuaient la pâleur de son visage, et Thierry s'occupait de sa sœur Axelle. William et Chloée, les plus jeunes, étaient auprès de leur mère qui les retint durant une dizaine de minutes avant de finir par les laisser courir dans la foule.

Le défilé des amis qui présentaient leurs condoléances s'éternisa et, sans Livia qui chancela subitement, il aurait pu durer encore plus longtemps. Émile Saucier, le frère missionnaire, ordonna aux gens de se disperser pour permettre à Livia de se ressaisir. Francesca et Jules l'emmenèrent vers la limousine où ils l'installèrent. Marjorie et Lily les imitèrent, coupant court à de nouvelles manifestations de sympathie. Au moment où Jules contournait la limousine pour monter du côté droit, il s'immobilisa et serra la main d'un jeune homme aux cheveux châtains qui se pencha pour adresser quelques mots à Livia et à Francesca avant de poser une main sur l'épaule de Jules.

— Qui est-ce ? s'enquit Graham qui n'avait pas pensé une seule seconde qu'il puisse s'agir de l'amoureux de Jules Saucier.

Elle ne l'avait rencontré que trois fois, mais elle doutait qu'il fasse preuve d'une telle audace ce jour-là. Si cependant elle se trompait, c'était une déclaration à son père, même posthume, qu'il entendait dorénavant mener sa vie comme il le souhaitait, sans se soucier de l'opinion d'autrui.

Mais était-ce ou non son compagnon ?

— Jamais vu, répondit Rouaix.

— Il doit les connaître intimement pour s'être approché à ce moment-là, commenta Joubert.

Graham faillit demander à Joubert s'il pensait que ce jeune homme était l'ami de Jules et se trouva ridicule ; même si Grégoire affirmait que les gays s'identifiaient comme tels entre eux, il était exagéré de prêter un don de double vue à son collègue.

— Peut-être que Cliche l'a déjà rencontré ?

Elle le repéra, un peu à l'écart, l'air songeur.

— Votre frère est reparti ? Avez-vous quelqu'un pour vous ramener aux Jardins Mérici ou irez-vous à la salle réservée pour la suite des événements ? Je peux vous conduire...

Cliche secoua la tête ; c'était inutile. Il ne connaissait personne.

— Je suis un peu déçu que Lemire ne soit pas venu. Il aurait pu faire un effort. Il ne reste que nous deux de notre bande du chantier...

— Mais il assistait à vos soupers, non ?

— Oui. Bon, je vais rentrer. Je ne me sens pas trop à ma place ici, je ne suis pas assez proche des enfants pour m'imposer... Je ne les ai croisés que deux ou trois fois. Ils ne doivent pas se souvenir de moi.

— Est-ce que vous connaissez le jeune homme qui était avec Jules, Livia et leur mère ?

— Ça doit être un des filleuls de Bernard. Il en avait plusieurs. Je ne sais pas lesquels se sont déplacés. Deux vivent à l'extérieur du Québec. Les autres doivent être là...

— Je vous raccompagne chez vous.

Jean-François Cliche hocha la tête avant de commenter la présence de nombreuses personnalités publiques aux funérailles.

— Bernard aurait été content, assura-t-il, souriant de nouveau.

En passant devant Rouaix, Joubert et Provencher, Graham s'arrêta pour leur présenter Cliche.

— C'est la mémoire des années de jeunesse de Saucier. Il nous aide beaucoup dans notre enquête.

Il lui sembla que Cliche se redressait sur son fauteuil, qu'elle avait réussi à effacer un peu l'impression de solitude qu'il avait ressentie parmi tous ces gens qui discutaient entre eux sans se soucier de lui. La défection de Lemire l'avait affecté plus qu'il ne l'imaginait.

— Il n'y avait vraiment personne du chantier ?

— Pas un chat.

Maud Graham se dirigea vers sa voiture, mais Cliche ouvrit la portière avant qu'elle ait pu esquisser un geste et il se glissa prestement sur le siège du passager. Il avait la mine sombre ; à la déception de ne revoir personne de ce passé auquel il s'accrochait s'ajoutaient peut-être des inquiétudes sur son avenir ? Il avait dit que Bernard Saucier avait payé une partie de l'achat du condo, mais lui donnait-il aussi de l'argent ?

Tout en rangeant le fauteuil de Cliche dans le coffre de sa voiture, Graham pensait à son *scrapbook*, espérant se souvenir du détail qui l'avait frappée inconsciemment en le feuilletant.

Avant de déposer Cliche en face des appartements Mérici, elle lui demanda s'il avait encore les coordonnées de Lemire et de Guérin.

— Oui. Ils ne vous diront pas grand-chose. Lemire ne descend pratiquement jamais à Québec depuis que sa femme est morte. Il habite à La Tuque. Voulez-vous monter ou je vous appelle pour vous refiler son numéro de téléphone ? Pour Guérin, je suis sûr qu'il n'a jamais revu Saucier. Ils n'étaient pas amis.

Mais ennemis ? songea Maud Graham. Il était plus que temps qu'elle rencontre le médecin. D'après ce qu'on lui avait dit à l'hôpital, après sa première rencontre avec Cliche, l'urgentologue était actuellement à Toronto.

En attendant son retour, elle interrogerait Lemire. S'il le fallait, elle irait dans la Mauricie. Et elle s'intéresserait au jeune homme qui s'était adressé à Jules Saucier. Et elle se garerait devant le cabinet de maître Désy pour voir qui se présenterait à la lecture du testament. Et surtout quelle serait l'attitude de chacun en quittant l'étude du notaire. Y aurait-il des surprises pour certains d'entre eux ? Il y avait tellement d'argent en jeu... Qui était pressé d'hériter parmi les proches de Saucier ? Ils semblaient tous être très à l'aise, mais était-ce vraiment le cas ?

Quand on a autant de fric, est-ce qu'on se demande toujours si les gens nous aiment réellement ? Est-ce que Bernard Saucier entretenait des relations avec ses compagnons du chantier parce qu'ils l'avaient connu lorsqu'il était en bas de l'échelle ? Croyait-il que les liens qu'ils avaient noués alors n'avaient pas changé, qu'ils étaient plus sincères avec lui que de nouvelles connaissances ?

Est-ce que la sincérité avait de l'importance pour Saucier ou voyait-il ses anciens amis pour le simple plaisir de les épater avec sa réussite ?

***

Jean-François Cliche repoussa son assiette à moitié pleine. Il s'était préparé son plat de pâtes quotidien mais il n'avait pas d'appétit, même s'il était soulagé que

Maud Graham ne lui ait pas parlé de Paul Corriveau. Elle s'était rappelé Lemire et Guérin mais, bien qu'elle ait noté le nom de Corriveau en feuilletant le *scrapbook*, elle ne s'y était pas attardée. Elle reviendrait sans doute à la charge lorsqu'elle apprendrait que Vincent Corriveau, son fils, était le filleul de Bernard. Cliche était quasiment persuadé que c'était lui qui s'était approché de Jules au moment où il s'apprêtait à s'asseoir dans la limousine ; il avait la même stature que son père, sa chevelure épaisse, son teint pâle. Corriveau avait attrapé de sévères coups de soleil au chantier à cause de cette carnation fragile. Il se souvenait que Brûlotte lui avait offert de la crème solaire pour s'amuser, le taquinant sur son teint de demoiselle. Corriveau n'avait pas du tout apprécié cette plaisanterie. Il s'était jeté sur Brûlotte et il lui aurait sûrement cassé le nez si Saucier n'était pas intervenu. Brûlotte s'était excusé, à sa demande, et Corriveau avait admis qu'il s'était emporté pour une bêtise. Qu'il était un peu soupe au lait. Personne, au chantier, n'avait plus jamais agacé Corriveau et, si Brûlotte et Saucier s'étaient bagarrés par la suite, Cliche restait persuadé qu'une violence différente habitait Corriveau, qu'elle le rongeait, le brûlait de l'intérieur et qu'elle exploserait fatalement un jour. Saucier et Brûlotte se battaient par orgueil et par désennui, pour montrer leur pouvoir, mais Cliche avait perçu un élément de folie dans la fureur qui avait poussé Corriveau à se jeter sur Brûlotte. Il donnait l'impression de vouloir l'anéantir. Ce n'était pas un bête combat de coqs mais une rage brûlante qui s'exprimait.

Il ne s'était pas trompé. Il avait su plus tard que la femme de Corriveau avait dû quitter le domicile conjugal avec leurs enfants. C'était Bernard qui le lui avait appris, informé par son filleul de la situation critique de la famille. Bernard s'était chargé de tout; il avait envoyé chercher Suzie et ses gamins par deux types qui avaient fait comprendre à Paul qu'il devait les oublier. «J'ai remis une prime d'éloignement à ce trou de cul même s'il ne le mérite pas, avait dit Bernard. Il est parti pour les États, bon débarras. Je ne veux plus jamais en entendre parler! »

Est-ce que Maud Graham lui reprocherait de ne pas lui avoir parlé de Paul et de Vincent Corriveau? Il avait failli le faire, mais il avait préféré garder cette information pour plus tard. Il avait envie que la policière revienne chez lui, pour une fois qu'il se sentait utile! De toute façon, Bernard avait rayé le nom de Corriveau de leur souper annuel et il avait respecté ce silence.

Cliche déposa son assiette sur le comptoir de la cuisine et revint vers le salon, regarda l'appareil téléphonique, hésita puis finit par renoncer à appeler Maud Graham; il lui avait déjà donné les numéros de téléphone de Lemire et Guérin. Ils évoqueraient peut-être Corriveau. Elle le rappellerait sûrement.

***

Maud Graham relisait le document concernant la fraude dont s'était rendu coupable Rock Lemire et espéra que son mépris envers ce genre d'individu ne paraîtrait pas dans sa voix lorsqu'elle le joindrait. Comment pouvait-on arnaquer des gens sans défense, des personnes âgées? Si ses parents étaient un jour victimes de fraude, elle ne donnerait pas cher de la peau de celui qui les aurait trompés. Elle espérait que ses mises en garde éviteraient pareil gâchis, son père n'était pas naïf, sa mère non plus, mais qui sait? Elle se sentit coupable de ne pas avoir pris de leurs nouvelles depuis un bref appel à son retour de vacances et composa le numéro de la demeure familiale. En entendant le message du répondeur, elle sourit ; ses parents étaient sortis. Tant mieux, cela signifiait qu'ils avaient une occupation. Sa mère ne lui avait pas caché que la nouvelle retraite de son père les déstabilisait. Elle n'avait pas l'habitude d'avoir un homme à ses côtés toute la journée. Un homme qui avait tant souhaité être retraité, mais qui ne savait pas comment employer tous ses loisirs.

Est-ce que Rouaix, qui évoquait souvent son prochain départ, vivrait le même désarroi ? Quitterait-il vraiment son poste dans quelques mois comme il l'affirmait ou changerait-il d'idée ? Provencher se faisait rassurant, mais Graham redoutait le moment où son meilleur ami tirerait sa révérence. Heureusement qu'elle avait Joubert avec elle. Et McEwen. Et Nguyen, le nouveau, il semblait sérieux.

Dès qu'elle entendit la voix de Rock Lemire, Graham comprit qu'elle avait sûrement été un atout majeur pour monter ses arnaques. Il aurait pu être animateur à la radio avec une voix aussi chaude, aussi ronde, aussi vivante. Elle avait peine à imaginer un homme dépressif au bout du fil ; se pouvait-il que Cliche l'ait induite en erreur ? Il y eut un silence lorsqu'elle se présenta comme détective, mais elle rassura immédiatement Lemire ; elle l'appelait à propos de Bernard Saucier.

— Bernard ? Pourquoi ?

— Vous l'avez connu.

— Vous appelez tous les gens qui l'ont rencontré ?

— Vous étiez ensemble au chantier.

— C'est vrai. Si vous pensez que j'ai quelque chose à voir avec le meurtre, je vous arrête tout de suite. Enfin, arrêter est plutôt un mot que vous utilisez, non ?

Il rit, content de son jeu de mots, et Maud Graham se retint de soupirer.

— Continuez.

— J'étais à l'hôpital quand Saucier a été tué. Appendicite. Il paraît que c'est rare à mon âge. Je dois avoir gardé une âme d'enfant. J'ai été soigné au Centre de santé et de services sociaux du Haut Saint-Maurice. Vous voulez le numéro de ma chambre ? Je suppose que c'est Cliche-la-mémère qui vous a parlé de moi ? Ça paraît qu'il n'a que ça à faire…

— C'est parce que vous êtes convalescent que vous n'êtes pas venu à l'enterrement ? Il me semble qu'on ne reste pas plus de trois jours à l'hôpital après ce type d'intervention.

La question désarçonna Lemire.

— Il y a eu des complications. Mais je n'adressais plus la parole à Saucier depuis un bon bout de temps.

— Pourquoi ?

— Si je n'avais pas d'alibi, ça pourrait me rendre suspect, ricana Lemire. Quand j'ai eu mes petits ennuis, je me suis confié à Saucier qui m'a envoyé balader. Il ne pouvait pas me rendre service, d'après lui, à cause de « sa position dans la société ». Ce sont ses mots. Maudit hypocrite !

— Hypocrite ?

— On ne se rend pas jusqu'où il s'est rendu sans écraser quelques personnes au passage. Ce n'est pas un saint. Moi non plus, mais je ne lui demandais pas grand-chose. En souvenir du bon vieux temps, il aurait pu m'aider. Mais non…

— Était-ce vraiment le bon vieux temps ?

— Non, pas tant que ça. La vie était dure au chantier. On travaillait fort, mais c'était payant. C'est Cliche qui vous a raconté que j'étais en fusil contre Saucier ? Il lui a toujours léché les bottes.

— Je vous avoue que ça m'étonne. Si quelqu'un était responsable de mon handicap, je n'aurais pas envie d'être son amie.

— Cliche était son fidèle chien-chien avant l'accident. Et ce n'était pas dans son intérêt de changer ensuite. Saucier a tout payé pour lui.

— Avec quel argent ? Vous gagniez bien au chantier, mais il me semble qu'on n'a pas d'économies dans la jeune vingtaine ?

Il y eut un rire au bout du fil.

— Ah bon ? Cliche ne vous a pas tout raconté sur son cher ami Bernard ? L'affaire des pyramides, c'était son idée. Il a monté une gammick, au chantier. En rentrant en ville, je me suis dégotté un job chez un concessionnaire. J'étais un bon vendeur. J'ai repensé à Bernard, je l'ai imité. J'ai gagné beaucoup d'argent avec son système de pyramides, puis j'ai eu des problèmes. Lui n'a jamais été interrogé par vos services…

— J'ai alors de la difficulté à comprendre pourquoi vous acceptiez de souper avec lui une fois par année. Et pourquoi vous invitait-il, d'après vous ?

— Parce qu'on lui rappelait la distance parcourue entre son arrivée au chantier et là où il était maintenant. On lui servait de points de comparaison. Si j'assistais à ces maudits soupers, c'était parce que je m'imaginais que ça pourrait me rapporter un jour ou l'autre. Saucier connaissait tellement de monde. Il avait des contacts dans tous les milieux. Il jouait au grand seigneur et nous payait la traite au Château, mais ça s'arrêtait là, finalement.

— Cliche m'a pourtant assuré qu'il avait offert des emplois à certains d'entre vous.

— Oui, à l'ouverture de son premier hôtel. Corriveau a grimpé les échelons pendant quelques années, mais ensuite il a dégringolé.

— Savez-vous ce qu'est devenu Corriveau ?

— Cliche ne vous a pas dit qu'il était mort ?

Rock Lemire semblait étonné.

Peut-être qu'il l'ignorait, se dit Graham. Cliche avait-il gardé des informations pour lui ? Pour quel motif ?

— Ça fait une dizaine d'années. Il vivait aux États. Pas trop loin de la frontière. Je me souviens vaguement ; il s'est fait descendre dans son appartement. Peut-être qu'il a surpris des voleurs. Je ne sais pas ce qui s'est passé.

— Aux États-Unis, vous en êtes certain ? Corriveau avait quitté son emploi à l'hôtel de Saucier ?

— Oui, ça n'avait pas duré.

— Comment avez-vous appris son décès ?

— Par les gars.

— Voyez-vous quelqu'un qui aurait pu en vouloir à Saucier, Corriveau et Brûlotte ? C'est quand même surprenant que trois hommes qui étaient ensemble au chantier aient connu une mort violente.

Il y eut un silence ; Lemire craignait-il d'être sur la liste du tueur ?

— C'est vrai que c'est bizarre. Mais personne n'a été surpris que Brûlotte se fasse descendre. Pour Corriveau, je ne sais pas. Mais Saucier était détesté par bien du monde. Au chantier, il y a juste Gabriel Siméon qui aurait pu avoir envie de se débarrasser d'eux, mais il est mort.

— C'est celui qui est tombé en bas de la falaise ? Pourquoi les haïssait-il ?

— Pour des conneries…

Graham perçut une hésitation au bout du fil, puis Lemire ajouta que Saucier et Brûlotte avaient souvent asticoté le Muet.

— Le Muet ?

— Siméon ne nous parlait pas. Saucier l'a traité de tapette parce qu'il ne voulait pas tirer au poignet avec lui. Brûlotte faisait pareil… Sauf que ce n'est pas Siméon qui les a tués puisqu'il est mort au chantier.

— C'était un chantier maudit, siffla Maud Graham.

— Il s'est tué parce que sa blonde l'a quitté. Ça arrive n'importe où. En ville, les gens se jettent en bas du pont, là, il a choisi la falaise. Aussi bête que ça. C'est bizarre parce qu'on croyait tous qu'il était fif.

— Vous ne voyez personne d'autre ?

— Picard et Guérin ne nous aimaient pas non plus, mais Picard est mort d'un cancer du foie. Et Guérin doit nous avoir oubliés, à l'heure qu'il est. C'est un médecin qui a une belle carrière, selon Cliche. J'avoue qu'il nous a impressionnés au moment de l'accident de Cliche. On a arrêté de l'écœurer.

— L'écœurer ? Pourquoi ?

— Il était différent. Il nous snobait, lui aussi.

— Et les autochtones ?

— Ils se tenaient ensemble. Comme les Anglos. On avait chacun notre gang. Puis Brûlotte, en sortant du chantier, a choisi les motards. Quelle bonne idée ! Je vous le dis, il n'y avait rien de surprenant à ce qu'il se fasse descendre. Pour Corriveau, je ne comprends pas trop. Saucier, lui, a dû ruiner une personne de trop. Ou faire un cocu de trop. Il lui fallait toutes les femmes. Souvent celles des autres.

— La vôtre ?

— Non, Tina n'était pas son genre, elle était d'origine cubaine, yeux noirs, cheveux noirs. Mais je pense qu'il a tourné autour de celle de Corriveau.

— Et la compagne de Brûlotte ?

— Non, il les prenait trop jeunes. Dix-sept, dix-huit ans.

— Qui ? Brûlotte ou Saucier ?

— Brûlotte. Saucier devait trouver trop facile de séduire des gamines. Il les choisissait dans la trentaine. Surprenant, un homme comme lui pouvait draguer toutes les filles, mais je ne l'ai jamais vu avec une jeune.

Je le comprends, ça ne m'intéresse pas non plus, trop de décalage, je ne sais pas de quoi je pourrais discuter avec une fille de vingt ans. Tandis qu'avec ma femme...

— J'ai appris qu'elle était décédée à New York, au moment des attentats.

— Oui. Tina était la seule vraie bonne chose qui me soit arrivée dans la vie... Je suppose que je devais payer pour mes péchés. Ça fait dix ans et il n'y a pas une journée où je ne pense pas à elle. Elle était partie chez sa mère parce qu'elle voulait que je réfléchisse à ma vie, à notre vie. Elle avait peur qu'il m'arrive quelque chose. J'imaginais qu'après mes ennuis avec la justice j'avais eu ma dose, mais non... Je n'ai plus la même existence, les mêmes désirs. Vous ne me croirez peut-être pas, mais je fais du bénévolat en songeant à Tina. On voulait des enfants...

— Je suis désolée, compatit Graham. Bernard Saucier mentionnait-il ses enfants lors de vos soupers ?

— Pas vraiment. Il parlait un peu de Thierry, il paraît que c'est un crack !

— Et de ses ex ?

— Non. Il était plus intéressé par ses prochaines conquêtes, affirma Rock Lemire. Vous avez l'embarras du choix pour Saucier. Ça peut justement être une femme qu'il aura laissé tomber. Il utilisait les gens puis les jetait comme de vieux kleenex.

— Vous avez raison, on a plusieurs avenues, acquiesça Graham avant de remercier Lemire de son témoignage. Il est possible que je vous rappelle.

— Je ne bouge pas d'ici, promit Lemire.

— Un dernier point : savez-vous ce qu'est devenu Normand Fraser ?

— Fraser... Ça ne me dit rien. C'était un gars du chantier ? Ça fait trente ans... Désolé. Si ça me revient, je vous rappelle. Je suis au repos pour deux semaines, j'ai le temps de réfléchir.

En coupant la communication, Maud Graham s'interrogea ; l'enquête serait-elle close en une quinzaine de jours ? Elle en doutait.

Elle reprit le téléphone pour joindre Provencher et l'informer de la mort violente de Corriveau.

— Tu peux te renseigner sur ce meurtre ?

— Compte sur moi. Trois amis morts brutalement, c'est trop pour être dû au hasard. Je vérifie tout ça. Qu'est-ce que tu as pensé de Lemire ?

— Il m'a dit qu'il expiait ses péchés et je l'ai cru. Sa femme est morte dans l'écrasement des tours du World Trade Center. Il paraît que c'est Bernard Saucier qui l'a initié aux pyramides financières. J'aurais dû réagir plus vite à propos de Corriveau. J'ai relu mes notes, j'ai écrit son nom en examinant le *scrapbook* de Cliche. Il a d'ailleurs été bizarrement silencieux sur ce type. Il a mentionné Lemire, Brûlotte, Picard, Guérin...

— Tu le rencontres quand, le médecin ?

— Demain. Mais avant, j'irai rendre de nouveau une petite visite à Cliche. De votre côté, les investigations à la banque ?

— Rien de particulier. C'est quasiment trop normal pour un type aussi entreprenant que Saucier.

— Je voudrais tellement entendre la lecture du testament, soupira Maud Graham.

— Ne rêve pas. Nous n'avons pas beaucoup de marge de manœuvre dans ces cas-là. Même avec un mandat de perquisition, on ne pourrait pas contraindre maître Désy à transgresser le secret professionnel.

— La seule chance, ce serait que les principaux intéressés nous informent eux-mêmes du contenu du testament. Ou qu'un juge ordonne la levée du secret professionnel...

— Ne compte pas là-dessus dans l'immédiat, la prévint Provencher. Il faudrait qu'on ait des éléments très probants concernant un des héritiers pour convaincre un juge de nous accorder un mandat. Nous n'en sommes pas encore là, même si autant d'argent peut motiver des proches à commettre un crime. Le fils Saucier est passé chez son père, oui, mais on n'a aucune preuve supplémentaire d'une implication quelconque. Pas d'armes…

— Il ne nous a pas dit spontanément qu'il lui avait rendu visite, rappela Graham. Et il a reconnu qu'il avait des rapports compliqués avec son père. Que Bernard Saucier ne l'a pas écouté quand il a voulu lui parler. Et il aurait pu tout perdre s'il était sorti du placard, comme il prétendait en avoir l'intention. C'est un bon suspect, avec de bons motifs. En même temps, les trois morts du chantier me dérangent, ce n'est pas normal.

— Les quatre, la corrigea Provencher, n'oublie pas Siméon.

— La violence semble les avoir unis. Je flaire des trucs pas nets. Comme si un secret liait ces victimes…

— Peut-être. La mort de Brûlotte était toutefois envisageable.

— Mais celle de Corriveau ? Et celle de Siméon ? Cliche et Lemire affirment qu'il s'est suicidé en se jetant en bas de la falaise, mais si quelqu'un l'avait poussé ? Imagine ça un instant : il y a eu un témoin du meurtre de Siméon et il tue ceux qui en sont responsables.

— Ils auraient poussé Siméon ensemble dans le précipice ? C'est tiré par les cheveux, ton idée.

— Je l'admets, fit Graham. Mais trois morts violentes ajoutées à ce suicide qui est peut-être un meurtre, ça fait trop de gens qui ont vécu dans le même milieu qui meurent tragiquement. Je vais me procurer le rapport de l'accident, il doit y avoir des dossiers pour les assurances.

— Rappelle-toi cependant à combien est évaluée la fortune de Saucier et tu conviendras qu'on doit se concentrer sur la bonne vieille base de toute enquête : à qui profite le crime ?

— Tu as raison, reconnut Graham. Mais la balistique a tout de même confirmé que la balle qui a tué Brûlotte était de 9 mm.

— Tu sais aussi bien que moi que c'est un calibre courant. Brûlotte frayait dans un milieu où les armes à feu ne sont pas rares. Je te reviens dès que j'ai des infos sur la mort de Paul Corriveau. Et n'oublions pas le couple Tellier-Sansregret... Ils s'obstinent dans leur version de l'histoire, mais ça pue le mensonge...

***

Le balcon était encore chaud du soleil de l'après-midi quand Jean-François Cliche y but sa bière quotidienne. Il avait déposé son téléphone à côté du bol de bretzels et repensait à Francis Guérin avec embarras ; comment avait-il déjà pu se moquer de cet homme-là ? Même s'il était débordé au travail, il l'avait appelé pour lui demander comment étaient les funérailles de Saucier. Il l'avait écouté, questionné sur les gens qu'il avait croisés comme si ça l'intéressait vraiment.

— Je n'en reviens pas que tu m'aies téléphoné, avait avoué Cliche. Tu n'aimais pas Saucier...

— C'était un de tes amis. J'ai pensé que tu aurais besoin d'en parler... On était tous au chantier ensemble. Dans la même galère !

— Je crois que j'ai reconnu le fils de Corriveau. Vincent. Il parlait avec Jules.

— Ils sont amis ?

— Je ne sais pas. Jules habite à Rimouski, maintenant.

— Et le fils de Corriveau ?

Cliche avait hésité, Bernard ne lui parlait pas beaucoup de ses filleuls, mais il croyait qu'il demeurait à Québec. Un autre filleul vivait à New York.

— Est-ce qu'il y avait beaucoup de monde ? avait demandé Guérin.

— L'église était pleine. Imagine-toi donc que c'est la police qui m'a ramené chez nous.

— La police ?

— Oui, la détective qui enquête sur le meurtre, celle qui est déjà venue me voir. Elle est passée chez moi juste avant les funérailles. Elle cherche à en savoir le maximum sur Saucier au cas où ça la mettrait sur une piste. Elle a un drôle de nom, un nom de biscuit, Graham. C'est une belle rousse.

Il y avait eu un silence et Cliche s'était dit que Guérin avait dû répondre à une infirmière, il entendait de plus en plus de bruit derrière lui. Guérin lui avait promis de le rappeler plus tard. « Prends soin de toi. » Il terminait toujours leurs entretiens avec cette phrase de docteur. Ça devait être un excellent médecin.

***

La terrasse du Tango était animée ; la température avait chuté de quelques degrés et cette fraîcheur bienvenue avait réveillé l'énergie des Québécois. Un groupe de filles surexcitées occupait toute la partie est de la terrasse et des joueurs d'une équipe de soccer avaient envahi l'autre côté, mais Vincent Corriveau réussit à dénicher une place entre les fêtards. Il savait qu'il ne pourrait dormir avant des heures. Il était trop anxieux pour trouver le sommeil. Demain, il devrait être riche. Il avait été convoqué chez le notaire comme tous les autres filleuls de Bernard Saucier, mais il aurait mérité de toucher plus d'argent qu'eux ; n'avait-il pas été haï par son père à cause de son parrain ? Il n'avait jamais pu regagner sa confiance après l'avoir trahi. Suzie avait beau lui répéter qu'il n'était responsable de rien, que Paul était violent et que c'était mieux ainsi, il n'oublierait jamais le regard de son père lorsqu'ils s'étaient revus après que ses parents se sont séparés. Il n'aurait jamais dû mêler Bernard Saucier à leurs problèmes, même si son père avait envoyé plusieurs fois Suzie à l'hôpital avant de s'en prendre à lui. Quel âge avait-il quand son père l'avait rossé pour la première fois ? Neuf ans, dix ans ? Suzie lui avait crié de rester dans sa chambre au moment où son père était rentré pour souper. Elle-même se tenait dans le salon, évitant la cuisine où il y avait trop d'objets dangereux. Elle mesurait sa rage au retard qui se creusait entre son heure d'arrivée habituelle et le moment où il pousserait la porte d'entrée, ivre de trop de bières bues au bar après la paye. Deux fois par mois. Vincent avait entendu sa tante Lyne implorer sa mère de quitter Paul, mais celle-ci avait rétorqué que Paul s'en voulait toujours après s'être emporté contre elle. Qu'il s'excusait, qu'il pleurait. Et qu'elle avait trois enfants, pas de travail.

— Il va t'achever ! avait dit Lyne.

— Il a eu trop de déceptions.

— Ce n'est pas de ta faute ! Quitte Paul avant qu'il te tue ! Il est de plus en plus fou.

Et Vincent avait tenté d'empêcher son père de battre sa mère quand il était rentré du bar. Paul avait ricané lorsqu'il s'était jeté sur lui, l'avait repoussé si fort que sa tête avait heurté le mur du salon et il avait continué à bourrer Suzie de coups en criant qu'elle n'avait pas le droit de provoquer les hommes comme elle le faisait quand ils sortaient ensemble. Suzie jurait qu'elle était fidèle, mais Paul hurlait qu'elle rêvait d'un mari comme Bernard Saucier et qu'il aurait été aussi riche que lui si Saucier avait été honnête avec lui. Mais il l'avait trompé ; il ne lui avait pas confié la direction de l'hôtel comme il le lui avait promis. Il vivait dans un château, alors qu'eux se contentaient d'une maison en banlieue. Il voyait bien comment elle le regardait, avec des yeux méprisants. Elle se pensait supérieure à lui, mais elle verrait bien qui était le maître ici ! Elle criait non, non, non à toutes ces accusations. Et cessait de crier quand elle tombait à moitié évanouie.

Vincent ignorait vers qui chercher du secours sans que la police soit avertie. Il ne voulait pas que son père soit arrêté. Que deviendraient-ils tous ? Il avait déjà assez honte de ce qui se passait chez lui. Quand un professeur ou un voisin l'interrogeait sur ses hématomes, ses coupures au front, aux mains, il avait toujours l'excuse de jouer au football et au hockey.

Il n'avait cependant pas pu mentir à Jules Saucier lorsque celui-ci lui avait demandé si son père le battait. Et s'il le détestait autant que lui haïssait le sien. Il ne s'était pas attendu à une question aussi directe et avait été trop surpris pour inventer une réponse. Il voyait les enfants de Bernard une fois par année, lorsqu'il allait chercher son cadeau d'anniversaire. Dans cette si belle et si grande maison. Jules ne s'était jamais adressé à lui pour poser une question aussi personnelle. Son hésitation l'avait trahi et il avait admis qu'il avait peur de son père.

Encore aujourd'hui, il se sentait coupable d'avoir ressenti du soulagement en se confiant à Jules. Jules qui avait tout raconté à Bernard Saucier. Dès le lendemain, Suzie recevait la visite de deux hommes qui les avaient emmenés, lui et ses sœurs, dans un hôtel où il y avait une piscine. Loin, très loin de la maison.

Les autorités policières n'avaient pas été mêlées au drame, mais Vincent n'avait revu son père qu'un an plus tard. Paul n'avait pas cherché à obtenir la garde partagée. Suzie avait fini par accepter que Vincent se rende chez lui, de l'autre côté de la frontière. Il avait visité l'aéroport où travaillait Paul Corriveau. Il s'était un peu ennuyé, avait eu l'impression que son père était un étranger, et peut-être qu'il l'était après tout, peut-être que c'était vrai qu'ils n'avaient aucun lien de sang. Il n'avait pas oublié ce que Paul avait hurlé à son sujet, qu'il était un bâtard, que Suzie l'avait trahi. Elle avait tout nié, mais Vincent s'était senti obligé de retourner chez Paul tous les trois ou quatre mois pour lui prouver qu'il était un bon fils, qu'il n'avait pas voulu ce qui était arrivé. Il avait même emmené ses sœurs avec lui deux ou trois fois, mais les filles étaient mal à l'aise dans son petit appartement de Massena. Et ne s'entendaient pas avec sa nouvelle compagne. Son père non plus, apparemment, puisqu'il s'était aussi séparé de Margaret une semaine avant d'être assassiné. Il était seul quand Vincent avait découvert son corps, le 18 juillet 2001. D'après les enquêteurs, il était mort quelques heures plus tôt. Vincent se souvenait seulement qu'il avait frappé, sonné à la porte sans obtenir de réponse, avait ouvert avec sa clé et trouvé son père sur le sol. Avec un trou dans la poitrine. Il l'avait touché pour s'assurer qu'il était mort alors qu'il n'y avait aucun doute. Pourquoi l'avait-il touché ? Et combien de temps était-il resté à côté de lui avant de sortir en hurlant dans la cour de l'immeuble ? Il avait regardé longtemps le sang sur sa chemise bleue. Il avait ensuite remarqué la bouteille de bière renversée plus loin. Il se rappelait les phares de l'ambulance et des voitures des policiers qui jetaient des éclairs sur les murs de l'immeuble. Il se souvenait d'avoir eu froid, même si c'était l'été, d'avoir appelé sa mère qui était venue le chercher, d'avoir attendu que les enquêteurs les autorisent à rentrer au Québec. Ils lui avaient demandé pourquoi il n'avait pas tout de suite appelé les secours en découvrant son père. Il avait été incapable de répondre qu'il voulait seulement lui parler encore un peu.

Vincent n'avait jamais pu poser à son père toutes les questions qui le hantaient. Il attendait bêtement d'être majeur pour le faire. Il avait dix-sept ans, cet été-là. Si son père était mort, c'était la faute de Bernard Saucier. Il ne se serait pas installé aux États-Unis s'il lui avait donné le poste de directeur d'un de ses hôtels. Il n'aurait pas perdu patience avec sa mère, avec lui, s'il avait été satisfait de sa vie. Ils auraient eu une existence normale si Bernard avait tenu les promesses faites à son père. S'il l'avait associé à sa réussite comme il l'avait juré quand ils étaient au chantier. Quand sa mère l'avait épousé, il n'était pas violent avec elle. Il lui arrivait de se battre quand il buvait trop. Mais c'était à l'extérieur de la maison. Avec Suzie, c'était venu plus tard, au fil des déceptions. Vincent se souvenait des paroles de Paul, cuvant sa bière, répétant qu'il devait être le partenaire de Bernard, mais que Bernard en avait choisi un autre pour diriger son premier hôtel. Puis son deuxième. Puis son troisième. Maudit visage à deux faces. Maudit visage que Vincent détaillait chaque fois qu'ils se rencontraient pour la remise rituelle de son cadeau d'anniversaire ; Bernard lui souriait comme si tout allait pour le mieux dans le meilleur des mondes. Comme s'il n'était pas responsable de la déchéance de Paul Corriveau.

Il souriait comme s'il s'imaginait qu'il lui était reconnaissant d'avoir aidé sa famille. Il croyait peut-être qu'il l'aimait, mais personne n'aimait Bernard Saucier. Ses femmes finissaient par le quitter et ses enfants… Les plus jeunes ne le détestaient pas encore, mais Vincent savait à quoi s'en tenir à propos de Jules et Livia. Il était mieux placé que quiconque pour ça. Les problèmes entre Bernard et Jules n'étaient pas dus uniquement au fait que ce dernier soit homosexuel. Bernard le regardait toujours comme s'il doutait qu'il soit son fils. Un fils qui n'aimait ni les affaires, ni la vitesse, ni le jeu, ni les femmes, ni la musique. Qui préférait des lacs tranquilles à la joie des plages, la lecture à un concert rock. Ils n'avaient rien à partager.

— Tu as plus de points en commun avec lui, avait dit un jour Jules à Vincent.

Peut-être, mais Vincent s'était réjoui de ne pas être le fils de Bernard, car Livia serait sa sœur. Elle ne pourrait pas alors être sa blonde.

Personne ne se doutait de leur relation ; il n'y avait que Jules à être au courant et à s'en réjouir. Bernard aurait été tellement furieux s'il avait su qu'il couchait avec Livia, lui, un simple entraîneur. Livia l'aimait, Vincent en était certain. Elle était folle de ses caresses et l'idée d'agir contre la volonté de son père ajoutait à son plaisir. Même s'il ignorait tout de leur liaison. Elle jurait qu'elle révélerait leur passion bientôt. Il était plus que temps qu'elle tienne ses promesses, comme lui tenait les siennes. Elle n'était quand même pas la plus belle ni la plus amusante des femmes qu'il avait séduites, mais il pouvait accepter des compromis pour faire réellement partie de la famille Saucier. Cesser d'en être le spectateur. Tout le monde y trouverait son compte. Ils devraient attendre au moins six mois pour se marier, mais bon, il pouvait bien patienter encore un peu…

Un bruit de verre cassé ramena Vincent Corriveau à la réalité ; il se tourna, vit une fille blonde regarder les tessons par terre. Elle échangea un petit sourire de connivence avec lui ; ce genre de choses arrivait quand on fêtait, non ?

— Est-ce que je peux t'offrir de le remplacer ?

— Pourquoi pas ? Rapproche-toi.

C'était peut-être ce qu'il devait faire ce soir-là : passer la nuit avec une inconnue. Cette blonde réussirait à lui faire oublier Bernard, Jules et même Livia pour quelques heures. Comment sa fiancée pourrait-elle apprendre son incartade ? Il regarda néanmoins autour de lui avant de héler la serveuse. Il se contenterait de trinquer avec la blonde. Qui sait si Jules ne se pointerait pas au bar ? Il n'y était pas en ce moment, mais va savoir avec un Saucier. Il était plus méfiant que Paul Corriveau qui avait cru aux serments d'amitié de Bernard.

En commandant un scotch et une margarita pour sa voisine de table, il songea que, le lendemain, ce serait du champagne qu'il commanderait pour fêter l'héritage, même si sa mère ne croyait pas qu'il toucherait beaucoup d'argent.

— Bernard a ses propres enfants, avait dit Suzie. Il en a déjà fait beaucoup pour nous. Et de toute manière, ça prend du temps à se régler, ce genre d'affaire-là. Le notaire vous expliquera tout ça. Je veux seulement que tu ne sois pas trop déçu. Tu as tendance à rêver…

Vincent était pourtant certain que sa vie changerait bientôt. Avec de l'argent, on peut aller au bout du monde. Il irait en Indonésie ou en Australie, il oublierait la dernière image de son père ensanglanté dans un immeuble gris sur lequel se détachaient nettement les couleurs vives du drapeau américain. Avec l'argent, il nagerait dans des mers turquoise qui le laveraient de cette image, du sang sur la chemise de son père. Il fallait qu'il échappe à cette image !

Chapitre 8

Québec, 25 juillet 2011

Pierre-Ange Provencher se gara devant la demeure de Maud Graham en se disant qu'il y venait de plus en plus souvent. Il n'avait pas imaginé qu'il entretiendrait ces liens chaleureux avec elle. Il l'avait connue durant une enquête, trois ans plus tôt, et l'estime de Provencher s'était, à son grand étonnement, muée rapidement en amitié. Rouaix avait pourtant toujours affirmé qu'il fallait apprivoiser Graham, mais celle-ci avait été très compatissante quand Lucie était décédée ; peut-être qu'elle était moins sur ses gardes parce qu'il était lui-même fragilisé ?

Rouaix était sur place. Ils avaient convenu de souper ensemble. Graham avait fait mariner de l'agneau pour des brochettes, préparé une salade d'épinards aux pacanes, coupé un cantaloup et disposé des tranches de serrano dans un grand plat pour grignoter pendant que la viande cuirait sur le barbecue.

Maxime esquissa un geste de la main pour saluer Provencher quand il passa près de lui et de Michaël. Les deux garçons s'amusaient à lancer le ballon dans le filet de l'entrée du garage. Ils semblaient bien profiter de l'été. Peut-être que les événements du printemps, la fugue de Michaël, l'agression de son demi-frère sur Maxime n'avaient pas laissé ces séquelles que Graham redoutait.

La porte d'entrée de la cuisine était ouverte et Provencher se vit offrir un verre dès qu'il franchit le seuil.

— Une bière ? Du vin ? fit Rouaix. Je viens d'ouvrir un petit vin de Cassis délicieux.

— Pourquoi pas ?

— Installe-toi dans la cour, on te rejoint, dit Graham en lui tendant un plateau chargé d'assiettes et de couverts.

Des napperons et des serviettes étaient déjà sur la table du jardin. Provencher dressa la table et sourit en s'assoyant dans le fauteuil Adirondack peint en bleu, songeant qu'il choisissait toujours le même siège lorsqu'il se retrouvait dans cette cour. L'être humain est un être d'habitudes. Il ne faisait pas exception à la règle.

Rouaix s'approcha de lui, portant un seau à glace où reposait le vin blanc. Il servit un verre, le tendit à Provencher qui le dégusta en fermant les yeux.

— C'était mérité ? s'enquit Graham.

— Oui, j'ai fini par joindre l'enquêteur qui a travaillé sur le cas de Paul Corriveau. Il est à sa retraite aujourd'hui, mais je l'ai retracé. Il n'était pas trop coopératif. J'ai appris que Corriveau a été tué durant l'été 2001 dans son appartement, à Massena. Il venait de se séparer de sa compagne. Il a reçu une balle en plein cœur alors qu'il était chez lui en train de picoler. Selon l'autopsie, il était plutôt imbibé. *It wasn't a bad thing*, m'a dit le shérif Winter en parlant de sa mort. Il paraît que les autorités s'étaient rendues deux fois chez Corriveau pour des scènes de ménage parce que les voisins se plaignaient. La femme qui vivait avec lui à cette époque n'avait pas porté plainte, mais elle semblait soulagée d'apprendre sa mort. Il y a eu une enquête ;

elle était partie en camping avec sa sœur au moment du meurtre. Assez loin de Massena. Parce qu'elle avait peur de Corriveau qui n'acceptait pas leur séparation.

— Nous avons affaire à un personnage sympathique, dit Graham. Il avait agi de la même manière avec son épouse, d'après Lemire. Qui a tué Corriveau ?

— C'est un *cold case.* L'équipe du shérif n'a jamais mis la main sur le coupable. Et franchement, j'ai eu l'impression que je le dérangeais. Il répondait à moitié à mes questions. J'ai l'habitude d'avoir des interlocuteurs plus ouverts. C'était comme si je lui reprochais de ne pas avoir trouvé le coupable. Tout ce que je voulais, c'étaient des renseignements.

— Personne n'a rien vu ? s'étonna Rouaix. Il y a quand même du monde dans un immeuble. Et, en plein été, les fenêtres sont souvent ouvertes, on entend ce qui se passe chez les voisins.

— Non, il n'y avait pas grand monde au moment du meurtre. Ou le tueur avait une arme avec un silencieux. Il n'y avait rien à voler chez Corriveau d'après Winter. Beaucoup de bières dans le frigo, une télé, des meubles d'occasion. Mais comme il avait déjà attiré l'attention des policiers en maltraitant sa compagne, ils ont posé des questions. À son travail, on a rapporté que Corriveau cherchait toujours à se battre. Les enquêteurs ont conclu qu'il avait provoqué une personne de trop.

— Il était vraiment descendu très bas. Beau trio, avec Brûlotte qui dealait et Lemire qui arnaquait des gens.

— Oui, mais c'est Saucier qui complète le quatuor et on ne peut pas affirmer que c'était un raté, fit remarquer Provencher, et de toute…

— Quelle date ? Quelle date a-t-il été tué ?

Provencher relut les notes qu'il avait prises : 18 juillet 2001.

— Brûlotte aussi est mort en juillet, s'exclama Graham. Il faut vérifier la date ! Saucier a été assassiné le 18 !

Ils se regardèrent, excités par leur découverte, car aucun d'entre eux ne croyait à une série de coïncidences.

Rouaix remplit les verres et ils trinquèrent, puis éclatèrent de rire en prenant tous la parole en même temps, galvanisés par ce premier indice significatif. Graham retourna à l'intérieur pour récupérer ses notes sur Brûlotte même si elle était certaine qu'il était bien mort un 18 juillet.

Que s'était-il passé ce jour-là qui unissait ces trois hommes ?

— Et la plume ? dit-elle en revenant avec son calepin après avoir sorti les brochettes d'agneau du réfrigérateur.

— Winter ne se souvient pas de ce détail. Mais il faut que je parle aux hommes qui travaillaient avec lui en 2001. Peut-être que leur mémoire sera plus vive. Ou qu'on la distinguera sur les photos qu'il doit m'envoyer.

— Quand ? s'impatienta Graham. Avec Internet, ça prend deux minutes !

— Ce dossier-là n'était pas sur support informatique, paraît-il, fit Provencher avant de marquer une pause et de sourire.

Graham lui trouva une ressemblance avec son père, quand il s'apprêtait à lui faire une surprise lorsqu'elle était enfant. Il avait cette lueur taquine dans l'œil.

— Qu'est-ce que tu nous caches ? dit-elle, souriant à son tour.

— Le calibre était un 9 mm.

— Comme pour Brûlotte et Saucier !

— Oui. Attendons toutefois avant de crier victoire. Il faut que la balistique compare les trois balles pour conclure que ces hommes ont été tués avec la même arme. Winter est censé nous envoyer la balle. J'espère que ce ne sera pas trop long...

— Concentrons-nous sur la date, proposa Rouaix avant de se lever pour tourner les brochettes.

— J'espère que ce sera bon, dit Maud. J'ai suivi la recette de la marinade de Grégoire.

— Dans ce cas-là, on n'a pas à s'inquiéter ! la taquina Rouaix. Et tu t'es tout de même améliorée un peu.

Plus tard, alors que Maxime et Michaël finissaient de débarrasser les assiettes vides avant d'aller au cinéma, Graham avança une hypothèse : et si les meurtres étaient reliés à la présence des autochtones au chantier ?

— Continue...

Elle feuilleta son calepin, dessina la carte du Québec, indiqua Loretteville, Trois-Rivières et le bord de la frontière.

— On a une communauté de Hurons établie à Wendake. On a des Abénakis entre Trois-Rivières et Drummondville, et Massena n'est pas si loin de Kahnawake. Cliche m'a raconté que Saucier avait un comportement méprisant avec les autochtones au chantier. Si en plus on découvre qu'il y avait une plume sur Corriveau quand il a été tué...

— On ne le sait pas encore, dit Rouaix, mais tu crois qu'un d'entre eux a voulu laver une offense ? À quoi ça rime, une vengeance sur trente ans ? Et il n'y avait pas de plume sur Brûlotte. Si tu imagines un genre de signature...

Provencher interrompit Rouaix.

— C'est tiré par les cheveux, mais nous avons pourtant là une autre coïncidence... Il faut que notre meurtrier ait une vraie bonne raison. Cliche t'a-t-il parlé des autochtones de façon plus précise ?

Graham reprit son calepin, lut les premières feuilles, se rappelant le nom de Florent Picard.

— Il était peut-être en rivalité avec Brûlotte. Mais il est mort lui aussi. Un cancer. Il faut qu'on ait la liste de tous les hommes qui étaient au chantier en même temps que les trois victimes. Trouver les autres autochtones…

Elle but une gorgée de vin avant de raconter qu'elle était allée à Odanak au début de l'été avec Alain et Maxime, que le petit musée valait le déplacement.

— Il y a un joli film qui nous raconte très poétiquement la création du monde vue par les Abénakis. Et l'accueil est particulièrement chaleureux. On avait un jeune guide qui a pris le temps de nous expliquer les méthodes traditionnelles de chasse et de pêche. Tu devrais essayer d'attraper un saumon avec leur technique. Peut-être que ce serait plus efficace ?

Elle s'adressait à Provencher qui protesta ; elle n'avait pas le droit de se moquer de la dernière expédition d'où il était rentré bredouille.

— Odanak est tout près d'une halte migratoire pour les oies blanches, fit Graham plus sérieusement. Aurions-nous là une autre coïncidence ?

***

Québec, 26 juillet 2011

Francis Guérin se servit un verre de Fiumeseccu et dégusta la première gorgée en songeant qu'il devrait s'envoler pour la Corse et boire le rosé sur place. Partir des mois sur cette île. Changer de vie. Oublier. Il avait tout raté.

Les images diffusées à la télévision des funérailles de Bernard Saucier l'avaient écœuré. Comment pouvait-on accorder une telle importance à cet homme ?

Une balle. C'était trop simple. Il aurait fallu qu'il souffre. Il aurait dû être brûlé, cuit à la broche comme Nishk. Une balle, c'était trop rapide. En une fraction de seconde, tout était fini. C'était incroyable qu'il soit mort après toutes ces années à imaginer son trépas ! Il avait encore rêvé de Saucier la nuit dernière ; il était assis sur le bord de son lit et se moquait de lui, de son échec à le faire souffrir. À son réveil, Francis avait eu l'impression qu'il était toujours vivant, mais les photos dans les médias lui avaient rappelé que l'Empereur n'était plus. Le sentiment d'irréalité qui l'habitait en lisant la presse s'estomperait-il ? Et ses cauchemars ? Aurait-il bientôt une nuit vraiment calme ? Il avait besoin de repos pour être fiable à l'urgence ; il n'avait plus trente ans ni l'énergie pour rester debout des vingt-quatre heures d'affilée sans perdre son jugement. Avait-il eu une bonne nuit depuis sa première année d'école ? Enfant, il se couchait en redoutant les sévices qu'il subirait à la sortie des classes et, adolescent, il était persuadé que sa vie était ratée. Il pensait constamment à la mort, mais il avait juré à sa mère, après sa tentative de suicide, de ne pas recommencer. Il avait choisi la médecine en mémoire de son père chirurgien et parce qu'il espérait se sentir enfin utile. Mais la mort de Gabriel avait éventré son âme, créant un vide impossible à combler. Il ne serait jamais en paix, à moins de venger son ami. Et tous ceux qui comme lui avaient été traités comme des parias, des sous-merdes.

Il hésitait cependant aujourd'hui à propos du sort de Lemire. Il était toujours sur sa liste, mais la mort de sa femme n'était-elle pas une bien meilleure punition ? Devait-il l'exécuter ou non ? Il avait hâte que tout soit fini, il en avait marre de rêver à ses victimes. Il avait beau se répéter qu'elles n'avaient eu que ce qu'elles méritaient et qu'il avait sauvé tellement de vies par ailleurs, le sentiment de culpabilité le rongeait comme un chancre. Ses maux d'estomac lui rappelaient constamment ses actes et les traiter en buvant n'était pas la solution, mais comment endormir ses angoisses ? Il attendait depuis vingt ans que des policiers sonnent à sa porte.

Guérin vida d'un trait son verre de vin, s'en resservit un autre en songeant que l'apaisement qu'il ressentait en buvant de l'alcool était certes illusoire mais efficace durant quelques heures. Il devrait partir au loin. Oui. Très loin. Tout laisser derrière lui. Recommencer sa vie. Il contemplait les Appalaches bleutées au loin quand la sonnerie de l'interphone de son immeuble le fit sursauter.

Il se dirigea vers l'entrée, appuya sur le bouton de l'interphone, demanda qui était là.

— Maud Graham, monsieur Guérin. Je suis avec le sergent Joubert. Nous avons quelques questions à vous poser.

Il y eut un silence et Graham insista, affirmant qu'elle avait laissé un message pour lui à l'hôpital. Un déclic indiqua le déverrouillage de la porte, Guérin donna l'étage et le numéro de son appartement.

Voilà, dans quelques secondes, ils seraient là. Les policiers.

Devait-il informer Maud Graham qu'il connaissait Alain Gagnon ? S'il se taisait et qu'elle le découvrait, elle s'en étonnerait. Mais elle s'étonnerait aussi qu'il sache qu'elle vivait avec Gagnon. Le mieux est l'ennemi du bien. Il en dirait le moins possible.

Il jeta un coup d'œil à l'appartement comme si un élément pouvait le trahir, alors qu'il savait que c'était impossible : aucun browning ne traînait dans le salon ! Il se félicita de ne pas avoir bu le second verre de vin ; il avait encore les idées nettes. Il finirait la bouteille après leur départ. Il n'était pas surpris de leur visite même s'il n'avait pas eu de message. Cliche lui avait raconté avoir vu des détectives aux funérailles de Saucier. Il paraissait surexcité quand il l'avait appelé, chaque événement qui sortait de l'ordinaire le rendant fébrile et encore plus volubile ; son quotidien était si prévisible, si ennuyeux. Il se réjouissait de chaque distraction et la visite d'un enquêteur lui fournissait de quoi jaser avec ses voisins des Jardins Mérici pour un bon moment.

Il ouvrit à Maud Graham et Michel Joubert et leur tendit une main ferme. C'était l'avantage d'être urgentologue, il avait l'habitude de faire preuve de sang-froid, de gérer le stress.

— Je viens de rentrer de Toronto.

— Je sais, fit Maud Graham. Vous devez avoir besoin de vous reposer. On ne vous dérangera pas longtemps.

Francis Guérin les entraîna sur la terrasse.

— Vous habitez ici depuis longtemps ? demanda Graham.

— Deux ans. Saint-Roch a beaucoup changé. J'adore ce quartier. Je rentre toujours de l'hôpital à pied. Ça permet de décompresser.

— C'est joli, maintenant, les abords de la Saint-Charles. Que pensiez-vous de Saucier ?

— J'avoue que je ne comprends pas trop pourquoi vous m'interrogez à son sujet, mais c'est simple, ça tient en un mot : une ordure.

— C'est clair, dit Maud Graham.

— Quand j'étais étudiant, il se comportait avec nous comme s'il était notre seigneur. Il n'était pas le contremaître, encore moins le patron, mais il se donnait de grands airs. Je déteste les prétentieux.

— Selon Jean-François Cliche, il aurait été content de ses funérailles.

— Moi, ça me dégoûte. Combien de personnes vont être expropriées à cause de son satané complexe hôtelier ? Franchement, si je devais abandonner une maison au bord de l'eau à cause de Saucier, j'aurais eu envie de le tuer.

— C'est votre hypothèse à propos du meurtre ?

— Comme tout le monde, je me demande qui l'a assassiné, fit Guérin sur le ton de l'évidence. Le désespoir peut être un bon motif. Le sentiment d'injustice qui se transforme en rage. À l'urgence, on reçoit des victimes de ce genre de colère tissée de frustrations accumulées. Légitimes ou non, elles sont bien réelles.

— Il y a aussi l'hypothèse du crime passionnel, avança Graham.

— Je ne connaissais pas assez Saucier pour commenter cette théorie. Il paraît qu'il plaisait aux femmes. Je ne sais pas ce qu'elles appréciaient chez lui.

— Moi non plus, avoua Graham. Pourquoi avez-vous choisi d'être urgentologue ?

Guérin dévisagea la détective ; posait-elle toujours des questions sans rapport avec son enquête ? Et le type, à ses côtés ? Allait-il l'interroger aussi ? Il n'avait pas ouvert la bouche depuis qu'il s'était assis sur la chaise en osier, mais il lui avait souri. Que signifiait ce sourire ?

— Je voulais déjà être médecin, mais lorsque Cliche a été blessé, j'ai compris que j'avais les bons réflexes pour réagir dans l'urgence. J'ai aimé sentir la poussée d'adrénaline.

— Cliche n'a que des éloges à votre sujet. Vous lui avez sauvé la vie.

— Il exagère.

— C'est terrible, ces deux vies brisées.

Comme Guérin fronçait les sourcils, elle poursuivit : Cliche qui ne marcherait plus jamais et Siméon qui s'était suicidé.

— L'ambiance devait être étrange au chantier après ces tragédies.

Guérin fixa son verre de vin avant d'admettre qu'il avait eu hâte que son contrat se termine.

— Ça me surprend que Cliche s'accroche autant au passé, dit Graham, surtout après ce qui lui est arrivé là-bas. Il est demeuré en contact avec vous tous. Vous, avez-vous revu des gars du chantier ?

— Non. À part Cliche. Parce qu'il me relance.

— Un peu par pitié…

— Je l'avoue, mentit Guérin. Je n'ose pas le rembarrer quand il m'appelle. Je l'écoute radoter sur le chantier.

— Des tas de personnes qui sont en fauteuil roulant mènent une vie intéressante. Qu'est-ce qui l'empêche d'avoir un emploi ? De sortir ? Il semble très mobile, très souple quand il se déplace…

— Le médecin vous répondra qu'il est en forme, effectivement. Si j'étais psy, je vous dirais qu'il a cristallisé son univers autour du chantier. Sa vie s'est arrêtée là.

Guérin se tut, ressemblait-il en cela à Cliche ?

— En avez-vous discuté avec lui ?

— Je lui ai suggéré de rencontrer un psychologue, mais il ne veut pas.

— Diriez-vous qu'il se complaît dans son malheur ?

À quoi rimaient ces questions sur Cliche ? Pourquoi ne l'interrogeait-on pas sur Saucier ?

— J'ignore comment je serais à sa place. Ce n'est pas à moi de juger. À l'urgence, je m'occupe davantage de membres brisés, d'hémorragies, de crises cardiaques…

— Et de blessures par balle.

— C'est heureusement assez rare à Québec.

— C'est probablement pour cette raison que la mort de Saucier a passionné les médias.

— Et parce que c'était une vedette, commenta Joubert, surprenant Guérin en lui adressant enfin la parole. Vous le détestiez, mais il y a des gens qui l'appréciaient. Combien d'emplois a-t-il créés ? Il a même deux hôtels aux

États-Unis. C'est un exemple d'une réussite québécoise à l'étranger.

— Ça ne me fera pas changer d'avis. Tant mieux pour ceux qui ont eu du boulot. Moi, heureusement, je ne lui devais rien.

— Parlez-nous de Brûlotte, reprit Graham.

— De Brûlotte ? C'était le pusher du chantier. Doué pour les langues. Il pouvait jaser avec tout le monde. Je lui envie ce don.

— Et Corriveau ?

— Corriveau était un suiveux. Comme Cliche. Comme Lemire. Je haïssais Saucier, mais je dois admettre qu'il avait du magnétisme. C'était un leader. Ils l'imitaient tous inconsciemment.

— Ça ne leur a pas porté chance, dit Joubert. Il ne reste que Lemire à être en santé dans cette petite gang-là.

Il fit une pause. Graham observa la réaction de Guérin alors que Joubert précisait que Brûlotte et Corriveau étaient morts. Elle eut l'impression que le médecin plissait les yeux, mais il garda le silence.

— Vous avez bien fait d'éviter de fréquenter Saucier et sa gang…

— Pas de danger. Ils n'auraient jamais voulu de moi. Ils méprisaient les gays.

— Ils savaient que vous l'êtes ? Je croyais que c'était Gabriel Siméon qu'ils traitaient de tapette.

— De *faggot* et de squaw, précisa Guérin. Tant qu'à faire… Mais puisque je ne faisais partie d'aucune bande, ils m'ont associé à Gabriel qui était un solitaire. Tous ceux qui n'étaient pas comme eux les dérangeaient.

— Cliche m'a raconté qu'il était tombé en bas d'une falaise. Pensez-vous qu'il s'est suicidé ou que c'était un accident ?

— Un accident ? répéta Guérin en regardant au loin.

— Ou quelque chose qui ressemblerait à un accident? Si quelqu'un l'avait poussé, par exemple?

Francis Guérin dévisagea Maud Graham; elle parlait vraiment d'un meurtre?

Elle soupira avant d'avouer que, avec autant de morts ayant travaillé au chantier, elle ne pouvait s'empêcher d'envisager toutes les hypothèses.

— Si Siméon avait été tué et que quelqu'un avait été témoin de tout?

— Dans ce cas, il aurait pu faire chanter l'assassin. Je ne vois pas le lien avec Brûlotte et compagnie.

— Je ne sais pas. Je n'étais pas là-bas. Mais vous, oui. Vous penchez plutôt pour un suicide?

Francis Guérin hocha la tête sans quitter Maud Graham des yeux. Oui. Gabriel Siméon s'était tué.

— Il paraît que c'est parce que sa blonde l'avait quitté. Selon Cliche.

— Vous êtes bien renseignée. J'en ai vu, à l'hôpital, qui ont vécu le même désespoir.

— J'avais l'impression que c'étaient plutôt les femmes qui se suicident pour une déception amoureuse, que les hommes ont davantage tendance à tuer leur conjointe. Par colère, par vengeance.

— Je ne connais pas les statistiques, mais j'ai soigné cette année un jeune homme qui s'est fait seppuku parce que sa copine l'avait largué avant le bal des finissants.

— Vous l'avez sauvé?

Pour la première fois depuis le début de leur entretien, Guérin esquissa un sourire et Joubert lui trouva un certain charme.

— Il va mieux maintenant.

Un silence se prolongea que finit par rompre Joubert en vérifiant l'alibi de Guérin.

— C'est une question de routine.

Francis Guérin eut un geste vague ; il était resté une partie de la nuit à l'urgence, avait fait un somme là-bas pour finir par rentrer chez lui se coucher. Seul. Personne ne pouvait certifier qu'il dormait au moment du meurtre.

— C'est embêtant, ces crimes qui ont lieu en pleine nuit. Vous n'êtes pas le seul dont on ne peut vérifier l'alibi.

— Il y a un paquet de militants et toutes ces conquêtes dont vous parliez tantôt... Je ne voudrais pas être à votre place.

— Sans oublier la piste amérindienne.

Francis Guérin manifesta son étonnement ; de quoi s'agissait-il ?

— Nous ne sommes sûrs de rien, mais Saucier, Corriveau et Brûlotte ont été tués assez près d'une communauté autochtone. On doit vérifier ça aussi. Cliche m'a parlé de Picard qui est mort, mais voyez-vous d'autres autochtones qui auraient pu leur en vouloir ?

— Je ne sais pas. Je ne parlais pas beaucoup avec eux.

— Ah bon ? Ça me surprend, mentit Graham. Cliche m'a dit que vous étiez ami avec Gabriel Siméon. Il était Montagnais, non ?

— Innu.

— Innu ?

— Il était originaire de Mashteuiatsh. Près de Roberval, anciennement Pointe-Bleue. Nous parlons des Montagnais, mais eux préfèrent le terme Innu qui signifie « être humain ». Malheureusement, je ne l'ai pas connu longtemps... On n'était pas dans le même campement.

— Vous étiez avec qui ?

— Paul et Serge.

— Corriveau et Brûlotte.

Francis Guérin ironisa sur la chance qu'il avait eue de partager leur camp ; ils n'y venaient que pour dormir.

— Brûlotte était occupé par ses petits trafics et Corriveau jouait aux cartes. J'avais la paix pour étudier s'il me restait de l'énergie. Le chantier m'a servi par la suite. J'étais déjà habitué aux longues heures de travail...

— Si j'ai bien compris ce que Cliche m'a dit, vous avez remplacé le médecin qui devait demeurer au chantier durant l'été.

— Par la force des choses, oui. Le Dr Prudhomme a fait une crise cardiaque.

— C'est donc vous qui avez constaté le décès de Gabriel Siméon ?

Maud Graham fixait Francis Guérin qui ne cilla pas des yeux.

— Si on veut.

— Vous n'avez rien remarqué de particulier sur le corps, autour du corps ?

— Vous pensez toujours à un crime ?

— Pourquoi pas ? Je retiens toutes les hypothèses.

Francis Guérin n'hésita qu'une fraction de seconde ; devait-il encourager la détective dans cette voie ? Il ébaucha un signe d'ignorance.

— Je ne sais vraiment pas. J'étais un peu paniqué.

— C'était votre premier décès ? demanda Joubert.

Guérin eut un geste de recul, comme s'il voulait s'éloigner d'un homme qui posait une question aussi brutale, mais il se reprit très vite pour retourner la question.

— Est-ce que ça vous est arrivé de connaître une victime ?

Joubert et Graham secouèrent la tête.

— On éprouve un sentiment d'irréalité encore plus fort.

— Ce sentiment est toujours présent quand il s'agit de la mort ? fit Graham en se levant pour signifier la fin de leur entretien. Même quand on est médecin ?

— Oui. Ou policier ?

— On a trouvé une plume sur le corps de Saucier.

— Quoi ?

Dans la seconde, Guérin tenta de rattraper le verre qu'il avait manqué renverser.

— Une… une plume ?

— Oui, une plume de gibier, précisa Maud Graham. C'est curieux, non ? C'est aussi pour cette raison qu'on doit creuser la piste autochtone.

Guérin replaça le verre sur la table sans commenter. En se dirigeant vers l'entrée, Joubert s'arrêta devant les dessins de Gabriel Siméon représentant Nishk, et Guérin se prépara à répondre à d'autres questions, mais l'enquêteur se contenta d'admirer les esquisses.

— C'est vraiment beau. Vous aimez les oiseaux ?

Joubert désignait deux sculptures en bois sur la bibliothèque, un couple de hérons se faisant face, bec contre bec, ainsi que deux sérigraphies de Grondin.

— Les peintres animaliers m'épatent toujours, confia Joubert en s'approchant de cette œuvre. Comment font-ils pour saisir les mouvements d'un oiseau en vol ? On pourrait compter les plumes !

Dans l'ascenseur, Maud Graham confia à Michel Joubert qu'elle aimerait bien avoir un médecin de famille semblable à Guérin.

— Pas toi ?

— Arrête, Graham, tu vas à la pêche. Oui, c'est un bel homme. Mais non, il ne m'intéresse pas. Oui, je suis fidèle à Grégoire. C'est bon pour toi ?

Elle rougit avant de déplorer le fait qu'ils n'aient rien de très concret.

— Je déteste ce Saucier ! Toi, le trouvais-tu beau ?

— Pas mon genre.

— Pourtant, plusieurs succombaient à son charme.

— « Cherchez la femme » ?

— Ou l'argent. Jalousie, envie, vengeance, les si classiques motifs de meurtre.

— L'argent ne s'applique ni à Brûlotte ni à Corriveau.

— Et si les deux premiers meurtres servaient de leurre ? Pour nous faire croire que tout est lié à une histoire arrivée au chantier, mais qu'en fait seul Saucier et ses millions étaient visés ?

— Dans ce cas-là, rétorqua Joubert, l'auteur des meurtres aurait connu les victimes au chantier ? Non, ça ne tient pas debout. Il y a dix ans d'écart entre chaque meurtre.

— On ne m'enlèvera pas de la tête qu'il y a un lien entre ces hommes, s'entêta Graham.

— Comment l'assassin aurait-il pu prévoir en 1991 que Saucier serait milliardaire et qu'il en voudrait à son argent ?

— À moins que ce ne soit quelqu'un de très proche...

— Qui aurait tout su du chantier ?

Joubert et Graham discutaient toujours au moment où les portes de l'ascenseur s'ouvrirent. Le soleil qui baignait le hall d'entrée de l'immeuble les aveugla. Graham avait-elle eu un éclair de lucidité ?

Du haut de l'immeuble, Guérin les regarda gagner la rue de la Couronne en songeant qu'il aurait dû leur signaler que Gabriel Siméon était l'auteur des dessins que Joubert avait admirés. Ils découvriraient sans doute qu'il avait fait connaître son travail par l'entremise de Rupert. Qu'il s'était lié à la sœur de Gabriel. D'un autre côté, ils n'avaient qu'à poser des questions. Il pourrait toujours prétendre qu'il était si habitué de voir cette toile qu'il n'avait pas pensé à leur mentionner sa particularité.

***

Tiffany McEwen reposa le téléphone et relut ses notes, afin d'être certaine de n'avoir rien oublié avant de les communiquer à Graham et à Rouaix, rattacha ses cheveux et gagna le bureau de ses supérieurs. Elle trouva Graham en train de manger des framboises.

— Tu en veux?

McEwen savoura une poignée de fruits avant d'agiter la feuille sur laquelle elle avait pris des notes.

— Ni Livia ni Jules n'étaient ivres en quittant l'Auberge du Mange Grenouille le 17 juillet. Carole, une des propriétaires, s'en souvient, car habituellement ils s'offrent de très belles bouteilles et ils traînent. Mais ce soir-là, ils ont été sages et sont partis tôt, vers vingt et une heures.

— Alors quand Livia dit qu'elle a dormi comme une souche, qu'elle n'a pas entendu son frère partir pour Québec ni en revenir, et qu'elle avait mal à la tête le lendemain, elle me mentait?

— Peut-être qu'elle a bu en arrivant au chalet.

— Ils doivent avoir ce qu'il faut, du whisky hors de prix et du champagne.

— L'envie est un vilain défaut, la taquina McEwen. Tu n'as pas l'air de tellement aimer les Saucier...

Graham s'en défendit, mais admit que Livia lui paraissait snob et qu'elle ne prisait pas ce genre-là.

— Snob?

— Au Château Frontenac, elle s'est montrée capricieuse, exigeante avec le personnel, expliqua Graham. C'est une enfant gâtée. Je ne lui fais pas davantage confiance qu'à son frère. Jules semble coopérer avec nous, mais il nous a menti par omission sur la soirée du 17 juillet.

— En même temps, il devait bien se douter qu'on remonterait jusqu'à lui, dit McEwen. À moins qu'il ne nous prenne pour des idiots.

— Je ne peux pas m'empêcher de croire qu'ils ont hérité des gènes de leur père, confessa Graham. Bernard Saucier semblait se croire plus fin que tout le monde.

— Mais nous ne sommes pas là pour les aimer. Juste pour trouver qui a tué l'Empereur, fit Rouaix en les rejoignant. Reparlons donc au couple Tellier-Sansregret. McEwen, qu'a donné ton deuxième interrogatoire ?

— Sansregret répète qu'il avait bu et qu'il s'est contenté de téléphoner à Saucier. Elle affirme qu'elle dormait. Ils finiront bien par nous dire la vérité.

***

Le bruit des portes qui s'ouvrent et se ferment, des appareils respiratoires, des civières qui se heurtent dans un son métallique, des conversations, des sonneries de téléphone n'avait jamais distrait Francis Guérin quand il s'occupait d'un blessé à l'urgence. Il pouvait se concentrer dans le brouhaha, faire abstraction du va-et-vient constant autour de lui, des cris, des plaintes, des jurons. Il réussissait à établir un diagnostic et à opérer dans le tumulte. Mais il avait découvert récemment que cette rumeur incessante l'empêchait de réfléchir à la meilleure manière de se rapprocher d'Alain Gagnon. Pour rencontrer de nouveau Maud Graham qui devait savoir beaucoup plus de choses sur la mort de Saucier qu'elle ne le prétendait.

Il avait pensé appeler Alain au laboratoire de sciences judiciaires pour lui proposer d'écrire un article sur les modifications des cellules révélatrices de la maladie d'Alzheimer décelées lors d'une autopsie pour *L'actualité médicale*. Gagnon ne trouverait pas cela si étrange… Non. Cette idée ne valait rien. Trop longue. Il devait trouver autre chose pour s'approcher de Maud Graham.

Chapitre 9

Québec, 27 juillet 2011

La différence entre la chaleur et l'humidité qui écrasaient les Québécois et la température trop fraîche qui régnait au poste de police fit soupirer Maud Graham. Elle haïssait ces contrastes trop intenses, détestait les supermarchés en plein été où il n'y avait que quelques degrés de différence entre les rayons des produits laitiers et ceux des céréales. Les personnes âgées portaient des tricots de laine pour faire leur épicerie, les mères couvraient leur bébé quand elles poussaient la porte des grands centres. Était-il nécessaire de garder ces endroits aussi froids ?

De la climatisation intelligente, modérée, était-ce possible ?

— Qu'est-ce qu'il y a encore ? demanda Rouaix.

— Soit on gèle, soit on crève. Quelque chose entre les deux serait bienvenu, maugréa-t-elle. Daniel Constant devrait être arrivé, non ?

— Dans deux minutes. Moreau a été ralenti sur le pont.

— Ou bien il prend son temps. Il s'est peut-être arrêté en chemin pour boire un café avec notre témoin ?

— Tu es de mauvaise foi.

— Oui, admit-elle en regardant le presse-papiers qui retenait des messages récents sur son bureau.

Un scarabée était prisonnier du verre et Graham songea qu'il y avait des années qu'elle ne s'était plus intéressée à sa collection d'insectes. À quand remontait cet abandon ? Au moment où elle avait rencontré Alain ? Parce qu'elle avait mieux à faire que d'observer les lépidoptères ? Parce qu'il lui avait partiellement apporté cet apaisement dont elle avait besoin, qu'elle pensait trouver en ouvrant doucement les ailes des papillons pour les épingler sur de fragiles supports ? Et puis cette activité était reliée à Yves, son ex. C'était lui qui utilisait les insectes dans ses dessins, c'était lui l'artiste, le graphiste qui l'avait trompée.

— Je repense à la plume, commença-t-elle, c'est bizarre.

— Parce que ?

— Francis Guérin aime les oiseaux. Il y a des œuvres d'art chez lui qui représentent des oiseaux. Il a paru surpris qu'on mentionne la plume, mais il ne nous a pas posé de questions. C'est tout de même étrange de trouver une plume sur un cadavre…

L'arrivée de Moreau avec Daniel Constant lui coupa la parole. Elle détailla l'homme qui leur avait tu qu'il possédait autant d'armes. Très grand, le cheveu noir, le sourcil noir, des poils sur les phalanges, des poils dépassant de la chemise visiblement trop étroite pour lui. Les boutons céderaient bientôt. D'ici la fin de son entretien avec Moreau et Rouaix ?

— Qu'est-ce que vous voulez savoir ? dit Daniel Constant. Je ne vois pas ce que j'ajouterais de plus. Vous m'avez demandé, lorsque vous m'avez rencontré la première fois, si j'avais une arme d'un calibre 9 mm. Non.

Je n'en ai pas. C'est ce que je vous ai dit. Et ça n'a pas changé.

— Vous avez omis de nous mentionner les autres armes que vous possédez.

— Je ne me souviens pas qu'on m'ait posé la question.

— Je me souviens du contraire, fit Moreau.

Disait-il vrai ? s'interrogea Graham. Avait-elle tort de soupçonner toujours Moreau de commettre des erreurs ? Est-ce que son aversion pour lui la rendait injuste à son égard ?

— Je suis un chasseur, expliqua Daniel Constant.

— Ça me surprend un peu pour un défenseur de la nature, dit Graham.

— Parce que vous n'y connaissez pas grand-chose, cracha le militant de Grandir. Je préfère la viande d'un animal que j'ai abattu loyalement, que je respecte. Je ne gaspille jamais rien quand je tue une bête. Et je fais cela dans les règles de l'art. Avez-vous d'autres questions ?

Daniel Constant ne semblait pas impressionné par la présence des enquêteurs ni inquiet. Il les regardait avec un air de défi très agaçant, mais peut-être changerait-il d'attitude lorsque Rouaix lui apprendrait qu'on avait trouvé ses empreintes chez Bernard Saucier. Les spécialistes en scène de crime les avaient relevées sur une boule de bronze dans le bureau de Saucier. Quand l'avait-il soupesée ?

On a eu de la chance avec Constant, songea Maud Graham. L'homme avait été arrêté lors d'une manifestation, l'année précédente, pour obstruction au travail des policiers qui tentaient de l'empêcher de grimper sur la statue d'Honoré Mercier devant le parlement. Il n'en était pas de même pour des dizaines d'empreintes qui restaient toujours anonymes, qui n'appartenaient ni à la famille ni aux invités présents chez Saucier le soir de sa mort. Ou plutôt, la veille puisqu'il avait été assassiné pendant la nuit.

Elle regarda le trio s'éloigner vers une des salles du fond, se leva pour faire chauffer de l'eau, sortit la boîte de thé qu'elle gardait dans le dernier tiroir de son bureau et feuilleta son carnet de notes à la recherche d'une sensation. Celle qu'elle avait eue chez Cliche après avoir refermé le *scrapbook* ? Quel détail avait piqué son subconscient ? Elle entendit sonner le four à micro-ondes, retira la tasse d'eau bouillante, y jeta le sachet qu'elle avait rempli d'une cuillère à thé de Sencha Uzi et regarda la pochette descendre lentement vers le fond.

Elle retrouva toutefois le nom qu'elle cherchait : Normand Fraser. L'homme qui n'était allé qu'une fois aux soupers organisés par Saucier au Château Frontenac. Elle n'avait rien noté de plus. Elle avait déjà tenté de s'entretenir avec lui, mais un message sur son répondeur indiquait qu'il était absent jusqu'au 27 juillet. Elle vérifia l'adresse obtenue par McEwen qui s'était chargée de sortir une liste de tous les hommes qui avaient travaillé au chantier à l'été 1981. La plupart habitaient dans le nord et n'avaient pas quitté la région. Certains avaient émigré aux États-Unis ou en Ontario. Mais Normand Fraser, par chance, demeurait à Charlesbourg.

Elle lui téléphona, se présenta en expliquant qu'elle enquêtait sur le meurtre de Bernard Saucier et qu'elle cherchait à rencontrer des gens qui l'avaient bien connu.

— Ça fait trente ans ! s'étonna Fraser.

— Voulez-vous me retrouver ici ou préférez-vous que je vienne vous voir ?

— Je... je suis en train de défaire mes valises...

Bredouillait-il parce que cet appel l'angoissait ?

— Où êtes-vous allé ?

— À l'Île-du-Prince-Édouard. Je vous attends ?

En arrivant chez Normand Fraser, Maud Graham s'étonna de voir autant de fleurs autour de la maison. Les propriétaires devaient consacrer des heures à entretenir un tel aménagement paysager. Elle ne connaissait pas la moitié des plantes qui coloraient le parterre.

Quand Fraser lui ouvrit, elle s'empressa de le complimenter sur la beauté de son terrain.

— On travaille fort, admit l'homme avant de lui présenter Christine, son épouse. Et notre fille s'en est bien occupée pendant qu'on était partis. Vous voulez me parler de Saucier ? Ça m'étonne que vous m'ayez appelé. On n'était pas amis.

— Ennemis ?

— J'étais neutre.

Un mouvement derrière Fraser lui fit allonger le bras pour toucher le museau d'un grand setter qui vint flairer la nouvelle venue.

— C'est Chivas. Il est doux.

Maud Graham attendit quelques secondes, puis le flatta avant de prier Fraser de préciser sa pensée.

— Il y avait donc ceux qui étaient pour Saucier et ceux qui étaient contre lui ?

— Si on veut… Mon Dieu, ça fait trente ans ! J'ai vaguement suivi la carrière de Saucier dans les journaux, mais je ne l'ai revu qu'une fois en personne.

— Je sais que vous n'êtes pas retourné aux soupers annuels.

Fraser eut une exclamation de surprise. Comment Graham avait-elle appris cela ? Puis il fit claquer ses doigts. Par Cliche, évidemment.

— Je ne comprends pas ce type-là. Il m'a envoyé un courriel pour m'informer de l'heure des funérailles. Je viens de le lire en consultant les messages arrivés en notre absence. Comme si j'allais me pointer à l'enterrement d'un gars que je n'ai pas vu depuis des dizaines d'années.

— Il m'étonne, avoua Maud Graham, il semble toujours content d'évoquer le chantier alors qu'il y a perdu sa mobilité.

— Il me téléphone chaque année, à Noël. Comme si on avait eu des liens amicaux là-bas. Je n'ose pas être bête avec lui, mais ça rime à quoi ? Et vous venez maintenant m'interroger sur Saucier... Franchement, c'est étrange.

Fraser avait l'air dubitatif. Il lui désigna une chaise dans la cuisine qui embaumait les fraises et le sucre.

— Christine s'est ennuyée de ses chaudrons, commenta Normand Fraser avec tendresse. Ça ne fait pas deux heures qu'on est rentrés, elle est déjà plongée dans les confitures ! Qu'est-ce que je pourrais bien vous raconter ?

— Pourquoi avez-vous refusé de revoir les gars du chantier à ces soupers ?

— Ce ne sont pas les gars du chantier. Je m'entendais avec plusieurs d'entre eux, mais la gang de Saucier...

— Pas avec Brûlotte, Saucier, Corriveau, Lemire et Cliche ?

— Cliche ne compte pas. Mais les autres, la petite clique de Saucier, je n'avais plus envie de leur parler après l'affaire de l'oiseau. Je confesse que j'ai assisté au premier souper par curiosité. Que nous voulait Saucier ? Ou par gourmandise... c'était au Champlain !

Graham appuya son crayon un peu plus fort sur son calepin ; un oiseau ?

— Quel oiseau ?

— Gabriel Siméon avait apprivoisé une oie. Brûlotte l'a sortie de sa cage, l'a apportée à Saucier pour la lui montrer. Saucier a décidé de la manger. Corriveau l'a tuée, puis ils l'ont fait rôtir et se sont partagé la carcasse.

Il me semble que Lemire et Cliche étaient à table avec eux. Siméon s'est battu avec Saucier. Il était comme fou. Il avait raison. C'était son oie. Ils n'avaient pas le droit de faire ça. Ça m'a écœuré. On mangeait du gibier au chantier, oui, on achetait leurs prises à Sioui ou à Picard qui étaient de bons chasseurs, mais c'était différent dans ce cas-ci. L'oie avait été soignée et apprivoisée. Je ne pense pas que Siméon l'engraissait pour la manger plus tard. Il l'avait apprivoisée. J'aimais bien faire équipe avec Gabriel Siméon. Il ne parlait pas pour ne rien dire, contrairement à des grandes gueules comme Brûlotte ou Corriveau.

— Et Saucier ?

— Saucier avait toujours une idée derrière la tête et savait s'imposer. C'est normal qu'il ait réussi. Si on peut appeler sa vie une réussite…

— Ce n'est pas votre opinion ?

— Je ne l'ai jamais envié, je n'ai pas besoin de millions pour être heureux. Il a divorcé trois fois, alors que je suis avec Christine depuis qu'elle a accepté de m'accompagner au bal des finissants. Je ne crois pas que j'aurais pu faire la même chose que Gabriel, me tuer parce que ma petite amie m'avait plaqué, mais j'ai compris qu'il ait eu si mal. Je n'avais qu'à imaginer que Christine m'écrive une lettre comme celle qu'il a reçue au chantier. Moi aussi, je m'inquiétais à propos de ma blonde. On était si loin de tout…

— Êtes-vous sûr que sa mort était un suicide ? demanda Maud Graham, guettant la réaction de Fraser.

— Oui. Peut-être que Cliche n'a pas envie d'admettre que son cher Bernard avait une part de responsabilité dans la mort de Gabriel Siméon et qu'il veut croire à un accident, mais pour moi c'est un suicide. Gabriel avait le pied le plus sûr, il n'a pas glissé au bord de la falaise.

— Quelle responsabilité ?

— L'oiseau ! Ç'a été la goutte d'eau qui a fait déborder le vase. C'était trop, la mort de l'oie plus la rupture avec sa blonde. Gabriel a perdu les pédales. Il s'est tué le lendemain ou le surlendemain.

— Qui était sur place au moment où Siméon s'est battu avec Saucier ?

— On était presque tous là.

— Que s'est-il passé ensuite ?

— Siméon s'est tué. Des enquêteurs ont débarqué, un coroner. Son cousin est venu au chantier pour ramener le corps à la famille.

— Vous êtes certain que c'était une oie ?

— Oui, c'était une oie. Je les admire aux chutes Montmorency, chaque printemps. Je ne sais pas ce que je pourrais ajouter de plus…

— Vous souvenez-vous de Francis Guérin ? Il s'occupait de l'infirmerie.

— Il nous a tous épatés quand Cliche a eu son accident. On aurait dit qu'il avait fait ça toute sa vie. Il était tellement calme…

— Et quand Gabriel Siméon est mort ?

— Il a été choqué. On l'a tous été.

— Même Saucier ?

Normand Fraser caressa le dos de Chivas, réfléchissant, puis il finit par secouer la tête. Non, ni Saucier ni Brûlotte n'avaient été ébranlés par le drame.

— Brûlotte doit avoir vendu plus de dope aux gars qui voulaient se changer les idées. J'ai été content de quitter le chantier. C'était payant, mais ça m'a laissé un goût amer. Je ne comprends pas Cliche qui entretient ces souvenirs-là.

Chivas suivit Graham jusqu'à l'entrée et lui donna un petit coup de museau alors qu'elle sortait.

— Il vous a adoptée. Il sent que vous aimez les bêtes.

— Oui, c'est vrai.

Et si quelqu'un avait mangé l'oiseau qu'elle avait apprivoisé, elle aurait eu envie de le punir.

Mais pas de se tuer.

Est-ce que quelqu'un avait juré à Gabriel Siméon de le venger ? Qui ?

Quelqu'un qui connaissait les derniers jours de Siméon au chantier. Un témoin direct ou une personne à qui on avait tout raconté.

***

Les arômes d'un panini au poulet et pesto faisaient saliver Maud Graham et elle fut tentée de goûter tout de suite au sandwich, mais elle réussit à le garder intact jusqu'à son bureau où Rouaix lui avait laissé une note lui enjoignant de regarder les images envoyées par Provencher.

Elle s'installa devant son ordinateur, cliqua et comprit immédiatement qu'il s'agissait de Paul Corriveau, des photos prises sur la scène du crime. Elle sauta les lieux du crime pour accéder aux agrandissements du corps et poussa un cri de victoire en voyant une demi-plume dépasser de la chemise de la victime.

Elle avait eu raison de croire qu'il y avait un lien entre ces hommes. Et Fraser lui avait fourni une explication très plausible en ce qui concernait la présence d'une plume. La signature en mémoire de l'oie.

Elle devait relire la liste de tous les hommes présents au chantier. Elle les rencontrerait tous.

Mais avant, elle reverrait Cliche. Et dans l'immédiat, elle chercherait à en apprendre plus sur Gabriel Siméon. Sur Internet, elle fut surprise d'accéder à un site où apparaissaient plusieurs de ses œuvres et où on déplorait la fin prématurée d'un peintre aussi talentueux. Elle se pencha pour mieux voir les toiles représentées et distingua un animal sur chacune d'entre elles : un loup, un ours, un castor, une tortue et une oie.

Une bernache. Une outarde. Aux plumes blanches, noires et brunes.

Normand Fraser avait une bonne mémoire lorsqu'il lui avait appris que Siméon venait de la communauté de Mashteuiatsh. Il y était né en 1954 d'un père blanc et d'une mère innue. Il avait été découvert après sa mort par un galeriste de Montréal très actif, Rupert Nelson. Décédé quelques années après avoir fait connaître les œuvres de Gabriel Siméon au Canada, aux États-Unis et même en Russie. La dernière exposition des toiles de Siméon avait eu lieu au Musée des beaux-arts de Montréal quatre ans plus tôt.

Graham n'en gardait aucun souvenir, mais il est vrai qu'elle ne fréquentait pas beaucoup les musées et qu'elle n'allait pas souvent dans la métropole. C'était Alain qui empruntait la 20. Elle devait faire un effort pour le rejoindre plus souvent. Maxime l'y incitait fréquemment, adorant Montréal et ses gratte-ciel. Ou espérant qu'elle partirait seule, lui laissant la maison pour une fin de semaine. Et qu'elle oublierait de prier Grégoire de s'y installer en son absence. Ça n'arriverait certainement pas avant les dix-huit ans de Maxime… Elle jeta un coup d'œil à la photo d'Alain, Grégoire et Maxime prise au chalet cinq ans auparavant. Déjà ? Cela lui semblait si loin. Maxime avait beaucoup grandi, depuis.

Elle s'efforça de se rappeler ce qu'elle faisait, ce qu'elle était trente ans plus tôt. À l'été 1981. En 1981, elle avait rencontré Jacques, c'était l'année de sa première peine d'amour. Personne n'en avait jamais rien su, hormis Léa. Qu'aurait-elle fait sans sa meilleure amie quand elle avait vu Jacques se détourner d'elle pour choisir Céline, plus grande, plus mince, plus jolie qu'elle, même si Léa prétendait le contraire. Graham se souvenait de sa douleur, l'avait revécue lorsque Yves l'avait quittée. On croit à tort que les premières amours sont à considérer à la légère. Elle se rappelait parfaitement sa détresse, le sentiment paradoxal d'être entraînée vers le fond, mais d'être aussi terriblement vivante. Dans la grisaille de ces années-là qui s'écoulaient trop lentement, cette peine d'amour lui avait donné l'impression de vivre une aventure. Le patient du Dr Guérin avait réagi plus violemment; se faire hara-kiri! Graham était persuadée qu'il n'y avait que des hommes pour choisir cette forme de suicide.

Elle retourna au site Internet. Il y était écrit que Gabriel Siméon était mort le 18 juillet 1981.

Le corps de Brûlotte avait été trouvé le 18 juillet 1991. Corriveau avait été tué aussi un 18 juillet.

Si ce n'était pas là une preuve des liens entre les victimes, elle était prête à démissionner! Elle envoya aussitôt un courriel à Provencher qui l'appela quelques secondes plus tard.

— Je vais au lac Saint-Jean. J'ai fait quelques appels, la sœur de Gabriel Siméon vit toujours là. Et devine quoi? Marie-Lyse Siméon est policière dans la réserve.

— Il paraît qu'on dit communauté, aujourd'hui.

— On part dans une heure. Tu peux te rendre à l'aéroport?

Graham jura qu'elle serait là dans soixante minutes; le temps d'expliquer à son patron pourquoi elle quittait son poste. Il s'avérait essentiel de rencontrer cette femme. Devait-on la soupçonner d'avoir vengé son frère?

— Si elle l'a fait, dit Pierre-Ange Provencher, c'est par l'entremise de quelqu'un d'autre, car elle était en poste au moment du meurtre de Saucier, j'ai vérifié.

Et franchement, elle était très jeune quand Brûlotte s'est fait descendre. Elle devait avoir vingt-trois ou vingt-quatre ans.

— Et on n'a pas trouvé de plume sur lui.

— Il est possible qu'il ait été assassiné par un motard comme Lantier l'a toujours cru.

— Il serait mort par hasard un 18 juillet ? insista Graham.

— Pourquoi pas ?

— Si ce n'est pas Marie-Lyse Siméon, c'est quelqu'un d'autre qui a su ce qui est arrivé au chantier. Selon Normand Fraser, c'est son cousin qui est venu chercher la dépouille. Ils étaient peut-être très près l'un de l'autre.

— On posera toutes les questions nécessaires, promit Provencher. Je vais savoir très vite si elle travaillait déjà dans ce coin-là au moment de la mort de Corriveau. Ça remonte à dix ans, je devrais avoir l'information.

***

Un représentant des forces de l'ordre accueillit Maud Graham et Provencher à l'aéroport de Roberval situé à six kilomètres de la communauté autochtone et il leur remit un document qui complétait les informations transmises par courriel quelques heures plus tôt.

— Connaissez-vous Marie-Lyse Siméon depuis longtemps ?

— Cinq ans. C'est une bonne policière, à son affaire. C'est facile de travailler avec elle. Elle revient d'un an de stage à la GRC à Montréal. Là-bas, tout le monde l'a appréciée.

— Vous travaillez beaucoup avec les agents territoriaux ?

— Ça se passe bien. J'ai appelé au poste de police, Marie-Lyse Siméon est là actuellement. Elle a paru surprise que je lui annonce votre visite. Son frère était un grand artiste, vous savez. Deux de ses œuvres sont exposées au musée de la communauté.

— C'est un gros poste ?

— Non, six agents permanents, trois occasionnels et un enquêteur. Ce poste a été créé il y a une dizaine d'années. Environ deux mille personnes vivent dans la communauté de Pointe-Bleue... de Mashteuiatsh. Le nom a été changé depuis plus de vingt ans et je me trompe encore ! Il y a plus de monde l'été, des gens louent des chalets, des maisons.

— Vous voulez dire des Blancs ? dit Provencher.

— Seuls les Innus peuvent posséder une maison dans la communauté. Les Blancs sont en location.

— Tout le monde parle français ? s'enquit Maud Graham.

— Français, anglais et nehlueun.

— J'étais venu pêcher au lac, dit Provencher, de la ouananiche. Ça fait des lustres...

Graham, qui ne s'était jamais rendue plus loin que La Baie, regardait défiler le paysage avec l'œil d'une touriste et, quand ils arrivèrent à Mashteuiatsh, elle apprécia le sourire de Marie-Lyse Siméon qui les attendait devant le poste de police, même si elle se doutait qu'elle faisait un effort pour être aussi aimable. Dans le meilleur des cas, leurs questions remueraient de tristes souvenirs et dans le pire... Avaient-ils vraiment envisagé le pire en venant ici ? Découvriraient-ils qu'un proche de Gabriel avait voulu venger sa mort ? Ils avaient préparé leur interrogatoire, décidé des pistes que Provencher exploiterait, mais tout s'était fait très vite.

Ils se présentèrent et Pierre-Ange Provencher loua la beauté de l'endroit.

— Je vous envie de voir le lac tous les jours.

Maud Graham comprenait pourquoi on avait appelé l'endroit Pointe-Bleue ; les vagues saphir et les crêtes blanches formées par les mouvements du lac imitaient les nuages effilochés qui traversaient le ciel. Tout ce bleu était si intense qu'il éblouissait ceux qui ne pouvaient s'arracher à sa contemplation.

— Le lac est beaucoup plus grand que je ne l'imaginais, confia Graham. On ne voit même pas l'autre rive... Qu'est-ce que ça signifie ?

Elle désignait un mot écrit en nehlueun sur la façade de l'immeuble.

— Je suppose que c'est la traduction de « poste de police » ?

Marie-Lyse sourit de nouveau.

— Oui, mais si vous découpez le mot *kamakunueshiutshuap*, on retient que *utshuap* signifie « habitation ». Le début veut dire « police ».

Est-ce que tous les habitants de ce village de quinze kilomètres étaient en sécurité ou l'un d'entre eux devrait-il répondre bientôt d'une accusation ? Tout paraissait si paisible, cet après-midi-là. Comment imaginer qu'un esprit vengeur se cachait dans cette communauté depuis trente ans ? Graham eut l'impression désagréable que toutes ses intuitions relevaient de l'absurde : trente ans de vengeance ! N'était-ce pas invraisemblable ? Elle se secoua ; il y avait bien eu trois meurtres, tous un 18 juillet. Et deux plumes. Et un oiseau sacrifié. Et un homme suicidé au chantier.

Graham et Provencher suivirent Marie-Lyse Siméon dans son bureau et acceptèrent le café qu'elle leur offrait. Après la première gorgée, Provencher lui demanda dc leur parler de Gabriel.

— J'avoue que je saisis mal votre présence ici. Est-ce qu'il y a eu un vol de tableaux ? Dans quel musée ?

— Des tableaux? s'étonna Graham.

— Vous parlez des œuvres de votre frère? devina Provencher. Non, ce n'est pas pour cette raison.

Marie-Lyse les regardait sans comprendre. Que voulaient-ils?

— Gabriel Siméon est bien décédé le 18 juillet 1981?

— Oui. Ce n'est pas une date que je pourrais oublier. Mon père est mort quand j'étais petite et j'ai eu de la peine, c'est sûr. Mais Gabriel... Je pense que je suis encore fâchée contre lui. Il a détruit quelque chose dans la famille. Je suis la seule qui vit encore. Ma mère s'est laissée couler.

Marie-Lyse scrutait le visage des enquêteurs; pourquoi étaient-ils si renseignés sur le drame du chantier?

— Qu'est-ce qu'on vous a raconté à l'époque? Qui vous a prévenue de son décès?

— Des policiers ont frappé à notre porte. Je sais tellement ce que je signifie lorsque je me présente chez quelqu'un maintenant... Je ne me souviens pas de tout. Je suis restée des heures devant le lac en songeant que mon frère ne le dessinerait plus jamais.

Elle se tut, son regard se fit lointain, précisément dirigé vers le lac, comme si elle le voyait à travers les murs de l'établissement, puis elle fronça les sourcils.

— Pourquoi parle-t-on de la mort de Gabriel?

— Parce qu'il est peut-être le lien entre trois meurtres, dit Maud Graham en tournant la tête vers Pierre-Ange Provencher afin qu'il expose leurs hypothèses à la policière.

Marie-Lyse l'écouta avec une expression de stupéfaction qui n'était pas feinte et garda le silence un long moment avant de dire qu'elle ignorait qui pouvait avoir tué Brûlotte, Corriveau et Saucier.

— Je comprends que vous soyez venus me rencontrer, on pense toujours à la famille dans ce genre de cas.

— Vous étiez ici au moment du meurtre de Saucier.

— Et j'étais à Vancouver durant l'été 2001...

— Mais qui aimait Gabriel au point de vouloir le venger ?

— Pas sa blonde, en tout cas. Ou plutôt, son ex-blonde. Chantale s'est sentie coupable après la mort de mon frère, mais elle avait été honnête avec lui. Ils n'auraient pas été heureux ensemble, ils partageaient trop peu de choses. Elle a eu de la peine parce que Gabriel était son amour de jeunesse, mais elle était déjà partie vivre aux États-Unis.

— Un ami, alors ? suggéra Provencher.

— Les gars avec qui il allait à l'école ? Non. Ça ne rime à rien, votre histoire. Personne ici n'aurait tué des hommes tous les dix ans en mémoire de mon frère. Et ce n'est pas ma mère non plus, elle est morte. Il reste seulement moi et ce n'est pas moi. Franchement, j'aimerais vous aider, mais je ne vois pas comment...

— Qu'est-ce qui est arrivé après la mort de votre frère ?

— Mon cousin l'a ramené.

— Et après ?

— On l'a enterré.

— Est-ce que vous avez reparlé avec des hommes du chantier ?

— Le directeur nous a appelés pour nous expliquer que les assurances ne versaient rien en cas de suicide.

— C'est la seule personne qui est entrée en contact avec vous ?

— Il y a eu Francis, évidemment.

— Francis Guérin ? s'assura Graham.

— Oui. Il s'est même déplacé pour nous rapporter les dessins de mon frère. C'est lui qui l'a fait connaître.

— Fait connaître ?

— Il a montré ses toiles à Rupert Nelson qui avait une galerie d'art à Montréal, et Rupert s'en est occupé. On était à la fois contentes et tristes, maman et moi. C'était bête que Gabriel ait du succès après sa mort. Qu'il n'en ait jamais profité.

Marie-Lyse fit une pause avant de dire qu'elle avait touché beaucoup d'argent de la vente des toiles de son frère.

— Rupert Nelson s'est formidablement occupé des œuvres de Gabriel. J'ai pu acheter la maison de mes rêves. En face du lac. Je ne pourrais pas vivre ailleurs. Gabriel non plus. C'était son plus gros problème avec Chantale. Elle ne voulait pas rester dans la communauté.

— Vous vous êtes liée d'amitié avec Rupert Nelson ?

— Oui, et quand il est mort, j'ai eu peur que Francis ne s'en remette pas.

— Francis Guérin ? fit Graham en espérant que son ton ne trahissait pas son excitation.

— Oui, c'était son chum.

Pourquoi Guérin ne leur avait-il rien raconté à propos de son lien avec Gabriel Siméon ? Un lien assez fort pour qu'il souhaite faire connaître son œuvre, entreprenne des démarches pour y parvenir ?

— Vous êtes donc restée en contact avec Francis Guérin.

— On se voit rarement, il a tellement de travail à l'hôpital. Il est cependant venu à la cérémonie, quand j'ai offert deux toiles de Gabriel au musée.

— Il était très attaché à votre frère.

Marie-Lyse hocha la tête ; ils ne s'étaient connus que durant quelques semaines, mais leur passion pour la nature les avait rapprochés.

— Ils étaient amis, rien de plus, précisa-t-elle.

Comment pouvait-elle le savoir ?

— C'est ce que vous a confié le Dr Guérin ?

— Mon frère était fou de Chantale. Je me demande toujours pourquoi… Elle était tellement superficielle et ils n'avaient rien en commun, ils se disputaient pour des niaiseries.

— Francis Guérin a mis beaucoup d'efforts à faire connaître l'œuvre de Gabriel, ça ne vous a pas étonnée ?

Marie-Lyse secoua la tête ; non, elle n'avait pas été si surprise, Francis Guérin lui avait expliqué ses motivations.

— Il voulait se déculpabiliser de la mort de Gabriel. Il se reprochait de ne pas avoir deviné dans quel état était mon frère. Quand il est venu ici, c'est la première chose qu'il nous a dite. Qu'en tant que futur médecin, il aurait dû comprendre que Gabriel était aussi déprimé. Qu'il était en danger. Je pense qu'il s'en veut encore. Montrer ses tableaux, c'était une façon de se faire pardonner.

Elle marqua une pause avant de dire que tous les proches se culpabilisaient lors d'un suicide. Elle battit des paupières, se frotta les poignets avant de répéter à Graham et Provencher qu'elle ne voyait pas comment les aider dans leur enquête.

— On est loin de Québec, mais je sais tout de même que Bernard Saucier était millionnaire. Il me semble qu'autant d'argent a pu motiver quelqu'un à hâter sa mort. Habituellement, on se tourne vers la famille, vers ceux à qui profite le crime…

Graham acquiesça à regret ; Marie-Lyse la faisait douter de ses hypothèses. Elle s'entêta pourtant, lui rappela que toutes les victimes étaient mortes un 18 juillet. Et qu'il y avait ces plumes trouvées sur les corps de Saucier et de Corriveau.

— Mais pas sur Brûlotte, convint-elle.

— On a aussi pensé que ça pouvait être relié à une vengeance qui viendrait d'un membre d'une communauté, dit Provencher. Je vous rappelle que les trois meurtres ont eu lieu près des communautés des Abénakis, des Mohawks et des Hurons. Et Gabriel était Montagnais…

— Innu, le coupa Graham, amenant un sourire sur le visage de Marie-Lyse Siméon.

— C'est vrai qu'on préfère ce terme, approuva Marie-Lyse. Et c'est vrai que la coïncidence est suspecte. Mais si c'était un des nôtres qui voulait venger Gabriel, et je ne peux même pas deviner pourquoi, il ne serait pas assez bête pour signer ses crimes en déposant une plume sur les cadavres. Pourquoi pas un capteur de rêves, tant qu'à y être ? Vos victimes habitaient près d'une communauté par hasard.

— La plume n'est pas un hasard, insista Maud Graham. Et l'histoire de cette oie dévorée par Saucier et ses copains…

Marie-Lyse admit que cette autre coïncidence était étrange, mais qu'aucune explication ne lui venait à l'esprit.

— Que représente l'oie dans votre culture ? interrogea Graham.

— La fidélité. Les bernaches vivent en couple. Et quand elles perdent leur compagnon, elles continuent à le chercher, à tourner au-dessus de l'endroit où il a disparu. Les mâles et les femelles sont semblables, contrairement à la plupart des oiseaux où le mâle est toujours plus coloré. C'est associé au printemps, c'est le temps où on les chasse.

— Je croyais que c'était à l'automne.

— Surtout pas ! Ce sont les jeunes qui nous reviennent à ce moment-là, les petits qui sont nés dans l'année.

— Gabriel chassait-il ? Aurait-il pu être mêlé à un accident de chasse ?

— Que viendraient faire ces trois hommes dans le décor ?

Ce fut au tour de Maud Graham de soupirer ; cette histoire n'avait ni queue ni tête.

— Qu'est-ce qui vous a poussée à devenir policière ?

— Et vous ?

— Je rêvais d'une vie palpitante, avoua Graham.

— Moi, c'est l'incendie de 1986. L'église a brûlé. C'était un acte criminel. J'aurais voulu trouver le pyromane. J'ai un oncle qui a enquêté sur cette affaire.

— Le père de votre cousin ? Celui qui est allé chercher le corps de votre frère au chantier ?

— Oui. 1981 n'était pas une bonne année, mon cousin s'est noyé à l'automne.

Maud Graham et Pierre-Ange Provencher remercièrent Marie-Lyse Siméon de les avoir rencontrés. L'officier qui devait les raccompagner à l'aéroport les attendait dans une pièce voisine et vit à leur mine soucieuse qu'ils n'avaient pas trouvé de réponses à leurs questions.

— J'aimerais voir les toiles de Gabriel Siméon, fit Graham. On a le temps ?

— Bien sûr. Je vous conduis.

Maud Graham avait vu les œuvres du peintre sur Internet, mais elle comprit enfin ce qu'avaient écrit les critiques à propos du mordillage. Des traces de dents dessinaient des motifs en fond de scène, derrière les bêtes que l'artiste avait illustrées, et donnaient un relief particulier à l'œuvre. Elle se rappela avoir lu que Gabriel Siméon utilisait des mâchoires d'orignal, d'ours et de loup à ces fins. Avait-il chassé lui-même ces animaux dont il avait gardé les os ?

Elle poserait la question à Francis Guérin.

Chapitre 10

Québec, 28 juillet 2011

Le suède du fauteuil où s'était assise Maud Graham lui parut encore plus doux que la première fois où elle y avait pris place. Une dizaine de jours seulement s'étaient écoulés depuis, mais Graham avait l'impression que cela faisait des mois. Elle avait décidé d'appeler Marjorie Pelletier après s'être résignée à n'obtenir aucune information de maître Désy. Peut-être qu'une des ex accepterait de lui révéler quelques éléments du testament? Elle n'avait rien à perdre à essayer, non?

Elle était là, maintenant. Marjorie Pelletier avait déposé un espresso devant elle et attendait ses questions.

— Je veux d'abord vous remercier de me recevoir. Comment vont Thierry et Axelle?

— Ils sont chez leurs grands-parents dans Charlevoix. Ça leur fera du bien de s'éloigner un peu de tout ça. Vous avez vu le nombre de photographes qui étaient devant le cabinet du notaire? C'est franchement déplacé! Je crois que mes enfants sont sous le choc. Surtout Thierry. Il est tellement en colère, il a perdu son père et son mentor, mais il marche déjà dans ses traces. Il a rencontré Gordon Brewster, l'associé principal. Thierry ne repartira pas en Suisse, sa place est ici.

— Et Axelle ?

— Elle se défoule dans le sport.

— En ce qui concerne le testament…

— Je ne sais pas comment cela peut vous aider dans votre enquête, ou plutôt je préfère ne pas le savoir, mais je suis consciente qu'autant d'argent suscite des questions. Bon, les enfants héritent de leur père et nous, les ex, gérerons le patrimoine des mineurs jusqu'à leur majorité. Ce qui est légèrement différent de ce que Bernard m'avait affirmé, c'est qu'il a ajouté une clause ; nous administrerons l'héritage des enfants avec deux avocats. Il faut croire qu'il doutait un peu de nous…

Marjorie Pelletier sourit en prononçant cette dernière phrase et avoua qu'elle n'était pas trop surprise de cet ajout. Bernard était un homme très méfiant.

— S'il était si méfiant, je persiste encore davantage à supposer qu'il connaissait son assassin.

— En effet, pourquoi aurait-il ouvert sa porte à un étranger en pleine nuit ?

— Le système d'alarme et les caméras étaient désactivés.

— Les caméras ? C'est étonnant…

— Peut-être parce qu'il recevait ce soir-là ?

— Non, s'opposa Marjorie, les caméras fonctionnaient toujours, lors des réceptions. Il arrivait à Bernard de visionner les bandes pour découvrir lesquels de ses invités s'étaient entretenus en privé.

— Un peu paranoïaque ?

— Il n'avait pas une grande confiance en l'être humain.

— J'imagine que vous avez échangé vos hypothèses en famille ? Avec Lily et Francesca, les aînés ?

— Non. Je suppose que nous sommes aussi méfiants. Pas autant que Bernard, mais tout de même un peu. Nous ne sommes pas amis. Ni ennemis. On vit un genre de statu quo.

— Les choses sont cependant plus claires depuis que vous avez entendu la lecture du testament ?

— Oui, d'une certaine façon.

— Y a-t-il eu des surprises ? Des déceptions ?

— Les plus vieux ont peut-être été étonnés d'apprendre qu'ils ne disposeraient pas de leur part d'héritage en un seul versement. Bernard voulait éviter qu'ils fassent des folies, alors ils recevront le tiers de leur part dans les prochains jours, un autre tiers dans cinq ans et le dernier dans quinze ans. De quoi très bien vivre, mais pas assez pour acheter des châteaux en Espagne sur un coup de tête. C'est peut-être par précaution et, dans ce cas, cela signifie qu'il ne faisait pas tellement confiance au jugement de ses enfants. Ou il voulait continuer à les contrôler.

— Votre fils n'a pas été vexé par cette clause ?

— Non, ça ne change rien pour lui.

— Et quel sera son statut au sein de l'entreprise Saucier ?

— C'est compliqué, admit Marjorie Pelletier. Il est maintenant membre du conseil d'administration et sera à temps plein au siège social dès la fin de ses études au HEC.

— Dans deux ou trois ans ?

— Non, non, dans six mois. Thierry est très en avance.

— C'est vrai, vous m'avez dit qu'il était surdoué, mais il est quand même jeune pour tant de responsabilités. Il sera le principal associé de Gordon Brewster ? C'est la volonté de son père, c'était écrit dans le testament ?

— Non, mais Brewster a déjà discuté de tout ça avec Thierry.

Graham faillit mentionner Livia, mais s'abstint tout en s'interrogeant. Ne devait-elle pas aussi occuper un poste d'importance au sein de l'entreprise ?

— Y a-t-il d'autres héritiers ? reprit-elle.

— Les filleuls de Bernard qui héritent chacun de cent mille dollars. Peut-être espéraient-ils plus ? Surtout qu'ils ont entendu que Bernard léguait six millions à chaque enfant.

— Donc Jules, Livia et Thierry vont toucher environ deux millions d'ici peu, mais les filleuls devront se contenter de cent mille dollars. Ça peut faire des jaloux… Qui sont ces filleuls ?

— De mon côté, j'ai une nièce dont nous étions les parrain et marraine, Élodie, qui a dix ans aujourd'hui. Il y a les jumeaux du côté de chez Lily qui ont cinq ans et Roberto, le filleul de Francesca et Bernard. Le fils du ministre Vallières et Vincent Corriveau, l'aîné des filleuls.

Le crayon de Maud Graham resta suspendu au-dessus du calepin durant une fraction de seconde. Vincent Corriveau…

— Le fils de Paul Corriveau ? s'informa-t-elle en tentant de contenir sa fébrilité.

— Je l'ai rencontré pour la première fois à l'enterrement, poursuivait Marjorie. Il avait l'air troublé, mais quand j'en ai parlé avec Francesca, elle m'a appris que Bernard ne le voyait qu'une ou deux fois par année, pour lui remettre son cadeau d'anniversaire et aux fêtes.

— Il n'était donc pas si attaché à son parrain ?

— J'en serais étonnée. D'après Thierry, il connaît bien Jules et Livia, ils sont presque du même âge. D'après Francesca, sa vie n'a pas été facile. Son père était violent. C'était un copain de jeunesse de Bernard.

— Et le fils Vallières ?

— Bernard et Michel Vallières ont étudié ensemble. Bien avant que Michel se lance en politique.

— Ça n'a jamais tenté M. Saucier?

— Non.

Elle sourit de nouveau avant d'ajouter qu'il y avait trop de lois à respecter dans cet univers.

— Voulez-vous insinuer que votre ex-mari pouvait être malhonnête?

— Bernard aimait avoir les coudées franches. Et il pouvait payer pour les avoir davantage, si nécessaire. Peut-être plus que je ne le pensais. J'imagine toutes sortes de choses depuis son assassinat. Je ne crois pas qu'il faisait affaire avec des… membres de la mafia, mais il a tout de même été assassiné. C'est vous qui pourriez me le confirmer. Ça ressemble à une exécution, non?

— Ça ressemble à une mort violente. Nous n'avons aucun indice qui relie ce meurtre au milieu criminel. Êtes-vous certaine de m'avoir tout dit sur sa manière d'avoir les coudées franches?

Marjorie Pelletier hocha la tête; bien sûr que oui! Elle ignorait, au fond, la manière dont travaillait Bernard Saucier. Elle avait seulement émis une hypothèse.

— Fondée pourtant sur des éléments? Si vous avez pensé qu'il pouvait avoir des liens avec…

— Non, non, protesta Marjorie Pelletier.

Sa véhémence confirma l'hypothèse qui venait de germer dans l'esprit de Graham. L'ex-épouse devait avoir subitement pensé que, advenant le cas où on prouverait que Saucier avait des liens avec un groupe mafieux, ses avoirs pourraient être scrutés à la loupe par le ministère de la Justice. Est-ce que l'héritage pouvait être alors contesté? Les biens saisis? Thierry privé de ses deux millions?

— Je n'ai jamais dit ça. Bernard était un homme dur en affaires. J'ai entendu des discussions où il s'est montré très tranchant, refusant des délais, des concessions. Ses méthodes ont pu paraître brutales à certaines personnes. À une de ses victimes économiques. C'est tout ce que je voulais dire.

Graham inclina la tête pour signifier qu'elle comprenait le sens de ses propos puis revint au testament; qui d'autre avait hérité de Bernard Saucier?

— D'après le rapport d'un de nos agents, vingt et une personnes se sont présentées au cabinet de maître Désy pour la lecture des documents.

— Les six autres personnes ont travaillé dans ses hôtels depuis leur création. Il les a récompensées de leur fidélité avec un beau chèque: dix mille dollars par année de boulot pour la chaîne hôtelière.

Graham avait inscrit toutes les sommes que Marjorie lui avait indiquées et les relut puis leva la tête; la fortune de Saucier était évaluée à cent millions de dollars. À qui était destiné le reste?

— Des bourses, des œuvres caritatives, les arts de la scène. Tout le monde a eu droit à son cadeau.

— Je m'explique mieux pourquoi il y avait tant de vedettes à l'enterrement, confia Graham. Votre mari allait souvent au théâtre, au concert?

— Oui. Il faisait semblant d'aimer ça pour véhiculer l'image d'un homme cultivé, mais s'il a lu dix livres dans sa vie, c'est le maximum.

Maud Graham, qui n'aimait pas tellement la lecture, faillit dire qu'on pouvait apprécier le théâtre même si on n'avait pas lu l'auteur avant d'assister à la représentation et classa Marjorie Pelletier parmi les snobs. Sa remarque avait valu un mouvement de sympathie de sa part envers Saucier; s'il avait vécu avec une femme qui le méprisait, il avait eu raison de divorcer. Elle se fustigea la seconde suivante; qu'avait-elle à dédouaner ainsi Saucier? Elle savait qu'il avait trompé ses épouses à répétition, connaissait les noms de ses maîtresses.

— Et ses maîtresses? Il n'a rien laissé pour elles?

— Elles doivent se contenter des cadeaux qu'elles ont reçus durant leur liaison. S'il fallait qu'il les ait toutes couchées sur son testament…

Marjorie sourit à son jeu de mots. « Couchées » était un bien grand mot; il avait dû prendre des dizaines de femmes sur le canapé de son bureau sans y mettre plus de forme.

— Alors qu'il était patron d'une chaîne d'hôtels? Il devait disposer des suites à son aise?

— Les suites, les bureaux, les ascenseurs, n'importe où. Vous le savez sûrement, c'est impossible de tenir le compte de toutes les femmes qu'il a baisées.

— Vous n'avez pas évalué l'hypothèse que l'une d'entre elles l'ait tué?

Marjorie Pelletier joua avec une de ses mèches dorées; tout était possible, mais de là à deviner quelle femme pouvait avoir abattu Bernard Saucier…

— Rien d'autre sur le testament?

— Son frère, évidemment, a reçu plusieurs millions pour ses missions en Afrique. De quoi se faire pardonner tous ses péchés.

— Et Cliche?

— Cliche?

— Le type du chantier qui est handicapé.

— Ah oui! Cliche… Il continuera à toucher une rente.

— Votre ex a-t-il déjà évoqué avec vous l'accident du chantier qui a rendu cet homme infirme?

— J'ai compris que Bernard avait fait une erreur.

— Il a payé pour éviter que Cliche le poursuive?

— Non, protesta Marjorie Pelletier. Il paie pour son image, elle ne devait pas être ternie par cette malheureuse histoire. L'Empereur pouvait être dur en affaires mais fidèle en amitié. Cette rente n'était pas ruineuse et Thierry est au courant, il continuera à la verser à Cliche.

Marjorie Pelletier saisit les tasses à café, indiquant qu'elle allait se lever et reconduire Maud Graham à l'entrée. Celle-ci la remercia de nouveau et, après avoir refermé la porte derrière elle, prit une longue inspiration ; le parfum trop citronné de l'hôtesse l'avait un peu écœurée. Mais peut-être manquait-elle d'objectivité, peut-être était-elle un peu jalouse de tous les loisirs dont disposait cette femme.

Non. Aurait-elle préféré faire du bénévolat plutôt que se rendre au travail ? Non. Elle aimait trop découvrir les secrets des criminels, étudier leur mode opératoire. La chasse. L'enquête sur la mort de Saucier l'exaspérait car toutes les hypothèses étaient permises, mais, paradoxalement, n'était-ce pas excitant d'avoir un tel éventail de possibilités et d'isoler la bonne ?

Ce qui l'intriguait maintenant, c'était l'attitude de Vincent Corriveau. Elle-même ne visitait ses parrain et marraine qu'une ou deux fois par an ; elle ne serait pas bouleversée lorsqu'ils décéderaient.

Où habitait ce jeune homme ? Jules Saucier devait le savoir. Jules Saucier que Joubert avait convoqué au poste. Qu'apprendrait-il de ce fils qui héritait de beaucoup d'argent, de ce fils à l'alibi si fragile ? Est-ce que le nom d'Amélie Tellier lui serait familier ? Son père l'avait-il nommée quand il s'entretenait au téléphone avec une femme, au moment où Jules était entré chez lui ? Il avait affirmé que Bernard avait dit à son interlocutrice de ne plus l'importuner, mais se souviendrait-il d'un nom que son père avait pu prononcer ?

Pour le moment, Amélie Tellier s'entêtait, comme son mari, à répéter *ad nauseam* la même version.

***

Pierre-Ange Provencher avait envoyé les résultats de l'analyse comparative des plumes trouvées sur Corriveau et Saucier ; elles se ressemblaient, mais l'une était plus vieille que l'autre.

— Tu veux dire qu'elles ne proviennent pas de la même bernache ? Ou l'une est plus ancienne parce qu'elle a vieilli depuis qu'elle était sur le corps de Corriveau et que ça remonte à dix ans ?

— Elles ne viennent pas du même oiseau, assura Provencher au bout du fil.

Graham déplaça la photo de Maxime, Grégoire et Alain sur son bureau avant de répondre à Provencher qu'elle ignorait ce que ça signifiait.

— Le meurtrier a voulu signer son crime avec une plume. Si ça venait du même oiseau, on pourrait supposer qu'il en a conservé plusieurs dans le but de les distribuer…

— À combien d'autres personnes ? s'écria Provencher. On a vérifié s'il y a eu d'autres meurtres signés d'une plume et nous n'avons rien au Québec, ni au Canada, ni chez nos voisins.

— De toute manière, qu'elles viennent de deux oies différentes ne change rien au fait qu'il est certain que ce n'est pas une coïncidence. Ces plumes ont une signification particulière pour l'assassin. J'aimerais bien rencontrer le fils de Paul Corriveau tantôt. Peut-être sait-il quelque chose sur les plumes. C'est lui qui a découvert le corps de son père.

— D'après ton courriel, il hérite de cent mille dollars, dit Provencher. On peut le placer sur la liste des suspects.

— Avec tous les proches de la victime. Joubert est avec Jules Saucier. On verra ce qui ressortira de leur entretien.

Ils sont ensemble depuis plus d'une heure. Peut-être aura-t-il une attitude différente avec Joubert. On te rappelle quand il en aura fini avec lui.

— Jules avait cinq ans lors du meurtre de Brûlotte. Supposons qu'il fait partie de la même série que les meurtres de Corriveau et de Saucier, à cause de la date du 18 juillet, bien qu'on n'ait pas trouvé de plume sur son corps... Franchement, je ne conçois pas de lien entre cette signature et Jules Saucier. Mais d'un autre côté, il a de bonnes raisons d'avoir voulu la mort de son père. Il risquait d'être déshérité en sortant du garde-robe.

— Il avait donc un excellent motif pour tuer Bernard Saucier.

Elle fit une pause, puis ajouta qu'il pouvait avoir obéi à la colère plutôt qu'à l'envie.

— Et si ce n'était pas une question d'argent mais d'orgueil ? Il en avait assez d'être méprisé par son père. Quand il est allé le voir, celui-ci a continué sa conversation au téléphone, alors qu'il aurait dû s'interroger sur la visite de son fils à cette heure du matin, non ?

— Bernard était en train de rompre, d'après ce que Jules nous a raconté. Ce n'est pas le genre de conversation qu'on interrompt facilement.

— N'empêche que Jules a pu se sentir rejeté, une fois de plus.

— Mais nous n'avons rien qui prouve qu'il a tiré sur lui. Il faudrait retrouver cette maudite arme !

Maud Graham appela Maxime pour le prévenir qu'elle serait peut-être en retard à la maison, qu'il y avait du poulet au citron et du riz.

— Arrête de m'appeler pour me décrire ce qu'il y a dans le frigo, Biscuit. Je suis capable de me nourrir. Je n'ai plus dix ans !

— Tu fais quelque chose avec Michaël, ce soir ?

Elle espérait qu'elle avait su insuffler de la chaleur à cette simple phrase et persuader Maxime qu'elle était toujours contente qu'il soit ami avec Michaël, même si cette amitié avait failli avoir de fatales conséquences.

— Tu peux l'inviter à souper avec nous.

— On ira voir un film. On est bien à l'air climatisé.

Elle faillit lui dire que leur maison aussi était climatisée, qu'il pouvait louer des DVD et les regarder dans le salon, mais elle se tut. Probablement qu'ils sortaient retrouver d'autres amis. Ou des filles ? Est-ce que Maxime s'intéressait de nouveau aux filles même s'il n'en parlait jamais ? Surtout s'il n'en parlait jamais ?

— Ne te gêne pas pour emmener des amis chez nous, fit-elle. De toute façon, je serai enfermée dans mon bureau, je ne vous dérangerai pas.

— On verra.

Maud Graham soupira en reposant le téléphone. Maxime hésitait encore à emmener des amis à la maison, même si elle lui avait promis de se débarrasser de sa manie de les interroger. Elle avait plaidé qu'elle voulait seulement être aimable et mieux les connaître quand il l'avait accusée d'être trop curieuse ; il avait rétorqué que les autres parents ne lui posaient pas autant de questions.

Elle feuilletait son calepin vert pâle en songeant que la couverture cartonnée était de la couleur d'un thé matcha et se dit qu'elle aurait dû en acheter plusieurs, qu'elle serait toujours contente de savourer cette couleur à chaque nouvelle enquête. Moreau se moquait de son habitude d'avoir un calepin neuf quand elle abordait une nouvelle affaire, mais que valait l'opinion de Moreau ? Elle vérifiait l'adresse de Vincent Corriveau lorsque Michel Joubert s'assit devant elle.

— On aura peut-être une preuve que Jules Saucier était vraiment en route pour le Bic dans la nuit du

18 juillet. Ça ne prouve pas qu'il n'a pas tué son père, car l'heure de la mort ne peut être aussi précise, mais si Jules Saucier apparaît sur les bandes vidéo de la station-service où il s'est arrêté pour prendre de l'essence, ça nous indiquera tout de même qu'il roulait sur la 20 la nuit du 18 juillet.

— Tu penses qu'on le verra vraiment ?

— Il est resté un certain temps dans les toilettes. Il n'était pas seul.

— Il est parti de Québec avec son chum ? Un ami ?

Joubert secoua la tête.

— Il ne connaissait pas le type avec qui il a peut-être baisé dans ces toilettes. Ils se sont seulement croisés au dépanneur qui jouxte le poste d'essence.

Maud Graham leva les sourcils.

— Vraiment ?

— Ce sont des choses qui arrivent.

— Je le sais. Grégoire m'a déjà raconté des histoires de *backstore*, je ne suis pas si innocente. Mais je trouve que cette baise tombe à pic pour fournir un genre d'alibi à Jules Saucier. Et j'insiste sur le mot « genre ». L'heure du décès n'est pas précise à la demi-heure près...

— Il s'est aussi arrêté sur le boulevard Laurier pour boire un verre, continua Joubert. J'ai le nom du bar, j'irai interroger le personnel.

— Il a bu avant de conduire jusqu'au Bic. Drôle d'idée...

— Il a pris un Perrier et un cognac vers deux heures. Il était en colère après sa rencontre ratée avec son père. Il a voulu se calmer. Tu disais toi-même que tu croyais davantage à une histoire reliée au chantier. Tu changes d'idée ?

— Oui. Non. Avoue que c'est bizarre qu'il soit parti du chalet du Bic si tard le dimanche, alors qu'il était arrivé là l'avant-veille. Je crois à tout et à rien. Pourquoi Jules ne nous a-t-il pas parlé de cet… épisode sur l'autoroute? C'est plutôt en faveur de son innocence.

— Ce n'est pas évident à raconter, mais comme il a compris que je suis gay…

— Qu'a-t-il raconté à propos de son père? s'enquit Graham.

— Rien de nouveau de ce côté-là. Il ne nous a jamais caché qu'ils ne s'entendaient pas. Je pense qu'il regrette leur dernière conversation ou plutôt l'absence de cette conversation, mais il maintient que son père était au téléphone avec une femme. Aux alentours d'une heure. Ça coïncide avec le relevé téléphonique des Sansregret. Il peut se sentir coupable de ne pas avoir attendu que son père raccroche, de ne pas être resté.

— Il te l'a avoué?

— Non, mais c'est clair qu'il s'en veut.

— Et à propos de Vincent Corriveau? demanda Graham.

— Il a paru un peu surpris que je lui demande ses coordonnées. Il m'a expliqué que c'est lui qui a appris à son père que Paul Corriveau battait sa femme et ses enfants. Bernard Saucier a pris les choses en main et, du jour au lendemain, la famille a été débarrassée du père violent.

— Jules et Vincent étaient donc assez près quand ils étaient jeunes? Marjorie pensait le contraire.

— Elle peut avoir raison. Ils ne se rencontraient qu'une ou deux fois par année, quand Vincent allait chercher son cadeau d'anniversaire. Occasionnellement durant les vacances.

— Ça m'étonne qu'il lui ait confié que Paul Corriveau le maltraitait. Habituellement, les victimes cachent ce secret, elles en ont honte.

— Vincent a pu parler pour protéger ses petites sœurs. C'est fréquent dans les cas d'inceste, de violence familiale. L'aîné trinque, mais n'accepte pas que les autres subissent les mêmes agressions. Il est temps qu'on rencontre ce Vincent.

— Je suppose qu'il n'aura pas d'alibi, soupira Graham. Comme tous les autres. Mais de toute manière, pourquoi aurait-il tué l'homme qui les a libérés de Paul Corriveau?

— Pour cent mille dollars? Peut-être qu'il a des dettes de jeu, de drogue. Nous n'avons pas tellement d'information sur lui, à ce stade-ci.

— La question est: savait-il qu'il hériterait de cet argent? Ça m'étonnerait... Saucier lui faisait un cadeau chaque année. En quoi consistait ce présent? Si c'est du fric, il aurait abattu sa vache à lait?

Graham attrapa son sac à main et tendit les clés de sa voiture à Joubert.

— Discutons avec ce jeune homme. On a de la chance qu'il travaille tout près.

***

La rue de la Reine était parallèle à la rue Saint-Joseph, maintenant très à la mode dans le quartier Saint-Roch avec ses boutiques et ses restaurants de qualité. Maud Graham et André Rouaix avaient d'ailleurs l'habitude de luncher au Yuzu, et elle avait acheté non loin du resto un très délicat bracelet pour son amie Léa chez Mademoiselle B, une jolie bijouterie au charme délicieusement suranné. Vincent Corriveau demeurait de l'autre côté de l'église, au deuxième étage d'un immeuble qui aurait eu besoin d'être rénové.

— C'est étonnant, ce mélange d'habitations décrépites et d'appartements luxueux, commenta Joubert en faisant allusion au domicile de Guérin situé tout près de l'hôtel Pur.

— À quelques mètres de chez Guérin et totalement différent ! dit Graham en jetant un coup d'œil à travers la porte vitrée de l'entrée où trois des quatre boîtes à lettres étaient brisées. Ça me surprendrait que Vincent reste là lorsqu'il aura touché sa part d'héritage.

— J'habitais dans un appartement assez minable quand j'ai commencé à travailler, fit Joubert. J'ai mis de l'argent de côté pendant dix ans pour m'offrir mieux.

— Ce sera moins long pour Vincent Corriveau. Bon, on a une idée d'où il vit, voyons où il travaille.

Ils marchèrent jusqu'au centre sportif et Graham reconnut aussitôt le jeune homme. Elle s'étonna de ne pas avoir remarqué à quel point il était musclé lorsqu'elle l'avait aperçu aux funérailles. Une employée en short et tee-shirt s'approcha du duo d'enquêteurs ; que désiraient-ils ?

— On souhaiterait s'entretenir avec Vincent Corriveau.

La fille fut tentée de questionner Graham, mais se résigna à héler son collègue. Vincent Corriveau s'avança vers eux, l'air méfiant. Joubert fit les présentations, expliqua qu'ils étaient obligés de rencontrer tous les gens qui avaient eu un lien avec Bernard Saucier.

— Bernard Saucier ! Tu le connaissais ? s'exclama Joanie.

— Voulez-vous qu'on discute dehors ? proposa Joubert.

Corriveau acquiesça, devançant les enquêteurs vers la sortie.

Afin qu'ils ne puissent voir son expression ? se demanda Graham.

— On a su que vous toucherez cent mille dollars.

Vincent Corriveau fronça les sourcils ; il croyait que les notaires étaient soumis au secret professionnel.

— C'est le cas. Ce n'est pas lui qui nous a informés. Ça vous ennuie qu'on soit au courant ?

Il haussa les épaules.

— Est-ce que ce legs vous a surpris ?

— Oui et non. J'espérais bien que mon parrain penserait à moi. C'est normal…

— Tout à fait, approuva Graham. Il était tellement riche. Je n'ai jamais connu de près un millionnaire. Ça devait vous impressionner d'aller chez lui ?

— Quand on est jeune, tout nous impressionne.

— Et ses enfants ? Ils étaient gentils avec vous ?

— On jouait ensemble quelques heures par année. Mon parrain me remettait un cadeau et je repartais. Je ne vois pas ce que je pourrais vous dire sur lui. Mon père le connaissait bien, mais il est mort.

— On veut aussi vous parler de lui.

Graham désigna un banc de bois à quelques mètres d'eux. Ils profiteraient de l'ombre d'un érable rouge. Vincent Corriveau s'assit sur le bout du banc comme s'il n'entendait pas rester là longtemps.

— On vous a interrompu dans votre entraînement, s'excusa Joubert, mais on souhaiterait évoquer l'été 2001. Ce sont sûrement de mauvais souvenirs, mais nous avons lu le rapport des autorités américaines et appris que c'est vous qui aviez trouvé votre père.

— C'est vrai.

— Comment les choses se sont-elles déroulées ?

— Pourquoi me parlez-vous de mon père ? Quel rapport avec mon parrain ?

— C'est étrange qu'ils aient connu tous deux une mort violente, dit Maud Graham. On nous a transféré le dossier de votre père et nous avons découvert qu'il y avait une plume sur son corps. Comme pour Bernard Saucier.

— On vous prierait de garder cette information pour vous, ajouta aussitôt Joubert. Les journalistes ne sont pas au courant.

Vincent Corriveau battit des paupières ; en signe d'acquiescement ou de nervosité ?

— Parlez-nous de ce soir où vous l'avez découvert.

— Vous allez être déçus. Je ne me souviens de rien. J'ai tout oublié à partir du moment où je suis arrivé chez lui. Je me souviens juste que je suis descendu de l'autobus. Puis que ma mère est venue me chercher au poste de police. Il paraît que j'avais du sang sur moi.

— Mais ce n'est pas vous qui l'avez tué, nous le savons.

— Ils ont fait les tests de poudre sur les mains, paraît-il. Je ne me souviens pas de ça non plus. J'imagine que tout était clair pour eux, car j'ai vite été relâché.

— Mais votre mémoire, elle, ne s'est pas réveillée, murmura Graham. Les spécialistes vous ont-ils traité pour cette amnésie antérograde ?

— Je n'ai pas consulté de spécialistes. Je n'ai pas envie qu'on m'aide à me souvenir de ce jour-là !

— Et des précédents ? Quand votre père était vivant ? Vous le voyiez souvent ?

— Trois ou quatre fois par an. Ce n'était pas évident parce qu'il habitait de l'autre côté de la frontière.

— Il vous parlait souvent du chantier du nord où il avait travaillé avec Bernard Saucier ?

— Non, mentit Vincent Corriveau en regardant de l'autre côté de la rue.

Il ne raconterait pas à des étrangers qu'il avait entendu son père maudire son parrain durant des années.

— Et de son ami Bernard ? Que vous racontait-il sur lui ?

Vincent Corriveau eut un signe d'ignorance qu'il espérait convaincant et finit par marmonner « pas grand-chose ».

— Lui en voulait-il de s'être mêlé des problèmes de votre famille ? On en a discuté avec Jules Saucier.

— Avec Jules ?

— On essaie de se faire une idée de la dynamique familiale.

— Où étiez-vous la nuit où Bernard Saucier a été tué ? demanda brusquement Joubert.

— Chez moi. Je dormais.

— Seul ?

— Je ne m'en souviens pas. J'avais bu. Il n'y avait personne quand je me suis réveillé à midi. Il me semblait pourtant que j'étais rentré avec une blonde... J'ai payé des shooters. On s'est peut-être quittés avant que je rentre. C'est pas mal flou.

— Où avez-vous bu ?

— Au Cercle. Au Tango. Je me suis promené de l'un à l'autre.

— Avec qui ?

— Avec n'importe qui. C'est ma soirée de congé, je suis sorti.

— Ça vous arrive souvent ?

— Je suis majeur et vacciné. C'est quoi, votre problème ? Vous deviez me parler de mon parrain.

— C'est ce qu'on fait. On essaie de savoir si vous êtes allé faire un tour chez lui la nuit où il a été tué.

Vincent Corriveau se mordit les lèvres avant d'esquisser une moue.

— Si j'y étais, je ne m'en souviens pas.

— Avez-vous vu Jules Saucier, ce soir-là ?

— Jules ? Je... Je ne pense pas... bégaya Vincent avant d'affirmer avec plus d'assurance qu'il était ivre.

— J'en ai perdu des bouts.

— Vous aviez un événement à fêter ?

Corriveau haussa les épaules ; était-ce sa seule manière de s'exprimer ?

— Quand je sors, je sors. Je suis majeur et vacciné, redit-il.

Des clichés, des phrases toutes faites. Toutes prêtes ? Répétées en prévision de cette rencontre ? Ils enquêteraient dans ces bars où s'était enivré Vincent Corriveau en espérant que les serveurs se souviendraient de lui et pourraient leur en dire un peu plus sur ce client.

— Vous fréquentez ces bars assidûment ?

— Mais pourquoi me parlez-vous des bars ? Vous vouliez savoir des choses sur mon parrain.

Graham avait noté qu'il n'avait jamais nommé Bernard Saucier ; il tenait à être identifié comme son filleul.

— Les autres filleuls, vous les connaissez ?

— Je les ai rencontrés la fois où mon parrain nous a emmenés à Disney World. Avec ses enfants.

— Vos sœurs devaient être jalouses de vous ?

— C'est sûr.

— Et vous, vous étiez peut-être jaloux des enfants Saucier...

Vincent Corriveau battit des paupières avant de dire qu'il s'entendait bien avec Jules et Livia, même s'il les connaissait peu. Les enquêteurs voulaient-ils ou non l'entretenir de son parrain ?

— Absolument, dit Graham, mais vous prétendiez tantôt ne pas avoir grand-chose à dire sur lui...

— Comment était-il ? interrogea Joubert.

— Occupé. Toujours pressé. Une fois, j'ai même eu mon cadeau dans le taxi qui le conduisait à l'aéroport de L'Ancienne-Lorette. C'était un homme d'affaires.

— Que faites-vous dans la vie ? s'enquit Maud Graham.

— Vous le savez, je suis entraîneur.

— Vous avez étudié à l'université Laval ? fit Graham.

Vincent Corriveau parut surpris, mais secoua la tête.

— J'ai des diplômes. Et je suis secouriste.

— Et Jules Saucier ?

Graham eut l'impression que Vincent Corriveau se tendait imperceptiblement.

— Quoi, Jules ? Qu'est-ce que vous voulez savoir ? S'il est gay ? Oui. C'était ça, votre question ?

— Non. Quelles étaient vos relations ?

— Nos relations ? Je ne suis pas gay !

— Vous avez peu de différence d'âge. Enfants, vous avez joué ensemble, vous auriez pu devenir amis. Avec Jules. Ou avec Livia. Êtes-vous en contact avec elle ?

Vincent se mouilla les lèvres du bout de la langue tout en évitant le regard de Graham.

— Je vous ai dit tantôt que j'allais chercher mon cadeau et que je retournais chez nous ensuite. *That's it, that's all.*

Avait-il été assez convaincant ? Se pouvait-il que les enquêteurs en sachent plus sur Livia et lui ? Non, non. Ils ne s'étaient pas revus depuis la mort de Saucier. Ne s'étaient même pas téléphoné.

— Vous aviez l'air de sympathiser avec Jules à l'enterrement. On vous a aperçu avec lui près de la limousine.

— Ça me faisait de la peine pour lui, répondit trop vite Vincent. C'était son père.

— Vous ignoriez que leur relation était conflictuelle ?

— Je viens de vous le dire, on n'est pas des chums. J'ai juste eu un geste de sympathie normal. J'ai été bien élevé.

— Votre mère n'était pas aux funérailles, si j'ai bonne mémoire.

— Ma mère ?

— Je croyais que Bernard Saucier l'avait aidée à se séparer de votre père.

— Puis après ?

Vincent Corriveau avait écarté les doigts sur ses genoux, de longs doigts qui dessinaient des étoiles rigides sur son pantalon, trahissant son agacement. Ou sa nervosité. Graham était satisfaite ; désarçonner un témoin faisait partie de ses méthodes.

— Elle aurait pu assister à l'enterrement par gratitude et...

— Elle n'habite pas à Québec.

— Est-ce que votre père vous a parlé d'une oie qu'il aurait mangée au chantier ?

— Une oie ?

La surprise de Vincent Corriveau n'était pas feinte, paria Graham.

— Avec Bernard Saucier, il aurait mangé une oie qui appartenait à un autre employé de la compagnie. Un Innu, un Montagnais.

— Non.

— Mais vous avez peut-être oublié ça aussi, suggéra Graham.

— C'est étrange qu'on ait trouvé une plume d'oie sur le corps de votre père et sur celui de Saucier, dit Michel Joubert.

Une jeune femme aux cheveux roses très courts marchait de l'autre côté de la rue et adressa un grand signe de la main à Vincent Corriveau, lui évitant de répondre à l'enquêteur. Il lui sourit avant de regarder sa montre.

— Je suis son entraîneur.

— Elle a l'air de vous apprécier, observa Maud Graham.

— Vous voulez savoir si je couche avec elle ? Je m'en souviendrais si j'avais passé la nuit avec elle. Je n'aurais pas oublié ses cheveux.

Sans quitter Vincent des yeux, Graham sourit comme si la remarque l'amusait malgré l'arrogance du ton.

— Est-ce que votre père connaissait des autochtones ? s'informa Joubert.

— Peut-être à son travail à Massena. Il n'était pas loin d'une réserve mohawk. Mais il ne m'en a pas parlé.

— De quoi jasiez-vous quand vous alliez chez lui ?

— De chars, répondit aussitôt Vincent. On aimait ça tous les deux.

— Mais vous n'avez pas de voiture…

— Je n'ai pas envie de conduire n'importe quoi. J'aime mieux attendre que…

Il ne termina pas sa phrase et Maud Graham fut tentée de la compléter ; il attendait de toucher l'héritage pour s'acheter la voiture de ses rêves. Elle se contenta de le saluer tout en songeant qu'elle ferait vérifier les locations de véhicules à Québec dans les jours précédant le 18 juillet.

— Merci, nous aurons peut-être d'autres questions.

— Vous interrogez vraiment tous ceux qui ont connu mon parrain ? C'est quasiment impossible.

— On a commencé par la famille et les associés et on élargit le cercle, répondit Joubert.

— Pour être honnête, compléta Graham, c'est parce que nous n'avançons pas beaucoup dans notre enquête. On ne doit rien laisser passer.

— Je n'ai pas pu vous aider beaucoup, s'excusa Vincent Corriveau.

Maud Graham posa une main sur son épaule et l'assura en souriant qu'il les avait aidés plus qu'il ne l'imaginait. Elle sentit ses muscles se durcir contre la paume de sa main.

Ils regardèrent Vincent Corriveau regagner le centre sportif.

— Il faut qu'on vérifie s'il a bu autant qu'il le prétend. S'il a tout oublié.

— C'est possible en ce qui concerne la mort de son père. Le choc...

— Tout est possible, c'est ça le problème, marmonna Maud Graham. Je suis néanmoins certaine qu'il nous cache quelque chose. Il était mal à l'aise quand j'ai évoqué Jules et Livia.

— Ça peut être simplement un petit trafic de stéroïdes au gym...

— Tout est possible, répéta Graham. Mais ce lien entre Jules et Vincent existe. On doit creuser ça. Je crois qu'on a une raison de plus pour obtenir un mandat pour surveiller Jules.

— Et le mettre sous écoute ?

— Oui.

— Tu restes sceptique au sujet de sa visite à Loretteville ?

— Je ne crois pas aux coïncidences. On reviendra dans le quartier en fin d'après-midi pour faire le tour des bars. Peut-être que le fils du ministre Vallières a appris quelque chose à McEwen et à Rouaix ? Quant à l'autre filleul...

Le neveu de Francesca Tozi habitait aussi à New York. Il n'avait pas fait le voyage pour assister à la lecture du testament, travaillant comme chef opérateur sur un tournage. Il avait dit au téléphone à Rouaix qu'une centaine de personnes pouvaient témoigner qu'il était bien à Brooklyn le soir du meurtre de son parrain. Parrain qu'il n'avait vu que six ou sept fois en tout dans sa vie. Et, oui, il était content de toucher cent mille dollars. C'était une bonne nouvelle.

— Roberto Tozi gagne très correctement sa vie, avait rapporté plus tôt Rouaix au briefing du matin. Il excelle dans son métier. Son père est riche, sa marraine Francesca aussi. Il était vraiment à New York au moment de l'assassinat. Franchement, je ne l'imagine pas commanditer ce meurtre. Les jumeaux sont trop jeunes, Élodie aussi.

— Il nous reste Vincent Corriveau et Mathieu Vallières.

— Je m'occupe de Vallières? avait proposé Rouaix. J'ai noté qu'il habitait à Loretteville.

— Comme son parrain, firent en chœur McEwen et Nguyen.

— Il a un alibi aussi faible que tous les autres. Il était couché chez lui. Seul.

— Moi, je veux reparler à Daniel Constant, avait déclaré Moreau. Il n'est pas net!

Comme s'il lisait dans les pensées alors qu'ils regagnaient leur voiture, Michel Joubert demanda à Graham si, selon elle, Moreau avait raison de croire que le militant de Grandir était suspect comme il l'avait affirmé en matinée.

— J'ai des doutes.

— Tu as des doutes parce que tu ne crois pas aux intuitions de Moreau ou parce que tu penses que ce militant n'a rien à voir avec le meurtre de Saucier?

— Les deux raisons sont bonnes. Même si j'admets que ce Constant a beaucoup trop d'armes.

Elle se tut, pensive, avec le sentiment qu'un détail agaçant lui échappait. Elle se rappela qu'elle avait éprouvé la même sensation en sortant des Jardins Mérici quelques jours plus tôt.

— Il est temps que je retourne voir Jean-François Cliche, déclara-t-elle.

— Et tu vois avec Gagné pour la surveillance du fils Saucier. Il était chez son père le soir du crime. Il a pu débrancher le système d'alarme pour revenir plus tard et le tuer. Ou avoir un complice.

***

Le sac de voyage était à moitié plein quand Evelyne Bédard poussa la porte de la chambre où Daniel Constant s'activait depuis quinze minutes.

— Où vas-tu ?

— J'ai un contrat à Sorel, mentit-il.

— On doit partir en vacances demain !

— Je le sais, chérie, mais je ne pouvais pas refuser, c'est trop payant.

Evelyne s'assit sur le bord du lit et se mit à pleurer, incapable de retenir ses larmes de déception même si elle savait qu'elles agaceraient Daniel. Elle avait réservé trois nuits dans un hôtel à Lake Placid, trois à Boston et les trois dernières à New York, tout près de Fifth Avenue ! Elle s'était assurée que dans toutes les chambres il leur serait possible d'ouvrir les fenêtres, car Daniel détestait la climatisation, si artificielle. Est-ce que le vent n'était pas plus agréable ? Oui, quand il y en avait, croyait Evelyne, mais elle ne contredisait pas Daniel. Elle était consciente de sa chance ; qu'un homme aussi brillant s'intéresse à elle qui frisait la cinquantaine et qui avait vingt kilos en trop. Elle ne comprenait toujours pas pourquoi il restait avec elle. Elle était peut-être plus riche que lui, mais elle n'était pas fortunée. Et d'ailleurs, il n'avait jamais voulu qu'elle paie pour lui lors de leurs sorties et il lui remettait chaque mois un chèque pour les dépenses de la maison qu'elle avait achetée l'année précédant leur rencontre. Trois ans déjà ? Elle commençait à se détendre après avoir craint durant les premiers mois qu'il la quitterait, qu'il comprendrait son erreur, et voilà qu'il faisait sa valise. Non, pas une valise, un sac de voyage. On ne part pas pour toujours avec seulement un sac de voyage. Elle s'inquiétait pour rien. Elle n'avait pas à paniquer. Elle inspira profondément avant de s'enquérir de son retour.

— Je ne sais pas trop. Ça dépendra du projet. Je te téléphonerai dès que j'arriverai là-bas.

— C'est pour une maison entièrement verte ?

Il hocha la tête tout en continuant à remplir son sac. Il avait espéré terminer avant le retour d'Evelyne, qu'elle trouve la lettre de rupture, mais il était obligé de la rassurer alors qu'il avait tant besoin de se concentrer. Il ne devait rien oublier chez elle, car il ne pourrait pas y revenir. Il devait s'évanouir dans la nature. Mais au moins Bernard Saucier était mort. Il n'aurait pas cru que les enquêteurs voudraient rencontrer tous les membres de Grandir, sinon il serait parti avant que les ennuis commencent.

Et maintenant, il y avait ces maudites empreintes relevées chez Saucier ! Il n'aurait jamais dû se pointer chez lui, mais quand il l'avait reconnu à la Pinsonnière où Evelyne lui avait donné rendez-vous, il avait failli appeler tout de suite Elias Sansregret pour lui annoncer que Saucier était à quelques mètres de lui. En compagnie de sa femme. Et qu'ils semblaient beaucoup se plaire. Pourquoi était-il resté sagement assis ? Pourquoi avait-il plutôt tourné son siège de façon à ce qu'Amélie Tellier ne puisse l'apercevoir ? Evelyne, en arrivant, avait cru qu'il lui avait laissé la banquette par gentillesse et lui avait adressé un tel sourire qu'il s'était senti gêné d'abuser ainsi de sa confiance ; elle était trop gentille, c'était d'ailleurs ce qui l'avait attiré en elle, sa douceur, sa candeur. Grâce aux jeux de miroirs, il avait pu surveiller les tourtereaux qui restaient discrets, évitaient les jeux de mains et les embrassades, mais le langage de leurs corps trahissait leur intimité. Lorsqu'Amélie s'était levée à la fin du repas, il l'avait suivie, l'avait vue emprunter l'ascenseur. Elle n'était pas en visite à l'hôtel et ne repartait pas pour Québec après le souper. Elle restait à coucher là. Dans la même chambre que Saucier. Il devait s'en assurer. Il avait surveillé les chiffres lumineux, constaté que l'ascenseur s'arrêtait au dernier étage. Celui des suites.

Il avait attendu encore quelques minutes et avait vu apparaître Saucier qui avait pris à son tour l'ascenseur. Il s'était élancé dans l'escalier de secours, avait grimpé les étages et était arrivé à temps pour voir Amélie entrebâiller la porte et Saucier se glisser dans la chambre.

Il était retourné au restaurant et avait dit à Evelyne, intriguée par sa longue absence, qu'il avait reçu un appel sur son cellulaire.

— À cette heure ?

— Il n'est pas si tard pour un samedi. On s'offre une autre bouteille ?

Evelyne avait accepté alors qu'elle supportait mal l'alcool et, comme il l'avait prévu, elle était restée couchée le lendemain jusqu'à onze heures. Il avait eu la paix pour réfléchir à ce qu'il avait appris et avait décidé de proposer un marché à Saucier. Il garderait le silence sur sa liaison avec Amélie Tellier à condition qu'il renonce à son projet immobilier. Saucier refuserait probablement, mais il tenterait le coup.

Saucier s'était mis à rire quand Constant lui avait proposé son marché et l'avait congédié avant même qu'il termine ce qu'il avait à lui dire.

— Je n'ai pas de temps à perdre avec des clowns.

Constant avait mis la main sur l'énorme boule de bronze qui trônait au beau milieu du bureau de Saucier et avait été tenté de la lui lancer au visage, mais après des années de militantisme, il avait appris qu'il valait mieux réfléchir avant d'agir.

Il était sorti dans le soleil de midi. Ses empreintes étaient restées sur cette maudite boule !

Daniel Constant avait lu avec satisfaction sur Internet que les policiers avaient plusieurs pistes, ce qui signifiait qu'ils n'en avaient aucune, si on savait décoder la langue de bois des représentants de l'ordre. S'ils avaient eu de sérieux indices, ils se seraient tus ou les auraient livrés en pâture à la presse pour redorer leur image.

Il n'avait pas été étonné qu'ils s'intéressent à l'association, mais il n'avait pas été assez méfiant. Ils avaient enquêté sur chacun des membres, découvert qu'il possédait des armes. Et trouvé ses empreintes chez Saucier. Il devait quitter Québec avant qu'ils débarquent chez Evelyne avec un mandat. Qu'ils se mettent à fouiller dans ses comptes. Qu'ils découvrent qu'il touchait de l'argent sous un autre nom. Il fit glisser la fermeture éclair du sac, le souleva, le balança derrière son épaule avant d'embrasser Evelyne.

— Tu m'appelles dès que tu arrives ?

— Bien sûr.

Elle le suivit jusqu'à sa voiture et il l'embrassa de nouveau. Des kilomètres plus loin, il avait l'impression de lui avoir donné le baiser de Judas. Comment réagirait-elle quand elle trouverait la lettre ? C'était pourtant pour son bien qu'il partait au loin.

Et pour le sien. Et pour l'avenir des terres, des rivières du pays.

Chapitre 11

Québec, 29 juillet 2011

Est-ce que Maud Graham se trompait ou avait-elle raison de croire que Jean-François Cliche était moins alerte qu'à ses précédentes visites ? Il lui expliqua qu'il était fatigué quand elle l'appela, souhaitant revoir le *scrapbook* du chantier. Il accepta néanmoins qu'elle vienne chez lui. Il avait déposé le lourd album sur la table du salon, mais ne lui offrit ni thé ni café.

Elle s'assit en promettant qu'elle ne le dérangerait pas longtemps.

— J'aimerais voir de nouveau ces hommes dont nous avons parlé.

Cliche ne put s'empêcher de l'interroger : qu'espérait-elle du *scrapbook* ?

— Je ne sais pas, répondit sincèrement Graham. Un détail qui m'aurait échappé.

— Comme ?

— Pourquoi, par exemple, avez-vous omis de mentionner Corriveau et son fils, alors que vous saviez sûrement qu'il était le filleul de Bernard Saucier ?

Cliche marmonna que la réponse n'était pas dans l'album. Il n'avait pas parlé des Corriveau parce que

Bernard avait rayé Paul de sa vie après avoir appris qu'il maltraitait sa famille.

— Mais pas son fils Vincent. Il l'a même couché sur son testament.

— Tant mieux.

Maud Graham se pencha sur le *scrapbook* et tourna lentement les pages, questionnant Cliche sur chacune des photos, guettant le détail qui avait effleuré son esprit quelques jours plus tôt sans qu'elle puisse le cerner.

— Je ne comprends pas que vous vous intéressiez autant à mon album.

— Non ? Il y a pourtant des photos de quatre hommes qui ont connu une mort violente. Sans oublier votre accident.

— On ne reviendra pas là-dessus ! C'était un accident, vous venez de le dire.

— Mais les autres ? On n'a pas tiré sur Brûlotte, Corriveau et Saucier par inadvertance. Sans oublier la mort de Gabriel Siméon.

— Brûlotte vendait de la dope, Corriveau avait le don de se mettre dans le trouble et Siméon s'est tiré en bas de la falaise à cause de sa blonde. Quel rapport avec Bernard ?

— Je ne sais pas... dit Graham. C'est pourquoi je voulais feuilleter votre *scrapbook*. Peut-être qu'un lien entre ces victimes m'apparaîtra.

Penchée au-dessus de l'album, elle demanda à Cliche s'il avait mangé de l'outarde.

— De l'outarde ?

— Celle de Gabriel Siméon que Saucier avait fait rôtir.

Elle n'avait pas besoin de regarder Cliche pour le voir pâlir. Elle finit par l'entendre marmonner qu'il n'y avait pas touché.

— Et Lemire ?

— Lemire non plus, mais il était assis avec les gars à la table où Bernard l'a découpée. C'était bête de sa part, c'est sûr. Il n'a pas réfléchi. On était jeunes.

— Et Saucier n'aimait pas trop Siméon.

Elle jeta un coup d'œil à Jean-François Cliche qui haussa les épaules avant de répéter que c'était une bêtise.

— Qui vous a raconté ça ?

— Ça n'a pas d'importance. Vous n'avez pas beaucoup de photos des autochtones qui étaient au chantier dans votre album.

— J'en ai de Florent Picard. Et de Gabriel Siméon, vous devez les avoir déjà vues. Page 70.

Graham s'exécuta tandis que Cliche précisait qu'il n'avait pas fait des photos de tous les hommes du chantier.

— Quand je les ai prises, je ne savais pas que je ferais ce *scrapbook*. Je photographiais les gars pour m'amuser. On a fait des niaiseries, là-bas.

La nostalgie que Graham percevait dans la voix de Cliche l'étonnait encore ; comment pouvait-il rêver du chantier ?

Elle s'arrêta en reconnaissant Francis Guérin, se pencha pour mieux analyser les détails de l'image. Il avait été pris à son insu et son visage reflétait une certaine tension. Elle suivit son regard et distingua la moitié d'un homme. Elle ne pouvait voir son visage, mais elle reconnut la queue de cheval sombre qui coulait sur l'épaule de Gabriel Siméon. Cette masse noire qu'elle venait tout juste de remarquer sur une des photos. Elle revint à Francis et comprit alors qu'il *couvait* Gabriel de son regard. Il y avait une sorte de dévotion teintée d'inquiétude dans ses yeux. Elle se remémora l'actuel Francis Guérin, le compara au jeune homme qu'il était et put cerner le malaise qui l'avait habité lorsqu'elle l'avait rencontré chez lui. Il donnait l'impression d'être rigidifié, comme si ses traits avaient été soumis à un effet paralysant, qu'ils avaient perdu leur mobilité à force de trop peu servir. Parce que Francis ne souriait jamais. Elle battit des paupières pour chasser cette idée bizarre, mais se rappela qu'Alain lui avait dit à propos de l'urgentologue qu'il lui avait fait l'effet d'être trop grave.

Elle regarda de nouveau la photo et se demanda si Gabriel Siméon savait que Francis Guérin était amoureux de lui ou s'il avait tu son secret. Connaissait-il l'existence de Chantale ? Lemire s'était dit étonné d'apprendre que Siméon avait une blonde. Parce que, comme Brûlotte, Cliche et Saucier, il le croyait gay. Francis avait-il pu se leurrer ?

Grégoire affirmait qu'il ne se trompait jamais quant à l'orientation sexuelle d'un homme. Peut-être que tous n'avaient pas son flair ? Ou que Grégoire se vantait. Peut-être que Francis avait espéré les faveurs de Gabriel. Et que sa mort avait ruiné tous ses espoirs.

Avait-il voulu se venger de ceux qui, selon lui, avaient pu pousser Gabriel au suicide ?

— Il me semble que vous m'avez dit que vous ignoriez que Gabriel Siméon avait une copine.

— Un gars a fouillé dans ses affaires et avait vu un portrait d'elle quelques jours avant qu'il meure. Pourquoi nous a-t-il laissé le traiter de tapette alors qu'il avait une blonde ? Il faut dire qu'il ne nous parlait quasiment pas. Comme Francis. Lui non plus, n'était pas trop jasant. Il n'a pas beaucoup changé. C'est pour ça que ça m'a fait plaisir qu'il m'appelle. En plus, il est si occupé ! Qu'il ait pris la peine de me téléphoner pour savoir comment je me sentais après l'enterrement, c'était gentil. Je l'avais mal jugé.

— Vous vous êtes parlé ? dit Maud Graham se souvenant parfaitement que Guérin lui avait confié qu'il tolérait les appels de Cliche par simple pitié.

— Oui. Je lui ai raconté les funérailles. On a été obligés de raccrocher parce qu'un blessé est arrivé. Il m'appelait de l'urgence ! Ça l'a surpris que vous m'ayez raccompagné chez moi.

Cliche eut un demi-sourire embarrassé.

— Bien des gens se font une idée négative de notre rôle, fit Maud Graham. Je suis habituée.

Elle continua à tourner les pages de l'album, mais aucun détail n'attira son attention. C'était bien le regard de Francis Guérin qu'elle avait dû remarquer sans saisir son importance à sa deuxième visite chez Cliche.

Elle devrait revoir l'urgentologue.

Elle revint vers la photo de Florent Picard.

— C'était un bel homme.

— Si vous le dites.

— Les autochtones faisaient vraiment bande à part ?

— On avait chacun notre gang. Je vous l'ai expliqué, les Québécois ensemble, les Anglos ensemble, les Indiens ensemble. C'est pareil partout.

— Vous m'avez raconté que Saucier n'était pas aimable avec Picard et Siméon. Et avec les autres autochtones ?

— Qu'est-ce que vous cherchez ? s'impatienta Cliche. Les Indiens étaient de leur bord et nous, du nôtre.

— C'est que les trois victimes habitaient près d'une communauté amérindienne. Je me pose des questions.

Elle lissa la couverture de cuir noir du *scrapbook* avant de le poser sur la table, se leva en remerciant son hôte.

— J'espère que je n'aurai plus à vous déranger, ajouta-t-elle en ouvrant la porte d'entrée. Vous êtes fatigué.

— C'est la chaleur. Puis le choc, j'imagine. Je réalise que je ne verrai plus jamais Bernard. Lemire ne veut rien savoir du chantier. Il me reste juste Francis. Mais il n'a pas beaucoup de temps.

— Saucier ne devait pas en avoir énormément non plus.

— Il n'a jamais remis notre souper annuel. Je sais que certaines personnes le détestaient, mais avec moi il a toujours été correct.

— Vous avez dû être rassuré par la rente mentionnée dans le testament.

— J'aurais aimé mieux que Bernard reste en vie. Revenez quand vous voulez, fit Cliche avec sincérité.

Graham songea qu'il y avait peu de gens aussi contents que lui de recevoir la visite d'un enquêteur. Même s'ils n'avaient rien à se reprocher, les gens se montraient rarement naturels en sa présence.

Maud Graham respira à pleins poumons en quittant l'immeuble pour chasser l'impression d'étouffement qu'elle avait ressentie devant la solitude de Jean-François Cliche. Elle avait deviné qu'il la laissait partir à regret malgré sa lassitude. Le parfum végétal de la pelouse fraîchement coupée la rasséréna. Elle songea ensuite à Maxime ; se chargerait-il de tondre le gazon aujourd'hui, comme il le lui avait promis, ou remettrait-il encore cette tâche ? Il ne croulait certainement pas sous la charge des obligations qu'elle lui imposait, mais il ronchonnait quand même lorsqu'elle lui rappelait ses devoirs. Son amie Léa disait que c'était le propre de tous les adolescents. Combien de temps rechignerait-il à chacune de ses demandes ? À ça, Léa ne pouvait lui répondre. Ou préférait-elle se taire pour lui éviter d'être découragée. « À chaque jour suffit sa peine », lui avait-elle conseillé de méditer.

La portière de sa voiture, garée en plein soleil, était brûlante et Graham l'ouvrit en tirant sur la poignée d'un coup sec et laissa la voiture ouverte pour en chasser l'air suffocant. Elle était debout à côté du véhicule quand elle sentit la vibration de son cellulaire contre sa hanche.

— Daniel Constant a disparu, annonça André Rouaix.

— Disparu ?

— Les agents envoyés chez lui pour me le ramener sont rentrés bredouilles. Sa compagne semble ignorer les vraies raisons de ce départ précipité. Il lui a laissé une lettre d'adieu où il jure qu'il lui ferait plus de mal que de bien en demeurant auprès d'elle. Qu'est-ce que ça signifie ?

— Qu'il était trop lâche pour lui dire la vérité en pleine face, gronda Graham. Je trouvais qu'il avait l'air hypocrite.

Elle n'avait jamais oublié qu'Yves avait rompu avec elle au téléphone.

— Peut-être. Ou alors il a voulu la tenir à l'écart de ses projets. Et nous aussi. Il ne s'est pas volatilisé sans raison. J'ai lancé un avis de recherche.

— Je sais qu'il méprisait Saucier, dit Graham, mais en l'assassinant il aurait entaché la réputation de l'association Grandir. Il me semble qu'Elias Sansregret et lui sont amis…

— Justement, il a pu se charger du sale boulot pour lui. Elias avait deux bonnes raisons de vouloir la mort de Saucier. Personnelle et politique. Sa femme et la construction du complexe hôtelier.

— Et par amitié, Constant aurait abattu Saucier ? J'en doute.

— Pourquoi s'est-il évanoui dans la nature s'il n'a rien à cacher ? rétorqua Rouaix.

Graham ne trouva rien à lui répondre et se contenta de dire qu'elle le rejoindrait au bureau sous peu.

Elle s'assit dans la voiture et allait démarrer quand lui parvint un autre appel. Elle reconnut le numéro de la maison ; que lui voulait Maxime ? Malgré la chaleur qui régnait toujours dans l'auto, elle sentit un frisson glacé déchirer son échine quand elle entendit l'adolescent sangloter.

— Qu'est-ce qu'il y a ?

Maxime renifla, mais ne parvint pas à s'exprimer. Graham sentit le sang se retirer de ses veines. Est-ce que Maxime était blessé ? Quelqu'un était-il mort ? Qu'était-il arrivé à la maison ?

— Maxime, dis-moi ce qui se passe !

Elle l'entendit alors lui dire qu'il venait de trouver Léo étendu inerte sous le lilas.

— J'allais tondre la pelouse et j'ai ramassé ma balle. Et je l'ai vu. Il ne bouge plus...

— J'arrive, Maxime, j'arrive tout de suite.

Elle mit pourtant quelques secondes à démarrer, incapable d'insérer la clé de contact parce qu'elle sanglotait à son tour. Léo, son chat adoré, les avait quittés ? Après tant d'années en sa compagnie, elle avait cru s'être préparée à sa mort en constatant au fil des derniers mois des signes de vieillesse, mais elle refusait de l'accepter aujourd'hui. Elle revoyait Léo, à deux mois, tenant dans sa main, se blottissant dans son cou. Léo et sa première souris. Léo qui s'était couché sur Grégoire le premier soir où elle l'avait hébergé. Peut-être que l'adolescent ne serait jamais revenu, sans ce chat magique à qui il parlait plus volontiers qu'à elle. Léo qui se couchait entre Alain et elle après qu'ils avaient fait l'amour. Léo qui suivait Maxime dans sa chambre quand il rentrait de l'école comme s'il souhaitait qu'il lui raconte sa journée. Léo, son chat gris ardoise, pouvait-il vraiment être mort ?

Elle appuya sa tête sur le volant, s'efforça de respirer, de songer à la tristesse de Maxime qui aimait tellement Léo. Elle devait se ressaisir et réussir à le consoler, mais elle appela pourtant Alain au laboratoire et se remit à pleurer en lui annonçant le décès de son fidèle compagnon.

— Je suis désolé, chérie. Il était vieux…

— Il a eu une belle vie. Et une belle mort, chez lui, sous ce lilas où il guettait les oiseaux qu'il n'attrapait jamais. Peut-être qu'il rêve qu'il en capture un, au paradis des chats ?

— Je serai là pour le souper, promis.

Elle lui répéta mollement qu'il ne devait pas quitter Montréal plus tôt que prévu, mais il prétendit qu'il n'avait pas beaucoup de boulot et elle fit semblant de le croire alors qu'elle connaissait parfaitement le manque criant de pathologistes. Elle avait trop envie qu'il soit auprès d'elle et Maxime. Et Grégoire à qui elle devait aussi apprendre le départ de Léo.

En arrivant à la maison, elle appela Maxime tout en sachant qu'il était sûrement resté au fond de la cour auprès de Léo. Elle s'avança lentement, distinguant le pelage gris du chat et la main de Maxime posée sur lui, et battit des paupières pour tenter de refouler ses larmes mais n'y parvint pas. Elle s'agenouilla près de Maxime et caressa son meilleur ami longuement avant de murmurer qu'il fallait prévenir Grégoire.

— Alain sera là, ce soir. Mais on doit enterrer Léo rapidement. Il fait chaud…

— C'est là qu'on devrait creuser sa tombe, déclara Maxime. C'était sa place. Je le retrouvais toujours couché là.

— C'est une bonne idée. On va attendre que Grégoire l'ait flatté…

Maxime hocha la tête doucement tandis qu'elle téléphonait au restaurant où travaillait Grégoire. Elle lui raconta ce qui venait de se produire, l'entendit jurer comme il le faisait toujours lorsqu'il voulait étouffer une douleur.

— J'arrive.

Il raccrocha sans la saluer. Elle revint vers Maxime qui semblait s'être recroquevillé sur Léo ; à qui se confierait-il maintenant ? Il y avait bien Michaël, mais l'amitié d'un animal qui ne vous juge jamais est différente. Combien de fois Maud Graham avait-elle plongé ses yeux dans le regard vert clair de Léo pour y lire son approbation ?

— On va mettre sa couverture avec lui. Et une plume même s'il n'était pas très bon chasseur.

— Tu l'as connu trop tard, fit Graham. Quand il était jeune, il me rapportait des souris. Je n'aimais pas tellement ça...

— Ça veut dire qu'il avait un bon instinct. C'est pour ça qu'il m'a sauvé la vie.

Maxime faisait allusion à ce soir du printemps où on avait tiré dans sa direction ; en se baissant pour soulever Léo, il avait échappé à la balle qui lui était destinée. Mais Graham se disait qu'il l'avait aussi aidé à vivre chez elle, car il avait toujours désiré avoir un chat et n'en avait jamais eu avant d'arriver à Sillery.

Elle repensa à ces plumes sur les corps de Corriveau et de Saucier. Que signifiaient-elles ? Et pourquoi ni Francis Guérin ni Vincent Corriveau n'avaient-ils eu la curiosité de l'interroger sur ce point précis ? Elle envisagea un instant de demander à Alain de sonder l'urgentologue et balaya aussitôt cette idée, puis y revint. Elle reparlerait de ce médecin taciturne à son amoureux.

Maxime se déplaça pour se blottir contre elle sans cesser de caresser Léo et elle sourit malgré son chagrin.

Depuis combien de temps l'adolescent ne s'était-il pas ainsi rapproché d'elle ? Il la laissait lui passer occasionnellement une main dans les cheveux, mais avait cessé de l'embrasser avant de se coucher depuis plusieurs mois. Elle ne lui avait pas dit que le rituel du baiser lui manquait, comprenant son besoin de manifester son indépendance, mais assise sur la pelouse, serrant Maxime contre elle, elle songeait que Léo, même mort, avait encore réussi à lui faire plaisir. Comme il lui manquerait !

***

Il était vingt heures trente quand André Rouaix appela chez Maud Graham. Des agents de la Sûreté du Québec avaient intercepté Daniel Constant alors qu'il quittait le chalet d'un de ses amis au lac Mégantic.

— C'est juste à la frontière du Maine, s'exclama-t-elle.

— D'après Provencher, il refuse de répondre aux questions sans un avocat, mais il avait sur lui un passeport au nom de Jacques Fournier. Et de l'argent. Nous n'en saurons pas plus avant un bon moment.

— J'ai quand même de la difficulté à l'imaginer tuant Saucier, fit Graham. Grandir n'a jamais prôné des moyens aussi radicaux. Des manifestations, oui. Des déclarations chocs dans les journaux, bien sûr. Mais un crime ?

— À mon tour de te rappeler qu'on ne sait toujours pas ce qu'Elias Sansregret et sa femme faisaient le soir du meurtre de Saucier, rétorqua Rouaix. Nous n'avons que leur récit. Et les empreintes de leur ami Daniel chez Saucier. Il y a déjà des journalistes qui posent des questions.

— Qui leur a parlé de Constant ?

— Je l'ignore, maugréa Rouaix.

— Bon, je raconte tout ça à Joubert et on se voit demain. On oublie notre fin de semaine de congé…

— Joubert est chez vous ?

— Avec Grégoire.

Maud Graham fit une pause avant de lui apprendre la mort de Léo.

— Je suis désolé pour toi.

— C'est pour Maxime que je m'inquiète, soupira Graham.

— Je me souviens du chagrin de Martin quand notre colley est mort… Il disait qu'il n'aimerait jamais autant un chien, mais il a changé d'idée avec Rapace. C'est une question de temps.

— Tout est une question de temps. Mais on en manque de plus en plus, me semble-t-il.

Elle rapporta les propos de Rouaix à Michel Joubert qui l'écouta en silence avant de lui demander pourquoi elle ne croyait pas à la culpabilité de Constant.

— Parce qu'il n'a aucun lien avec le chantier. Alors qu'on a trois victimes qui travaillaient là.

— Est-ce qu'on est vraiment sûrs que Constant n'a pas mis les pieds là-bas ? questionna Joubert. On a lu la liste des hommes qui bossaient au chantier, mais on a focalisé sur ceux qui ont connu des morts violentes. Peut-être au détriment d'autres noms. Il faut revoir la liste. Demain.

— Demain. Je suis contente que tu sois venu avec Grégoire.

— Ça lui fait plus de peine qu'il ne veut l'admettre.

— Je sais. On connaît ses mécanismes de défense. Il sera en colère au cours des prochains jours.

— Oui, fit Joubert en observant Grégoire assis à côté de Maxime.

Il sembla à Maud que Grégoire allait relever la tête, sentir l'amour que Michel lui portait, sentir la caresse de son regard. Ce regard empreint de douceur et de tristesse était bien différent de celui, inquiet et passionné, de Francis Guérin pour Gabriel Siméon. Elle s'en voulut de penser encore à l'enquête et retourna vers la table où il restait trop de sushis. Maxime avait choisi le menu en souvenir de Léo, devant qui il déposait de petits bouts de saumon ou d'anguille quand il s'assoyait à côté de sa chaise, mais le chagrin leur avait coupé l'appétit à tous.

Heureusement qu'Alain était là, il s'occuperait de Maxime demain. Que donnerait le premier interrogatoire de Daniel Constant ?

Et si elle se trompait ?

Elle interrogerait tout de même Alain, quand Maxime serait couché, sur Francis Guérin. La photo l'obsédait vraiment. Tout partait du chantier. Tout était possible.

Trois meurtres par balle.

Près d'une communauté autochtone.

Deux plumes.

Une oie sacrifiée.

Un homme amoureux.

Une victime richissime. Trois épouses. Un couple de menteurs à l'île d'Orléans. Beaucoup d'enfants.

Et des tas d'ennemis. Dont un militant enragé ? Sincère ou vénal ?

Pourquoi n'arrivait-elle pas à cerner le rôle de Constant, arrêté à quelques kilomètres de la frontière ?

***

Québec, 30 juillet 2011

Même si André Rouaix l'avait informée de l'intérêt des journalistes pour Daniel Constant, elle fut surprise de le reconnaître dans le haut de la une du *Journal de Québec* lorsqu'elle sortit le samedi matin pour acheter un litre de lait au dépanneur du chemin Sainte-Foy alors que toute la maisonnée dormait.

Elle s'empara du quotidien, lut l'article et constata que le journaliste relatait l'arrestation et soulevait de nombreuses questions mais, à son grand soulagement, il n'apportait aucun élément qui leur aurait échappé. Et il n'allait pas jusqu'à prétendre que Constant avait été accusé du meurtre de Saucier. Il y avait une photo de sa compagne, même celle-ci s'était refusée à toute déclaration. Il lui tardait d'avoir des nouvelles de Provencher, mais s'il ne les avait pas appelés, elle ou Rouaix, c'est que Constant avait dû garder le silence sur les conseils de son avocat.

Pour combien de temps?

S'il décidait de jouer les martyrs?

Elle devait mettre Constant de côté pour le moment, malgré son envie d'aller interroger sa compagne. C'était aux agents de la Sûreté de s'en charger. Elle s'occuperait de Francis Guérin. Et tenterait de dénicher un spécialiste de la mémoire afin de vérifier s'il était possible que Vincent Corriveau n'ait vraiment aucun souvenir de la découverte du corps de son père.

Quand elle rentra à la maison pour boire un dernier thé avant de se rendre au poste, elle huma l'odeur des crêpes et s'approcha d'Alain, sourit en voyant de la farine sur son menton.

— J'ai pensé que ça ferait plaisir à Maxime. Ensuite, je l'emmènerai dans le parc de la Jacques-Cartier avec Michaël. Pour lui changer les idées.

— J'aurais bien voulu vous accompagner…

— Ce n'est pas une affaire ordinaire, Maud. Tu ne seras pas disponible tant que vous ne saurez pas qui a tué Saucier.

— Tu es trop parfait.

— Non. Seulement un peu plus patient que toi. Ce qui n'est pas trop difficile. Ça va ?

Maud Graham haussa les épaules en balayant la cuisine d'un regard circulaire.

— C'est étrange de ne pas voir Léo. J'ai l'impression que la maison est vide. Pourtant, vous êtes là...

— C'était l'esprit de la maison. Comme un dieu lare.

— On a eu raison de l'enterrer sous le lilas.

Elle déposa le journal sur le comptoir, le tapota pour changer de sujet.

— Daniel Constant fait la une. Ils ont été rapides...

— Ça t'ennuie ?

Maud Graham eut une moue dubitative. Daniel Constant s'était rendu coupable de possession d'armes non enregistrées, ce n'était pas un enfant de chœur pour circuler avec deux passeports, mais elle doutait toujours qu'il ait tué Bernard Saucier.

— D'un autre côté, si ce n'est pas lui, ce n'est pas une mauvaise chose que l'auteur du meurtre se figure qu'on fait fausse route et qu'il est davantage en sécurité aujourd'hui. Le reportage n'accuse pas formellement Constant, mais les sous-entendus peuvent rassurer l'assassin.

— Tu crois qu'il commettra une erreur ?

— Il y a un lien avec le chantier. Je ne changerai pas d'idée.

— Et avec les communautés ?

Graham acquiesça en silence.

— Et avec la famille ?

— Le père de Vincent Corriveau est mort un 18 juillet. Vincent était le filleul de Saucier. Ça ressemble à une histoire de famille.

***

Le café dégouttait sur le sol même si Francis Guérin s'était précipité pour essuyer le dégât. Il avait renversé sa tasse en lisant qu'on avait arrêté un suspect dans l'affaire Saucier. Un militant de l'association Grandir qui, avait-on appris, possédait des armes dont il ne pouvait justifier la provenance. Dans le passé, il avait proféré des menaces précises à l'encontre de Bernard Saucier. On l'interrogerait aujourd'hui en présence de son avocat.

Francis épongea le sol, tordit le torchon, le rinça, le tordit de nouveau avant de le déposer sur le bord de l'évier.

Il relut l'article deux fois, incrédule, examina la photo de l'homme qui n'avait même pas essayé d'échapper aux flashs. Qui était ce Daniel Constant et que venait-il faire dans cette histoire ? Devait-il chercher un prétexte pour entrer en contact plus direct avec Alain Gagnon ? Il avait sûrement des renseignements sur Constant par Maud Graham…

***

Elias Sansregret n'apprit qu'à midi qu'un homme avait été arrêté. Il saisit rageusement le journal pour le montrer à sa femme qui ramassait des framboises dans leur champ. Elle scruta la photo de Daniel Constant avant de regarder son mari et lui rendit le quotidien sans un mot.

— Es-tu allée chez Saucier ? Est-ce que c'est toi ? Tu ne peux pas laisser Daniel Constant payer à ta place. Tu as toujours l'arme de ton père.

— Tu te décides enfin à en parler.

— Parce que je…

— Parce que tu préfères enterrer tout ça, le coupa Amélie. Tu voudrais qu'on fasse comme si tout était normal. Comme d'habitude. Je t'ai trompé avec Bernard et tu n'as rien dit. Penses-tu qu'on pourra continuer à vivre ainsi ? C'est la peur que tes militants apprennent la vérité qui te rend muet ?

— Ils me prendront en pitié. C'est la dernière chose que je veux. Ils croiront que tu as tout révélé de nos stratégies. Mais tu ne l'as pas fait, non ?

— Non. C'est pire. Bernard ne m'a jamais interrogée sur Grandir. Il ne se sentait pas du tout menacé par l'association. Juste agacé. Parce qu'il perdait du temps.

— Es-tu allée chez lui ?

— Oui, mais bien avant sa mort ! En après-midi. Je ne suis restée qu'une dizaine de minutes.

— Pourquoi voulais-tu le voir ?

— Pour rompre, mentit Amélie. Je ne suis même pas entrée dans la maison. On était dans la cour. Je l'ai rappelé plus tard, dans la nuit, pour le supplier de se taire. Il voulait te dévoiler notre liaison.

— Tu n'as rien à voir avec sa mort ?

— Son fils est arrivé pendant qu'on se parlait au téléphone, je l'ai entendu le saluer.

— Son fils ?

— Il a dit « C'est juste Jules », c'est tout.

Elias Sansregret soupira. Pourquoi Amélie n'avait-elle encore rien raconté aux enquêteurs ?

— Je ne sais vraiment pas. Je suis tellement lasse de répondre aux mêmes questions. J'ai l'impression d'être une coquille vide, une ombre.

Elias Sansregret inclina la tête. Oui, il lui semblait vivre avec un fantôme depuis que Bernard Saucier était mort ; Amélie restait tout le jour dehors et ne rentrait que pour s'allonger sur le canapé. Il avait cru la première nuit l'entendre pleurer et s'était relevé, mais elle fixait le plafond et l'avait dévisagé comme s'il était un étranger.

Et peut-être étaient-ils en effet étrangers l'un à l'autre.

— Mentionneras-tu Jules Saucier aux enquêteurs ? Il était là ! Ce n'est pas Daniel qui a fait ça ! Je le connais.

— Comme tu me connais ?

Elias Sansregret regarda la tête des plants de maïs qui dessinaient une ligne dorée semblant suivre celle du fleuve d'un gris souris et ne trouva aucun apaisement à contempler ce paysage bucolique. Quand donc tout s'était-il mis à se désagréger ?

— Et toi ? Où étais-tu ? Pas à l'île, en tout cas...

Il la dévisagea sans lui répondre.

***

En se rendant rue Saint-Joseph, Maud Graham paria que Jean-François Cliche avait déjà téléphoné à Francis Guérin pour lui dire qu'elle avait regardé longuement la seule image de lui qu'il y avait dans son *scrapbook*. La place devant l'église Saint-Roch commençait à s'animer et toutes les tables des terrasses avoisinantes étaient occupées. Elle vit des œufs dans presque toutes les assiettes et songea qu'elle n'était jamais allée déjeuner tard dans un resto. Elle aurait été gênée de révéler ainsi qu'elle s'était levée à midi. Grégoire qui adorait les brunchs se moquait de sa rigidité ; qu'y avait-il de mal à traîner au lit ? Surtout en bonne compagnie.

— Michel et moi, on...

— Je ne veux pas de détails sur votre vie privée, l'avait-elle coupé.

Il avait éclaté de rire ; elle était toujours aussi pudique.

— Rassure-toi, je voulais simplement te dire qu'on avait brunché au Château Bonne Entente et que j'ai mangé là de délicieuses pommes de terre rissolées. Tout était parfait !

À l'idée des pommes de terre bien dorées, Maud Graham saliva ; pourquoi avait-elle toujours faim ? Alain soutenait qu'il adorait qu'elle soit aussi gourmande, mais ce n'était pas lui qui devait sans cesse combattre la tentation de vider un sac de chips ou de croquer dans une barre de chocolat noir. Car, bien sûr, ce n'était pas d'une carotte ou d'une pomme dont elle avait envie, mais de choses grasses, trop salées ou très sucrées, croquantes ou moelleuses.

Elle sonna d'un geste excédé à l'interphone de l'entrée de l'immeuble où habitait Francis Guérin. Elle entendit un grincement qui la fit frissonner, reconnut la voix de l'urgentologue.

— Oui ?

— C'est Maud Graham. Nous nous sommes déjà parlé.

Elle perçut le déclic de la porte principale, la poussa et hésita à gravir les escaliers mais choisit l'ascenseur. Elle avait négligé son entraînement depuis le début de l'été, ne fréquentant le centre sportif qu'une ou deux fois par semaine. L'entretien avec Vincent Corriveau avait réveillé sa culpabilité ; quand trouverait-elle enfin une activité physique qui lui plaise vraiment ? Elle serait essoufflée en arrivant au dernier étage. Elle n'avait pas envie que Guérin la voie échevelée et en sueur.

L'urgentologue avait dû passer la nuit à l'hôpital, car il avait les traits tirés et le teint d'un homme qui n'a pas dormi depuis longtemps. Il lui fit signe d'avancer et lui offrit un café qu'elle accepta avant de s'arrêter devant un des dessins représentant un faucon.

— Ce n'est pas une œuvre de Gabriel Siméon…

— Non. C'est un Grondin.

— Mais celle-ci, oui, fit Graham en indiquant une toile voisine où s'envolait une mésange. J'ai des mésanges dans ma cour. J'en aurai encore plus à partir de maintenant. Mon chat est mort hier.

Graham s'étonna d'avoir évoqué Léo devant un inconnu, mais la compassion qu'elle lut sur son visage la poussa à s'exprimer.

— Il était âgé. Et il a eu une belle vie. On l'a enterré sous le lilas. C'était son coin préféré. Il guettait les oiseaux mais n'en attrapait pas souvent. Il était un peu paresseux.

— Et sûrement bien nourri.

Graham hocha la tête avant de désigner un dessin représentant Nishk, se pencha pour lire la signature.

— Ça, c'est bien Siméon qui l'a fait ?

— Oui. Votre café, vous le voulez avec du sucre ? Du lait ? s'informa Guérin en s'éloignant vers la cuisine.

— Du lait. C'est l'oie que Brûlotte et Saucier ont mangée ? demanda Graham sans quitter l'urgentologue des yeux même s'il venait de lui tourner le dos.

Il ralentit le pas puis continua à marcher. Il finit par lui dire qu'elle était bien renseignée.

— Qui vous a raconté ?

— Normand Fraser. Ce n'est pas Lemire ou Cliche qui s'en seraient vantés. Même s'ils n'ont pas participé au festin.

— Ils étaient là. Et ils riaient.

— Pourquoi n'en ont-ils pas mangé ?

— Lemire devait avoir peur d'être malade avec du gibier. Il fallait toujours que tout soit archi-cuit pour lui. Et je suppose que Saucier n'en avait pas encore offert à Cliche.

— Pourquoi ?

— Pour bien montrer qu'il était son valet.

— Vraiment ? Quand Cliche évoque Saucier, il répète qu'il a été généreux avec lui. Il semblait tenir à leur amitié.

— Ça dépend de ce qu'on entend par généreux. Et par amitié. La vie de Cliche est tellement vide qu'il tirait une satisfaction à fréquenter Bernard Saucier.

— Il n'était ni célèbre ni riche, au chantier. Il l'admirait déjà ?

— Saucier avait du charisme, reconnut Francis Guérin. Sa réussite n'a surpris personne. Cliche n'a jamais eu beaucoup de personnalité, il aimait être près de Saucier, même si c'était toujours dans son ombre. Comme un bon petit toutou.

— Ça ne vous a pas étonné qu'il ne le poursuive pas après l'accident ?

— Cliche aurait dû le faire, mais Saucier avait déjà trop d'ascendant sur lui. Cliche était le plus jeune d'entre nous. Son frère aurait dû le pousser à attaquer Saucier ou le chantier en justice, mais c'étaient des gens démunis.

— Il n'a pas toujours habité au Mérici...

— Non, évidemment. Saucier l'a logé dans le premier hôtel qu'il a fait construire.

— Pourquoi ne lui a-t-il pas offert un emploi dans cet hôtel au lieu de le payer à ne rien faire ?

— D'après vous ? Il a simplement continué à l'aliéner. À l'humilier.

— Comme il humiliait Gabriel Siméon ?

Francis Guérin fit une moue en secouant la tête.

— La bave du crapaud n'atteint pas la blanche colombe.

Graham médita un moment sur cet adage avant de dire qu'elle trouvait que Siméon avait davantage le profil d'un oiseau de proie que du symbole de la paix.

— Si j'en juge d'après la photo que j'ai vue dans l'album de Cliche. C'était un très bel homme.

— Oui. Je suppose que c'était ce qui ulcérait Saucier. Il aurait voulu être le seul dieu.

— Vous m'avez pourtant dit ne pas comprendre ce que les femmes aimaient en lui.

— Et vous m'avez répondu alors que vous non plus ne le trouviez pas attirant. Mais on doit admettre qu'il avait un corps d'athlète et un visage avec du caractère.

— Mon amoureux l'a qualifié d'impérial.

— Alain Gagnon ?

— Je ne me souviens pas de vous avoir parlé de lui.

Francis Guérin déposa les tasses de café sur la table du salon avant de lui expliquer qu'une infirmière avait mentionné le nom d'Alain et le sien lorsque Saucier s'était fait tuer.

— J'ai déjà rencontré votre conjoint. C'est amusant, car je voulais justement lui offrir d'écrire un article pour *L'actualité médicale*, sur la diminution du nombre de cellules dans le cerveau causée par l'alzheimer.

— Il est à la maison, fit Graham en tendant sa carte de visite sur laquelle elle ajouta son numéro personnel.

— Merci, dit Guérin en s'étonnant de la facilité avec laquelle il avait obtenu ce précieux numéro. C'est Alain qui a pratiqué l'autopsie ?

— Oui. Pourquoi m'avez-vous dit que c'était Cliche qui vous avait appelé après l'enterrement, alors que c'est vous qui lui avez téléphoné ?

Francis Guérin se mouilla les lèvres, le temps de trouver une réponse valable à cette question qu'il n'attendait pas. L'affabilité de Graham l'avait abusé.

— Il me semble que c'est… la même chose, finit-il par dire platement. Qu'est-ce que ça change ?

— Ça change que vous pourriez être plus intéressé que vous ne le paraissez à Saucier. Que vous pouviez vouloir savoir s'il s'était passé quelque chose aux funérailles. Et ce que je pensais de l'affaire, puisque j'accompagnais Cliche.

Guérin eut un rire forcé. Qui était cette femme qui lui déballait entre deux gorgées de café qu'elle avait des soupçons sur lui ?

— Vous l'avez appelé tandis que vous étiez à l'urgence. Vous avez pourtant d'autres chats à fouetter…

Guérin fixa Maud Graham ; elle aurait beau le cuisiner sur Saucier durant des heures, il était impossible qu'elle ait des preuves le reliant à son meurtre.

— Je dois l'avoir appelé parce que les infirmières ont parlé de l'enterrement et que ça m'a fait penser à Cliche.

— Et vous lui avez passé un coup de fil par pitié.

— Oui. Je vous l'ai déjà dit. Je n'aime pas trop ce mot, mais…

— En fin de compte, vous n'avez pas un comportement très différent de celui de Saucier envers Cliche. La pitié est un peu cousine du mépris.

Elle vit les traits de Guérin se durcir, mais il se tut.

— Ça m'a surprise, quand je suis venue ici la première fois, que vous ne nous posiez pas de questions sur la plume. Vous qui aimez tant les oiseaux. Vous auriez dû être étonné.

— Je l'étais, fit-il avec sincérité. Mais ce sont les enquêteurs qui ont le droit de poser des questions, non ?

Graham hocha la tête à cette pirouette qui évitait à Guérin de lui répondre honnêtement.

— Les gens nous questionnent beaucoup. Les innocents comme les suspects.

— Quelle sorte de plume était-ce ?

— Je crois qu'on vous avait précisé que c'était une plume d'oie. Comme l'oiseau de Gabriel Siméon. Que faisait-elle là ? On a aussi trouvé une plume sur le corps de Paul Corriveau. C'est une drôle de coïncidence.

Comme Guérin gardait le silence, Graham lui confia qu'elle ne croyait pas aux coïncidences, puis elle dit que Marie-Lyse Siméon semblait le tenir en grande estime. Elle vit enfin Guérin perdre un peu de son assurance.

— Marie-Lyse ?

— On enquête sur tout le monde. Même si elle était un peu jeune pour tuer Brûlotte. Tous les meurtres ont eu lieu près d'une communauté autochtone. On s'interroge sur la signification de cette proximité.

— Saucier se moquait d'eux au chantier, fit Guérin en se redressant. C'est peut-être une piste.

— Comme celle du crime passionnel que vous évoquiez l'autre jour ?

Graham sortit son calepin, le feuilleta.

— Voyons, vous avez suggéré, lors de notre première rencontre, que c'était un meurtre commis par une femme délaissée ou un mari jaloux. J'écris tout pour ne rien oublier. La mémoire est une faculté fragile.

Francis Guérin allait répéter qu'il était en effet possible que ce soit un crime passionnel, mais Graham l'interrogea sur les causes de l'amnésie.

— L'amnésie ?

— Je sais qu'il y a des amnésies antérogrades et rétrogrades. Mais est-ce que quelqu'un qui subit un choc peut vraiment tout oublier ? Et ne jamais se rappeler ce qu'il a vu ? Même des années plus tard ?

— C'est à un spécialiste que vous devez poser ces questions. Un neurochirurgien ou un psychiatre. Je dirais oui.

— Comme l'amour peut être le seul souvenir qui demeure. J'ai lu qu'une femme oubliait tout, chaque jour, de la journée précédente et devait tout écrire, avoir des listes pour lui rappeler qui elle était, mais elle se souvenait de son mari, de l'amour de son mari pour elle. C'est très fort, l'amour. On peut faire beaucoup de choses par amour. Vous, vous aimiez Gabriel Siméon.

Francis Guérin ferma les yeux pour dissimuler sa surprise, puis se rappela que Maud Graham avait rencontré Marie-Lyse.

— C'était à sens unique. Et j'étais bien jeune. Il était amoureux de Chantale.

— Vous pensez qu'il s'est tué à cause d'elle ?

Guérin cligna des yeux. Depuis toujours, il songeait à la part de responsabilité de Chantale dans la mort de Gabriel, mais il avait renoncé à la punir. Il avait lu la lettre qu'elle avait écrite à Gabriel pour lui annoncer leur rupture, il y était question d'honnêteté envers lui, de leur conception différente de la vie, de leurs aspirations qui divergeaient. Il n'avait pas compris comment elle pouvait ne plus être amoureuse de Gabriel, mais il ne pouvait le lui reprocher. L'amour ne se commande pas. Il ne situait pas Chantale dans la même catégorie que les brutes du chantier, mais il pensait souvent à elle et avait même engagé un détective pour savoir où elle vivait. Il avait appris qu'elle était célibataire et réussissait dans le domaine pharmaceutique. Il avait été content d'apprendre qu'elle n'avait pas remplacé Gabriel. Peut-être se sentait-elle coupable, elle aussi. De toute manière, Marie-Lyse et sa mère lui avaient pardonné, il n'irait pas contre leur volonté. Et il n'était plus capable de tuer. Donner la mort le détruisait. Il se répétait qu'il vengeait Gabriel, mais le regard vide de ses victimes lui apparaissait dans ses cauchemars.

— Pourquoi m'interrogez-vous sur l'amnésie ?

— À cause d'un filleul de Bernard Saucier. Vincent Corriveau, le fils de Paul. On interroge tous ceux qui ont connu Saucier. Il n'a pas pu nous révéler grand-chose sur lui. Ni sur son père. Il prétend avoir perdu la mémoire lorsqu'il a découvert le corps de Paul Corriveau. Le choc.

— Et cet homme qui a été arrêté ? Constant ?

— Pas arrêté. On l'interroge en qualité de témoin.

— Il n'y a pas une grosse différence entre un témoin et un suspect. Vous jouez sur les mots.

— Pas la loi. Daniel Constant n'est accusé que de recel d'armes à feu, mais comme il a proféré des menaces de mort à l'endroit de Bernard Saucier et semblait prêt à traverser la frontière, la SQ a des questions à lui poser.

— Vous me répétez ce qui est écrit dans le journal.

— Parce qu'il n'y a rien à ajouter pour l'instant.

— Ce militant connaissait intimement Saucier ?

— Je l'ignore. Il prétend que non. On essaie de savoir s'il connaissait aussi les deux autres gars du chantier qui ont été assassinés.

— Pourquoi ?

— À cause des dates. Ils ont été tués tous les trois un 18 juillet. Avec un 9 mm. Ça ne peut pas être un hasard. Il est possible que Daniel Constant se soit fait engager au chantier sous un autre nom…

— Pour quelle raison ?

— Je ne sais pas… C'est pour cette raison que je suis ici. Vous souvenez-vous de lui ?

Elle tira de son calepin une photographie de Daniel Constant et la tendit à Francis Guérin qui l'examina longuement avant de la lui rendre.

— Son visage m'est familier. Mais je l'ai vu tantôt dans le journal.

— Je montrerai la photo à Jean-François Cliche. Peut-être qu'en fouillant dans son *scrapbook* on repérera Constant. Il a le teint cuivré des autochtones, les cheveux très noirs. Il a l'âge d'avoir travaillé au chantier en même temps que vous. Et on a les fameuses plumes trouvées sur deux des victimes. C'est très bizarre.

— Oui, convint Francis Guérin. C'est très bizarre.

Graham aurait juré qu'il était sincère tant son ton était convaincu. Elle déposa sa tasse vide sur la table, désigna le trousseau de clés déposé dans une assiette en verre de Murano.

— Vous conduisez une Porsche depuis longtemps ?

— Depuis mai.

— Vous partagez ce dangereux penchant pour la vitesse avec Bernard Saucier, le saviez-vous ?

— Vous avez enquêté sur moi ?

Elle n'aurait su dire s'il était surpris ou indigné. Effectivement, elle avait entré son nom dans les bases de données, comme elle l'avait fait pour tous ceux qu'ils interrogeaient, et elle avait appris qu'il avait écopé de plusieurs contraventions pour excès de vitesse.

— Vous n'avez pas peur d'envoyer un innocent joggeur à l'urgence ? Ou de vous tuer ?

Il se contenta de la dévisager sans répondre, mais elle sentit qu'elle l'avait touché davantage en évoquant un éventuel blessé que sa propre mort.

— Pourquoi aimez-vous la vitesse ?

— Vous ne l'aimez pas ? Les poursuites ne sont pas excitantes ?

— Soyez plus prudent, nous avons besoin de bons médecins comme vous.

— Vous avez vraiment enquêté sur moi, ironisa-t-il.

— Comme pour tous les hommes qui étaient au chantier. Autant de décès par balle ne peut pas être une pure coïncidence et c'est le seul lien que j'ai pu établir entre les trois victimes. Je vous remercie pour le café.

Devant l'église Saint-Roch, des hommes s'affairaient à monter une structure d'acier qui servirait probablement de scène à un groupe musical en soirée. Elle chercha à savoir de quel type de musique il s'agissait, se demandant si Maxime et Michaël pourraient prendre plaisir à les entendre, mais le nom du groupe qu'on lui indiqua lui était étranger. Elle le nota dans son carnet de peur de l'oublier, même si elle était à peu près certaine que Maxime aurait un soupir de pitié et lui rappellerait qu'elle ne connaissait rien à la musique qu'il aimait quand elle évoquerait ce concert.

Elle relut les notes qu'elle avait écrites chez Guérin, revint au début du carnet. Jean-François Cliche aurait de nouveau sa visite : elle voulait consulter son album. Elle l'appela pour le prévenir qu'elle le dérangerait encore.

— Vous pouvez venir n'importe quand. Je vous attends.

Il l'attendait effectivement ; la porte de son appartement était entrouverte et une odeur de café était perceptible.

— Qu'est-ce qui vous amène aujourd'hui ?

— Je veux revoir votre fameux *scrapbook.*

— Si c'est à propos de Daniel Constant, il n'était pas au chantier avec nous, dit Cliche en souriant. Vous ne vous attendiez pas à ce que j'y pense… Mais je me suis dit que je vous ferais gagner du temps dans votre enquête.

Graham acquiesça, même si elle n'aimait pas beaucoup que Cliche ait envie de jouer les détectives. Qui sait s'il n'aurait pas aussi le goût de discuter avec des journalistes ? L'affaire Saucier était la grande distraction de son été, de son année…

— J'ai ressorti le *scrapbook.* Je pense que je vais le laisser sur la table encore un bon bout de temps.

— Pourquoi un bon bout de temps ?

— Il paraît que ce sont les premières heures qui comptent dans une enquête. Là, ça commence à faire longtemps et vous êtes toujours là-dessus.

Encore un téléspectateur assidu des séries policières où les héros découvraient les coupables dans l'heure qui suivait le début d'une affaire. Elle se garda de protester ; elle préférait qu'il ne la croie pas trop douée au cas fort probable où il répéterait tout de leur entretien à Francis Guérin.

Elle regarda lentement toutes les photos de l'album sans trouver un seul visage présentant des similitudes avec celui de Daniel Constant.

— Je vous avais prévenue, fit Cliche. Il n'était pas avec nous. Il haïssait Bernard... Que voulez-vous de plus ? Vous n'êtes pas contente qu'il ait été arrêté ?

— Si je l'avais vu dans votre *scrapbook*, j'aurais pu établir un lien avec les morts de Brûlotte et de Corriveau qui n'ont jamais été élucidées.

— Oh ! Un *cold case.*

Il avait eu l'accent d'un homme qui maîtrise son dossier. Oui, il était sûrement abonné à Séries+.

— J'ai tenté ma chance, confia Graham en allant à la fin de l'album où étaient inscrits les noms de tous ceux qui avaient vécu au chantier en 1981.

— Il n'est pas non plus sur ma liste. J'ai vérifié.

Graham cherchait plutôt le nom de Jacques Fournier, mais il n'y était pas non plus. Si Constant avait tué Saucier, ce dont elle doutait toujours, comment avait-il pu choisir le *modus operandi* des meurtres de 1991 et 2001 ? Quel était le lien de Fournier-Constant avec Brûlotte et Corriveau ?

Il lui tardait qu'il se décide à parler.

Chapitre 12

Québec, samedi 30 juillet 2011

Alain avait décidé de s'inspirer de son dernier repas au Portus Calle pour le souper. Il n'arriverait certainement pas à égaler le talent d'Helena Loureiro, la chef de ce merveilleux restaurant portugais du boulevard Saint-Laurent où il s'attablait régulièrement, adorant la petite terrasse, mais il ferait rissoler les crevettes avec de l'ail et les déglacerait au vin blanc, puis il continuerait à imiter Helena en faisant cuire du boudin noir pour le servir avec des dés d'ananas. L'association était si séduisante que même Maxime qui dédaignait depuis toujours le boudin ne pourrait y résister.

Maud était rentrée à une heure à peu près normale et ils auraient ce soir le loisir de boire un apéro dans la cour. Ils évoqueraient sûrement Léo, la terre fraîchement remuée sous le lilas, son chagrin, celui de Maxime. Et son enquête… Elle prétendait désirer oublier le travail quand elle était avec lui à la maison, mais elle n'y parvenait jamais. Il l'entendit sortir de la douche et fut tenté de la rejoindre pour le plaisir d'essuyer sa peau nue, mais Maxime avait aussi promis de revenir pour le souper…

Alain venait de jeter l'ail dans la poêle quand le téléphone sonna.

— Eh, merde !

Il croisa les doigts, souhaitant que ce soit simplement Maxime qui changeait ses plans. Qui les abandonnait pour la soirée. C'était Provencher.

— Ta blonde est là ?

— Elle sort de la douche. Qu'est-ce qui se passe ?

— Les armes. On a eu les résultats de la balistique. Nous avons deux 9 mm.

— Oui, fit Alain, des balles de calibre 9 mm sur les trois victimes.

— Sauf que si c'est le même browning 9 mm qui a été utilisé pour les deux premiers assassinats, c'est un autre 9 mm qui a servi pour abattre Saucier.

— Beau casse-tête en perspective, siffla Alain.

Est-ce que leur soirée serait compromise ? Il ne put s'empêcher de dire à Pierre-Ange Provencher qu'il s'apprêtait à souper avec Maud et Maxime, s'en voulut aussitôt en songeant que Provencher devait vivre des fins de semaine marquées par la solitude depuis le décès de Lucie.

— Je voulais seulement la prévenir. Ça ne changera rien pour ce soir.

— Elle arrive.

Alain tendit l'appareil à Maud qui repoussa ses mèches mouillées avant d'écouter Provencher, puis il retourna à la cuisine, pesta en constatant que l'ail était brûlé. Il jeta tout dans l'évier, essuya la poêle et recommença les opérations. Malgré le grésillement des crevettes dans la poêle lorsqu'il les ajouta à l'ail qui frémissait dans l'huile, il perçut des bribes des questions que Maud posait à Pierre-Ange Provencher. Il crut qu'elle viendrait le rejoindre à la cuisine pour en discuter avec lui, mais elle se dirigea vers la chambre et il sourit ; depuis le temps qu'il partageait sa vie, il aurait dû deviner qu'elle s'habillerait avant de le retrouver. Il ne l'avait jamais vue traîner en robe de chambre. Elle prétendait que ça lui donnait l'impression d'être malade. Lorsqu'ils étaient à l'hôtel, en voyage, il devait se montrer très convaincant pour qu'elle accepte de conserver son déshabillé pour prendre le petit déjeuner à la chambre. Il la piégeait en arguant qu'il ne lui avait pas offert un kimono de soie pour qu'il demeure suspendu à un crochet derrière la porte de la salle de bain.

— Ça sent bon, fit-elle en s'approchant du four. Provencher t'a dit qu'on a deux armes ?

— Ça ressemble à une comptine. Trois victimes, deux plumes, deux armes, deux losers, un empereur. Et assez de suspects pour quatre couplets. Qu'est-ce que l'expert a trouvé ?

— Les deux premiers meurtres ont été commis avec un silencieux dont les moustiquaires de métal ont égratigné le plomb et modifié la signature originale sur la douille. La balle que tu as extraite du corps de Saucier a bien des rainures inclinées vers la droite, comme c'est le cas pour le browning Hi-Power, mais elles sont différentes de celles trouvées sur les balles des deux premiers meurtres.

— Il me semble que c'est l'arme de service personnelle de Provencher ?

Comme de nombreux policiers, Pierre-Ange Provencher avait adopté cette arme de service plus rapide et plus précise que le revolver de calibre .38 Special que fournissait la SQ à ses agents.

— Elle a une capacité de treize balles au lieu de cinq, je crois, poursuivit Alain.

— Oui et, dans ce cas-là, le chiffre treize ne porte sûrement pas malchance.

— Votre assassin a dû être obligé de changer d'arme.

— Il a aussi changé de plume, ajouta Graham, elles ne proviennent pas du même oiseau. Les *modus operandi* se ressemblent, mais l'arme et la plume sont différentes. Qu'est-ce que ça signifie ?

— Vous n'avez pas de plume sur Brûlotte, rappela Alain Gagnon.

— Je le sais bien, s'énerva Graham, mais il devrait y en avoir une…

Alain lui tendait un verre de Montlouis quand elle s'écria qu'il pouvait rester du duvet dans les vêtements de Brûlotte.

— Si la plume a été glissée dans sa chemise, comme pour Corriveau et Saucier, elle a pu s'envoler, mais on a peut-être des traces de duvet dans la poche… C'est la SQ de Trois-Rivières qui enquêtait là-dessus. Ils doivent avoir conservé les vêtements de la victime comme pièces à conviction.

— Ça fait des années…

— J'appelle Provencher.

Maud Graham soumit son hypothèse à Pierre-Ange Provencher qui lui promit d'obtenir l'information.

— S'il y a du duvet, on aura une raison supplémentaire de croire que les trois meurtres sont reliés, fit-elle en confiant ses espoirs à Alain.

Ils trinquèrent, puis elle soupira ; pourquoi l'assassin avait-il changé d'arme et d'oiseau ?

Elle but une gorgée du vin mousseux avant d'évoquer la possibilité qu'il y ait deux meurtriers.

— Un imitateur ? Constant serait un imitateur ?

— Il est présentement détenu pour possession d'armes non répertoriées. Et parce qu'il n'a pas pu nous expliquer pourquoi il avait une double identité, ni pourquoi il s'apprêtait à traverser la frontière. Il a menacé Bernard

Saucier, c'est vrai, mais quel serait son lien avec les autres victimes ?

— Il faut qu'on revérifie quelles informations ont été publiées dans les journaux quand Brûlotte et Corriveau ont été tués. Pour l'instant, Constant nie les connaître.

Maud reposa son verre sur le comptoir de la cuisine et rappela Provencher.

— Je ne te dérangerai plus ce soir, promit-elle. Mais je n'ai pas les documents sous les yeux. De quoi te souviens-tu ?

— Personne n'a parlé de la plume, assura Provencher. Dans le cas de Corriveau, Winter n'avait même pas l'air de s'en souvenir. Dans les journaux, ce qui est sorti ici tournait autour du destin tragique d'un Québécois aux États-Unis. On concluait à un meurtre gratuit. Pour Brûlotte, dans la presse, il était surtout question de ses liens avec le crime organisé. Je demande à Bilodeau de vérifier si ma mémoire est bonne.

— Pourquoi l'assassin de Saucier aurait-il changé d'arme et de plume ? s'énerva Maud Graham. Ça m'obsède.

— Parce qu'il a perdu l'arme ? Ou parce qu'il a eu peur qu'elle nous mène à lui ?

— Il tue deux hommes à dix ans d'intervalle sans être découvert, mais il change d'arme pour sa troisième victime ? Il aurait dû au contraire la conserver...

— Tu penses à un imitateur ? souleva Provencher. Dans ce cas, il faut que cet imitateur ait eu accès aux rapports rédigés sur la mort de Corriveau.

— Ou qu'un policier ait parlé à quelqu'un...

— Aux États-Unis ? Pourquoi un agent américain aurait-il discuté des circonstances de la mort de Corriveau avec... Avec qui ?

— À moins que la personne n'ait été témoin de tout, avança Graham. Quelqu'un qui était sur place.

— Témoin ?

— Vincent Corriveau ! s'exclama Graham. Il a découvert le corps de son père. Et sa mère qui l'a rejoint aux États-Unis. Il a pu lui raconter qu'il avait vu une plume. Il prétend ne se souvenir de rien, mais si c'était faux ? Ou si sa mère avait une bonne raison pour tuer Saucier ?

— Vincent hérite de cent mille dollars, fit Provencher. C'est suffisant pour pousser certaines personnes au crime.

— Il ne pouvait pas savoir de combien il hériterait à la mort de Saucier. Mais s'il avait tué son parrain par dépit, par colère ? Ou pour une raison encore plus obscure.

— Leurs rapports étaient-ils conflictuels ?

— Distants, d'après ce que Vincent Corriveau nous a raconté, rapporta Graham. Il voyait Bernard Saucier une ou deux fois par année.

— Il a pu se sentir négligé... Mais de là à le tuer. Et même s'il est le meurtrier, qui s'est chargé de Brûlotte et de Corriveau ? La recherche que j'ai fait faire ne nous indique aucun autre crime avec le même *modus operandi*, même si, évidemment, il y a plusieurs meurtres où on a récupéré des balles de calibre 9 mm.

— Mais pas de plume, j'ai compris, maugréa Graham. Je suis pourtant prête à mettre ma main au feu que Vincent nous cache quelque chose. Je n'aurai pas tout de suite un mandat pour le mettre sous écoute ou fouiller chez lui. Mais surveillons-le. Je ne crois pas qu'un policier, à Massena, ait pu raconter à un hypothétique agresseur qu'il y avait une plume sur le cadavre de Corriveau. Le 18 juillet, c'est le jour anniversaire de la mort de Gabriel Siméon. Et de celle de Paul Corriveau, c'est significatif !

— Où est Vincent Corriveau actuellement ?

— À Québec. Il travaille au club sportif. Je suppose qu'il sortira, ce soir. C'est un joyeux fêtard qui boit jusqu'à en perdre la mémoire. On a vérifié, il a traîné chez Edgar, à la Cuisine, au Cercle le soir du 17 ou la nuit du 18, mais aucun serveur ne peut nous préciser à quelle heure. Il a pu y être juste avant le meurtre, pendant et peut-être même après, à temps pour le *last call.*

— Et, bien sûr, il ne se souvient pas de cette soirée.

— Il peut m'avoir menti là-dessus, mais il me semble qu'il n'aurait pas quitté Québec avant d'avoir touché sa part d'héritage. Il a un boulot ici. Nous n'avons pas mis en doute, apparemment, ce qu'il nous a raconté lorsque nous l'avons rencontré. Ça fait plus d'une semaine que Saucier est décédé et nous ne l'avons vraiment pas harcelé. Il ne doit pas se sentir menacé par nos services. On pourrait le filer.

— Cette soirée où il a fait le tour des bars a dû coûter cher, remarqua Provencher. Pour quelqu'un qui n'a qu'un salaire d'entraîneur...

— S'il flambait autant, c'était peut-être qu'il savait qu'il aurait bientôt de l'argent.

— Tu mets la charrue devant les bœufs, l'arrêta Provencher. Mais, oui, Vincent a pu assassiner Bernard Saucier.

— Ça m'étonnerait toutefois que ce soit lui qui ait débranché les caméras afin de ne pas apparaître sur les bandes vidéo.

— On aurait pourtant dû voir Vincent se présenter chez Saucier sur ces bandes, s'il est allé chez lui. On a Jules, mais pas Vincent. On n'a plus d'images après celles de Jules.

— Parce qu'il avait un complice ! Jules ! Qui a pu s'occuper des caméras...

— Ça se tient, dit Provencher. Mais que fais-tu de Guérin ?

— Ça peut aussi être Guérin, marmonna Graham. On n'a pas pu vérifier quand exactement il était à

Saint-François d'Assise. Il a pu s'éclipser de l'hôpital et y revenir. Il prétend avoir dormi sur place, mais tout ça reste vague. Il y a trop de va-et-vient dans un hôpital pour qu'on ait une information plus juste.

— Je me renseigne pour le duvet, promit Provencher.

Maud Graham rejoignit Alain qui avait déposé une assiette de crudités et des biscuits tartinés d'une mousse d'espadon fumé aux pacanes.

— C'est délicieux ! se réjouit Maud Graham. Où as-tu acheté ça ?

— Au Boucanier, près de l'avenue du Mont-Royal. J'ai découvert cette boutique cette semaine. Ils fument des poissons et du fromage. Sais-tu qui m'a téléphoné tantôt ? Francis Guérin.

Maud faillit s'étouffer avec une gorgée de Montlouis. Francis Guérin n'avait pas perdu de temps.

— Je lui ai donné notre numéro. Sa réaction m'intéresse…

— N'est-ce pas bizarre que, au moment où tu enquêtes sur la mort de trois hommes qu'il a connus, il m'appelle ?

Alain termina sa coupe, remplit son verre et celui de Maud. Croyait-elle aussi que Guérin avait évoqué le prétexte d'un article pour *L'actualité médicale* pour le joindre ? Dans quel but ?

— Pour en savoir plus sur l'enquête. Ou sur l'autopsie de Saucier.

— Il ne m'a pourtant pas posé une seule question à ce sujet.

— C'est trop étrange. De quoi avez-vous parlé ?

— De *L'actualité médicale*, des cellules cérébrales.

— C'est tout ?

— Il a dit qu'il savait qu'on se connaissait.

Maud croqua un radis, puis une carotte avant de déclarer que Francis Guérin était amoureux de Gabriel Siméon.

— Et alors ?

— Il a pu vouloir le venger. Son alibi n'est pas clairement établi.

— Il était chez lui, puis il est allé à l'hôpital. Il prétend avoir roupillé sur place avant de retourner à la salle d'urgence. Ça manque de précision. Il peut aussi être l'auteur des deux premiers meurtres, mais ne pas être mêlé au troisième. Sauf qu'il aurait dû vouloir assassiner Saucier...

— De toute manière, avança Alain, comment pourrais-tu parvenir à vérifier les alibis de Francis Guérin pour des meurtres qui remontent à dix et vingt ans ?

— Quelqu'un a tué Brûlotte et Corriveau un 18 juillet. Quelqu'un qui sait que Gabriel Siméon s'est suicidé un 18 juillet. Sa sœur était trop jeune en 1991 pour se charger de Brûlotte.

— Et son cousin ? Celui qui avait récupéré le corps ? Ou les autres autochtones ? Rappelle-toi que les trois meurtres ont eu lieu près d'une communauté.

— Le cousin est mort en 1981. On tourne en rond. Tu es certain que Guérin ne t'a rien dit d'autre ? Comment était-il, au téléphone ?

— Normal. Ah oui, on a parlé de sa nouvelle voiture. Une Porsche.

— Est-il sympathique ou non ?

Alain parut surpris par cette question.

— Je suppose que oui, même si les deux fois où je l'ai vu, il m'a paru coincé. On dirait un enfant qui a peur d'être pris en faute. Alors qu'il a une excellente réputation, un parcours impeccable. Il s'implique dans toutes sortes d'événements malgré sa timidité.

— C'est étrange qu'il soit si admirable et si peu responsable quand il conduit.

— A-t-il tant de contraventions ?

— Pas récemment. J'imagine qu'il a compris qu'il devait se calmer s'il ne veut pas qu'on lui retire son permis. Ce serait dommage de ne pas profiter de sa nouvelle voiture.

— Est-ce qu'on peut souper, maintenant ?

Maud sourit à Alain. Bien sûr que oui. N'avait-elle pas, hélas, toujours faim ?

***

La brise dessinait de longues ondulations sur les champs et Amélie Tellier comparait ces vagues à celles du fleuve en se demandant pourquoi elle s'était entêtée à voir Bernard, ce 17 juillet. Pourquoi elle l'avait rappelé, alors qu'il avait eu des mots si durs envers elle ? Pourquoi avait-elle refusé d'admettre leur rupture ? Parce qu'il lui avait répété plusieurs fois qu'il ne pouvait pas se passer d'elle ? Pourquoi l'avait-elle cru, quand elle savait que c'était un séducteur ?

Et maintenant, elle était là devant le fleuve avec l'envie de s'y jeter. Elle n'était plus rien. Elle n'avait plus rien. Ni amant. Ni mari. Elias la quitterait sûrement même s'ils avaient, au cours des ans, fermé les yeux sur les incartades de l'un et de l'autre.

Saucier n'entrait pas dans la catégorie des aventures sans lendemain.

Il y avait des lendemains avec Bernard. Tous ces matins où elle espérait qu'il la prie de quitter Elias. Et tous ces matins depuis sa mort où elle redoutait la visite des enquêteurs. Elle craquerait au prochain interrogatoire. Et peut-être qu'elle s'en foutait. Son cher mari n'était pas au chalet de l'île d'Orléans la nuit du meurtre, ils le savaient tous les deux. Lui avait-il ordonné de parler à Maud Graham de la présence de Jules Saucier chez son père pour innocenter Daniel Constant ?

Ou lui-même ?

Elle et son mari ne se connaissaient plus. Elle avait l'impression que c'était un clone d'elle-même qui partageait le quotidien d'un homme absent. Un spectre qui errait de la maison au jardin. Du jardin au fleuve. Qu'est-ce que ça changerait si elle se précipitait dans le Saint-Laurent ? Peut-être qu'elle ne sentirait rien du tout. Elle était amputée d'elle-même depuis la mort de Bernard. Depuis leur rupture.

Elle devait apprendre aux enquêteurs que Jules était chez son père ce soir-là. Ils lui reprocheraient sans doute de ne pas l'avoir fait avant et la questionneraient sur son silence, mais elle ne saurait pas quoi leur répondre. Elle ne savait plus rien. Elle sentit la brise lui caresser la peau, inspira longuement. Elle appellerait Maud Graham un peu plus tard. Elle avait trop envie de calme pour le moment.

***

Rimouski, 30 juillet 2011

Jules Saucier avait couru durant une heure, mais il était toujours anxieux lorsqu'il regagna son domicile. Il ne pouvait y croire : Vincent Corriveau lui avait bel et bien téléphoné alors qu'il avait été clair : pas de communication entre eux avant des semaines. Il l'avait même appelé de chez lui.

Est-ce que Vincent était moins intelligent qu'il ne l'avait jugé ?

Ferait-il tout foirer ?

Jules se dirigea vers le réfrigérateur, prit la bouteille de vodka et but une longue gorgée à même le goulot. Il devait se calmer. Si seulement Patrick était là ! Il lui aurait changé les idées. Mais il ne revenait de Terrebonne où il était allé visiter ses parents qu'après-demain. Jules but une autre gorgée d'alcool puis rangea la bouteille dans le congélateur. Il devait garder la tête froide. Et ne pas s'enivrer, contrairement à Vincent.

Est-ce que celui-ci, en état d'ébriété, raconterait ce qu'il avait fait ? Non, il n'irait pas jusque-là. Non. Tout de même pas.

Jules se répéta pour la centième fois qu'il s'inquiétait inutilement à propos de l'appel de Vincent. Ils se connaissaient, c'était normal qu'ils se parlent à l'occasion, même s'ils n'étaient pas amis. Il devenait paranoïaque ! Pourquoi s'imaginait-il que les enquêteurs écoutaient sa ligne téléphonique ? Ils l'avaient interrogé à plusieurs reprises, mais la caméra vidéo du garage où il avait pris de l'essence à son retour au Bic et le témoignage d'un barman qui se souvenait de sa présence au Cercle le 18 juillet avaient calmé l'ardeur des policiers. Il avait été autorisé à retourner à Rimouski après la lecture du testament. Maud Graham n'avait pas cherché à le revoir. Il devait cesser de paniquer ; Vincent l'avait appelé mais n'avait rien dit de compromettant. Il avait simplement annoncé une prochaine visite. Il avait le droit de se rendre à Rimouski comme tout le monde. Au pire, si jamais on l'interrogeait là-dessus, il prétendrait que la mort de Bernard les avait rapprochés, lui et Vincent, car ce dernier avait fait preuve de compassion. Il savait ce que c'était, perdre un père. Oui, c'est ce qu'il leur servirait comme fable.

Mais ils n'auraient pas de questions pour lui ! Non ! Ils avaient arrêté Daniel Constant. Pourquoi croyaient-ils que c'était lui qui avait tué Bernard ? Bonne question. Tant pis s'il n'avait jamais la réponse.

À condition que rien ne change. Que Constant ne puisse leur fournir un parfait alibi. Dans ce cas, Maud

Graham, Michel Joubert et toute la bande de policiers recommenceraient à chercher un coupable. Et repenseraient peut-être à lui.

N'avaient-ils pas fait, à ce jour, le lien entre le meurtre de Bernard Saucier et celui de Paul Corriveau ? Ils devaient bien avoir remarqué la plume ! Ils ne pouvaient pas ne pas avoir fait le rapprochement entre les deux crimes. Maud Graham lui avait semblé intelligente. Ainsi que Michel Joubert dont l'ouverture d'esprit l'avait surpris. Dans d'autres circonstances, cet homme aurait pu lui plaire.

Était-il possible que la plume ait disparu de la poche de la chemise de Bernard ? Est-ce que Vincent avait oublié de la glisser dans la maudite poche, mais ne le lui avait pas avoué ? Ils ne s'étaient parlé qu'une seule fois depuis la mort de Bernard ; à l'enterrement où c'était naturel de se rapprocher. Vincent lui avait chuchoté que tout s'était déroulé comme ils l'avaient imaginé. Ils s'étaient étreints, personne n'avait pu entendre leur si brève conversation. Et à la lecture du testament, Jules lui avait seulement serré la main, comme il l'avait fait avec tous les hommes de la famille. Il avait embrassé Axelle et Livia et les enfants de Lily. Quoi de plus normal ? Peut-être qu'il avait murmuré quelques mots à l'oreille de Livia, mais personne ne leur avait porté attention, chacun s'interrogeant sur la teneur du testament.

Pourquoi s'inquiétait-il alors ?

Parce que toute cette histoire paraissait irréelle. Il avait souhaité la mort de Bernard durant tellement d'années. Était-il possible qu'il ait songé à le tuer dès ce jour où il avait compris que Vincent Corriveau le détestait autant que lui ? Ils étaient jeunes à l'époque, mais Jules l'avait observé tandis que son père lui remettait son chèque pour son anniversaire. Il avait noté la crispation de la mâchoire alors que Vincent s'efforçait de sourire et de plaisanter sans parvenir à être naturel avec son parrain.

Mais qui l'était avec Bernard Saucier ? Jules s'était toujours demandé si son père était dupe de l'affection que ses amis ou ses enfants lui vouaient. Quand on paie les gens, comment peut-on croire ensuite qu'ils vous aiment spontanément ? C'était la seule explication qu'il avait trouvée en ce qui concernait les soupers annuels de son père avec ses chers vétérans du chantier ; ces hommes l'avaient connu lorsqu'il était au bas de l'échelle et ils l'admiraient déjà. Eux avaient au moins eu le mérite de déceler son potentiel, ils l'avaient apprécié avant qu'il fasse fortune.

Et sa mère, peut-être, qui avait rencontré Bernard lorsqu'il avait acheté son deuxième hôtel. Il n'était pas encore célèbre. C'était même elle qui l'était, à cette époque, mais elle avait raconté à ses enfants qu'elle avait été fascinée par l'énergie qui émanait de leur père. Dommage qu'il n'en ait pas hérité. Jamais Jules n'avait ressenti cet élan qui habitait Bernard, qui le poussait à en vouloir toujours plus, à conduire trop vite, à se marier trop souvent, à sauter d'un avion à l'autre. Patrick affirmait qu'il appréciait sa réserve, son calme, mais lui savait qu'il lui manquait ce tonus qui l'aurait poussé à égaler son père.

Quand cesserait-il donc de se comparer à lui ? Il était six pieds sous terre. Il n'en était pas encore débarrassé ?

Il eut envie de pleurer de rage et d'impuissance ; il n'avait même pas ressenti le soulagement qu'il espérait. Qu'un grand vide. Un grand vide qui pourrait être reposant s'il parvenait à chasser la culpabilité qui menaçait de tout bouleverser. Il voyait ce vide comme un lac étale menacé par des nuées de crapauds qui le dévoreraient. Il n'allait quand même pas s'accuser pour qu'on libère Daniel Constant. Les policiers ne l'avaient sûrement pas arrêté sans motif. Il se le répétait et se le répétait encore, troublé de parler tout haut, mais rassuré d'entendre le son de sa propre voix.

Cette arrestation était inespérée ! N'importe qui à sa place s'en serait félicité. Vincent avait dû exulter en apprenant la nouvelle. Constant serait surpris lorsqu'on l'interrogerait à propos de la plume, mais pour l'arme du crime, même s'il niait avoir possédé un 9 mm, personne ne le croirait. D'après ce qui était écrit dans le journal, il possédait plusieurs armes. Une de plus ou de moins… Il n'était pas blanc comme neige, ce type. Pas un enfant de chœur. Un bon avocat pourrait semer le doute dans l'esprit des jurés. L'important était qu'on les oublie, Vincent et lui. Il frissonna, croisa les doigts machinalement. Et si Vincent avait aussi fait la bêtise d'appeler Livia. Ils avaient juré qu'ils attendraient un mois pour se revoir. Pouvait-il compter sur lui ? Livia avait-elle su le manœuvrer comme ils l'avaient décidé ensemble ?

Vincent partirait en Australie comme il l'avait rêvé. De quoi pourrait-il se plaindre ?

Jules fut tenté de reprendre la bouteille de vodka, mais y renonça. Il ferait mieux de préparer l'arrivée de Patrick ; comment fêteraient-ils leurs retrouvailles ? Il devait chasser son anxiété, son amant ne devait rien deviner de son malaise.

***

Québec, 30 juillet 2011

Le bruit d'une sirène troua la moiteur du soir et Francis Guérin sourit au jeune interne qui était sorti avec lui pour fumer une cigarette à l'extérieur de l'hôpital.

— J'avais arrêté, mais l'urgence, c'est stressant, s'était-il excusé.

— Tu arrêteras quand tu arrêteras.

Ils étaient restés là à discuter du blessé à l'arme blanche qu'ils avaient soigné ensemble.

— On est bien dehors, fit Guérin.

— C'est tellement calme, en comparaison avec l'urgence. Quasiment trop.

Le hurlement d'une sirène contredit l'interne qui sourit. La récréation était finie.

— Ça doit être l'accidenté du boulevard Bertrand.

Francis Guérin se réjouissait de travailler, il éviterait de penser à Daniel Constant. Il en avait marre de regarder sa photo dans le journal sans qu'aucun souvenir ne lui revienne à l'esprit. Jean-François Cliche l'avait appelé pour lui raconter la visite de Maud Graham et il avait affirmé qu'elle avait été déçue de ne pas reconnaître Constant dans le *scrapbook*. Se pouvait-il que Graham et Cliche se soient trompés ? Que Constant ait tellement changé qu'ils n'aient pu le reconnaître ? Dans ce cas, il avait dû aussi changer de nom. Était-il possible qu'il l'ait croisé au chantier et totalement oublié ?

Mais pourquoi aurait-il travaillé là-bas sous un autre nom ? Ou alors, c'était son vrai nom ?

Il y avait une autre hypothèse, si le coupable était bien Constant : il avait voulu imiter le meurtrier de Brûlotte et de Corriveau afin que le meurtre de Saucier lui soit imputé.

Mais comment pouvait-il savoir qu'il avait assassiné ces deux hommes ? Qu'il aurait dû tuer Saucier, qu'il s'était rendu chez lui le 18 juillet, qu'il avait trouvé Bernard Saucier inanimé, qu'il avait pris son pouls et était reparti aussitôt, tellement troublé qu'il avait pensé, tandis qu'il s'enfuyait dans sa voiture, qu'il avait eu une hallucination. Qui avait pu tuer Saucier avant lui ? À ce moment-là, il avait été incapable de se rappeler s'il y avait une plume dans la chemise de la victime, mais Graham le lui avait appris. Qui avait déposé une plume ?

Il devenait fou à force de réfléchir sans trouver de réponse.

Et pourquoi, pourquoi, pourquoi Constant aurait-il abattu Saucier ? Dans le journal, il était écrit que Constant, un militant actif de l'association Grandir, avait été interpellé à la frontière des États-Unis et qu'il serait vraisemblablement interrogé sur ses rapports avec Bernard Saucier, puisqu'il avait proféré des menaces contre lui.

Est-ce que cela signifiait que les enquêteurs savaient qu'il était le meurtrier ou non ?

Pouvait-il discuter avec ce journaliste sans attirer l'attention sur lui ? Qui le renseignerait sur Daniel Constant ?

Il ne pouvait tout de même pas appeler Alain Gagnon…

***

Québec, dimanche 31 juillet 2011

Maud Graham regardait Maxime dormir. Rêvait-il comme elle à Léo ? Le chat gris lui était apparu dans la nuit et, durant quelques secondes, elle avait cru le sentir auprès d'elle, entendre son ronronnement, mais il n'était pas dans la chambre ni dans celle de Maxime. Elle fit chauffer l'eau pour le thé et s'assit en face de son ordinateur ; peut-être que des informations étaient entrées et la distrairaient de son chagrin.

Le rapport d'un collègue de Provencher l'attendait : aucun journaliste n'avait fait état d'une plume dans les comptes rendus des journaux parus au moment de la mort de Brûlotte, et il n'y avait rien non plus dans les articles archivés concernant Corriveau. L'enquêteur de la SQ ajoutait qu'il aurait les résultats de la recherche de duvet d'oie dans les vêtements de Brûlotte lundi matin et que Provencher poursuivrait en matinée l'interrogatoire de Daniel Constant.

Daniel Constant, alias Jacques Fournier. Était-il trop tôt pour téléphoner à Jean-François Cliche ? Elle était persuadée que le nom de Daniel Constant n'avait rien ranimé dans sa mémoire.

Jacques Fournier ? Les recherches lancées par Provencher ne démontraient pas qu'il était au chantier en 1981, mais la liste qu'ils avaient obtenue en apprenant le meurtre de Brûlotte était peut-être incomplète. La veille, pourtant, on avait fini par joindre Richard Bryson, le contremaître du chantier, et les noms de Fournier ou Constant n'évoquaient rien pour lui. Constant avait affirmé avoir tous ses biens avec lui quand il s'apprêtait à traverser la frontière, mais il était maintenant question de fouiller chez Evelyne Bédard. Provencher croyait que Constant-Fournier avait loué un garde-meuble pour y entreposer des effets personnels.

— Il dit n'avoir jamais eu besoin de plus qu'un sac de couchage et deux valises pour vivre, avait rapporté Provencher. Mais ça me paraît bizarre à son âge.

— Moi, c'est son lien avec le chantier que j'aimerais éclaircir, avait formulé Graham. J'ai toujours cru que l'oie avait une signification, comme la mort de Gabriel Siméon, un 18 juillet. Mais si Constant n'était pas au chantier...

Provencher n'avait rien ajouté, se posant les mêmes questions que Maud Graham. Elle s'était couchée avec des questions, s'était levée avec elles, les sentait qui tournaient sans relâche dans son esprit. En rond. Tel le serpent qui se mord la queue. Comme cette enquête trop circulaire. Elle ouvrit la porte donnant sur le jardin, goûta la sensation de l'herbe humide de rosée sous ses pieds, se dirigea vers le lilas. Elle avait toujours raconté ses enquêtes à Léo, guetté le frémissement d'une oreille ou un ronronnement d'acquiescement à ses paroles. Le regard apaisant du beau chat gris lui manquait terriblement.

Elle entendit un bruit derrière elle.

— Biscuit ?

Maxime s'approcha, passa son bras autour de sa taille.

— Tu as encore grandi, dit-elle.

— Je l'aimais tellement. Je ne mangerai plus jamais de crevettes sans penser à Léo. Est-ce que tu restes ici, aujourd'hui ?

— Ça devrait.

— Tu as le droit de prendre congé. Tout le monde prend congé.

— Je sais, mais c'est une grosse affaire. J'ai hâte que ce soit réglé.

— Et celui que vous avez arrêté ?

— Nous ne savons pas encore quel est son rôle exact.

À midi, cependant, Provencher lui apprenait que Daniel Constant avait fini par avouer qu'il couvrait Elias Sansregret.

— Il pensait que son prétendu compagnon de combat à Grandir viendrait à son aide, mais il semble que Sansregret a tardé à manifester sa solidarité… J'ai envoyé des agents les chercher, lui et Amélie Tellier.

— Qu'a dit exactement Constant ?

— Qu'il n'a pas tué Saucier. Qu'il était avec Sansregret le soir du meurtre. Qu'ils buvaient ensemble. Sansregret le savait, mais il n'a pas levé le petit doigt pour lui.

— Je n'ai vu ni Constant ni Sansregret dans l'album de Jean-François Cliche, glissa Maud Graham, même sous d'autres noms. L'alibi de Constant est vérifié ?

— J'ai des hommes qui s'en chargent. Constant soutient qu'il a bu avec Sansregret une partie de la soirée et de la nuit. Ça reste vague. Tu as pensé à un meurtre passionnel ? La femme de Sansregret fricotait peut-être avec Saucier. C'est un motif assez fréquent. Ou l'argent. J'aurais plutôt parié pour cette raison.

— Et la plume ?

Il y eut un silence, puis Maud reprit la parole.

— La passion peut aveugler un homme au point de le pousser à commettre les pires erreurs. Guérin me fascine.

— Continue, fit Provencher.

— Il vit à Québec depuis des années et il n'a jamais tenté d'entrer en contact avec Alain. Voilà que je l'interroge à propos de Saucier et, tout à coup, il appelle mon chum. On sait qu'il demeurait à Québec au moment des meurtres de Brûlotte et de Corriveau, mais personne n'a songé à l'interroger alors sur ce qu'il faisait précisément les 18 juillet 1991 et 2001.

— Tu veux le questionner là-dessus ? Il soutiendra qu'il ne s'en souvient pas. Et ce sera compréhensible. Je n'ai aucune idée d'où j'étais et de ce que je faisais il y a vingt ans. Ou dix ans.

— Je veux quand même en discuter avec lui.

— Je te redonne des nouvelles après l'interrogatoire de Sansregret. Je n'ai pas pu joindre Rouaix, je suppose qu'il est au golf et qu'il a éteint son portable.

— Je ne pensais jamais qu'il aimerait autant frapper sur une petite balle.

— Tu devrais essayer, c'est plus sain que de taper sur quelqu'un ! assura Provencher en riant avant de raccrocher.

Emboîtait-il le pas à Rouaix pour la taquiner sur son impatience ? Oui, elle était impatiente, elle l'admettait. Mais n'avait-elle pas raison d'être exaspérée par la lenteur de cette enquête ? Elle rongerait son frein jusqu'au lendemain, en croisant les doigts pour qu'on découvre des traces de duvet dans la veste que portait Serge Brûlotte.

— On devrait aller au marché, proposa Alain en posant ses mains sur les épaules de Maud Graham. Oublie Provencher pour quelques heures.

— Au marché ?

— Près du Vieux-Port. Pour acheter des framboises. Pour les confitures.

— Je n'ai jamais fait de confitures de ma vie.

— Grégoire nous expliquera comment procéder. Nous n'allons pas rester ici toute la journée à attendre des nouvelles de la SQ.

— Tu as raison.

Maxime refusa de les accompagner et ils le déposèrent près des plaines d'Abraham où il disputerait un match de soccer.

— Veux-tu qu'on prenne Michaël en passant ?

— Il est déjà là.

— Ce n'est pas la meilleure heure pour courir, en plein midi ! N'oublie pas de boire beaucoup d'eau.

Maxime soupira. Il n'avait plus huit ans.

Une joyeuse rumeur animait le marché du Vieux-Port et les étals de fruits et de légumes étaient si appétissants que Maud et Alain retournèrent à la voiture les bras chargés de paniers de fèves vertes, de pommes de terre grelots, de carottes et de navets qu'ils n'avaient pas l'intention d'acheter en si grande quantité en quittant la maison.

— On préparera un grand ailloli, dit Alain. C'est ça, le marché, on ne peut pas résister, c'est trop tentant. Et on fera une salade de crabe, mangue et tomate.

Maud Graham regardait les goélands qui se disputaient les reliefs d'un sandwich. Est-ce que les oies étaient aussi agressives que ces oiseaux ? Pourquoi y avait-il une plume plus ancienne et une récente ?

— Tu penses encore à l'enquête.

— Nous sommes tout près de chez Francis Guérin. Les dessins de son ami Gabriel sont très beaux. Je ne m'y connais pas trop en art, mais ils m'ont un peu rappelé les toiles que j'avais vues dans le bureau de l'avocat Rivard.

Maud Graham faisait allusion à Didier Rivard qui avait été impliqué dans une sordide histoire de combats illégaux.

— Je me demande qui a acheté les tableaux de Lemieux quand Rivard a dû quitter le cabinet.

— Ses associés ? suggéra Alain. Je serais curieux de voir les dessins de ce Gabriel Siméon. Je pourrais appeler Guérin.

— Il trouvera sûrement ça bizarre.

Maud se tut durant quelques secondes avant de marmonner que, après tout, Guérin avait été le premier à téléphoner à Alain.

— S'il n'a rien à cacher, il nous ouvrira.

— Non, la coupa Alain, tu es malhonnête. Il nous ouvrira parce qu'il se sentira obligé de le faire, parce que tu mènes l'enquête et qu'un bon citoyen ne refuse pas de répondre aux questions d'un policier. Je ne suis que le prétexte et Guérin le saura parfaitement.

— Pourquoi veux-tu y aller alors ?

— Parce que je veux vraiment voir ces dessins, affirma Alain. J'ai fouillé un peu sur Internet, Siméon avait beaucoup de talent. Et comme tu penseras à ton enquête toute la journée, aussi bien suivre le mouvement... Ça ne coûte rien d'essayer. Au pire, Guérin ne nous répondra pas.

Maud Graham ouvrit son calepin, repéra le numéro de Guérin, le composa et tendit son appareil à Alain Gagnon. Francis Guérin répondit à la cinquième sonnerie, parut surpris d'entendre Alain mais l'invita aussitôt à monter chez lui. Alain referma le cellulaire d'un air dubitatif.

— Il ne s'attendait pas à mon appel, mais il a l'air très content qu'on s'invite.

— Content ?

— Oui. C'est étrange.

Devant la porte de l'immeuble, Alain hésita à sonner chez le médecin.

— Ça me gêne.

— Même s'il a commis des meurtres ?

— Tu n'en sais rien.

— C'est pour ça que je veux le revoir. Sonne.

Alain Gagnon obtempéra en se jurant intérieurement qu'il ne se mêlerait plus des affaires de sa compagne. Il avait voulu lui rendre service, mais il n'était pas à l'aise dans ce rôle de faux jeton. Il avait l'impression de manquer de respect à un collègue. Un collègue qui avait l'estime de tous dans son travail.

— Nous étions au marché, expliqua-t-il à Francis Guérin quand celui-ci leur ouvrit. Maud m'a parlé des œuvres des peintres animaliers, mais si on te dérange...

— Non. Je me suis levé tard, mais j'ai eu le temps de déjeuner. Voulez-vous un thé, un café ? Un verre de vin ? Je sais que tu es un amateur très éclairé d'après Carole, à l'hôpital. C'est vrai que tu organiseras la soirée de dégustation, cet automne ?

Alain acquiesça, s'empressa de préciser qu'il n'était pas un si grand connaisseur, plutôt un passionné.

— J'ai découvert les vins corses cet été, dit Guérin.

— Tu es allé là-bas ?

— Non, mais j'en rêve. Tu voulais voir les dessins de Gabriel Siméon ?

Francis Guérin prit Alain par le bras pour le diriger vers le couloir où étaient accrochées les œuvres de Siméon, entre deux toiles de Grondin.

— Tu t'intéresses aussi à l'art ?

— J'étais intrigué par ce que Maud m'a dit. Tu le connaissais bien.

Francis Guérin corrigea Alain ; non, s'il l'avait vraiment connu, il aurait deviné que Gabriel s'enlèverait la vie.

Cet aveu si intime stupéfia Alain. Il s'approcha des dessins en se reprochant encore d'avoir voulu plaire à Maud en s'imposant à Francis Guérin.

— Est-ce qu'il savait qu'il avait du talent ? s'enquit Maud.

— Je le lui répétais. Sans réussir à le convaincre.

— Je ne pourrais pas être une artiste, déclara Maud. C'est trop angoissant.

Le rire inattendu de Guérin amena un sourire sur les lèvres d'Alain.

— Votre métier est quand même un peu inquiétant.

— Avoir peur et être angoissé, ce n'est pas pareil. Avoir peur nous tient en alerte, nous protège d'une certaine manière du danger, tandis qu'être angoissé est minant. Comme une maladie. De toute façon, je n'ai aucun talent artistique, alors… Gabriel avait-il cette oie depuis longtemps quand Saucier l'a tuée ?

— Quelques semaines. Nishk était vraiment apprivoisée. J'ai été étonné qu'elle s'habitue si vite à nous. Elle nous accueillait avec des cris de joie.

— Vous devez en avoir beaucoup voulu à Saucier.

— Et à tous les autres, oui. Je les détestais tous. Je n'ai regretté la mort d'aucun d'entre eux.

Il y eut un silence qui rappela à Alain les secondes qui précédaient parfois l'instant où il détaillait un nouveau corps à autopsier. Un silence étrange, lourd de possibilités, de secrets.

Regretté ? songea Maud Graham. Guérin confessait-il ses remords d'avoir abattu ces hommes ou avouait-il qu'il s'était réjoui de ces décès ? Elle n'osait rompre le silence, ne quittait pas le médecin des yeux, sans réussir à déchiffrer son expression et s'en étonnant. Elle avait pourtant l'habitude de décoder les battements de cils, les tics, toute la gestuelle d'un suspect, mais Guérin demeurait une énigme et, par le fait même, l'intriguait encore davantage.

— Que s'est-il passé après la mort de Gabriel ?

— Je me suis installé à l'infirmerie. Je n'ai plus voulu partager le campement des deux autres crétins. De toute manière, il y a eu l'accident de Cliche et on m'a laissé la paix ensuite.

— Même Saucier ?

— Même lui.

— Avez-vous repensé à Constant ? Est-ce que le nom de Jacques Fournier évoque un souvenir ? Constant avait un passeport à ce nom quand il a été arrêté.

— Fournier ? Non. Je suis sûr qu'il n'était pas au chantier en même temps que moi. Il a pu arriver ensuite, après mon départ à la fin de l'été.

— Vous êtes certain que vous ne le connaissez pas ?

— Oui. À moins que…

Il s'interrompit, avait-il pu soigner Constant à l'urgence ? Mais, même s'il l'avait vu à l'hôpital, comment cet homme aurait-il pu connaître ses liens avec les victimes du chantier ? C'était abracadabrant !

— Que quoi ? insista Maud Graham.

— Qu'il ait changé de nom et d'allure.

— Il s'est fait appeler Jacques Fournier. Vous pensez à une autre identité ?

— Je dis n'importe quoi. Cliche ne l'a pas reconnu non plus. Et il passe son temps à ressasser cet été-là. Il me semble qu'il s'en souviendrait.

— Au moment où nous nous parlons, Daniel Constant est interrogé. Nous en saurons plus bientôt.

— Vraiment ?

— Oui. Je vous appellerai.

— Vous m'aviez parlé d'une plume, la première fois que vous êtes venue ici. Avez-vous du nouveau à ce sujet ? Je n'ai rien lu dans les médias.

— Il y en avait une sur le corps de Corriveau.

— Le même genre de plume ?

— Oui. Une plume d'oie. Ça vous intrigue aussi ?

Francis Guérin hocha la tête avec conviction.

Alain et Maud quittèrent l'immeuble sans dire un mot. Ils étaient aussi désarçonnés que l'homme qu'ils venaient de visiter.

— Il avait l'air heureux de nous voir, nota Maud Graham. Je crois qu'il veut vraiment des informations sur Constant. Et je vais lui en donner. On verra sa réaction. Il est mêlé à cette affaire...

— Il aurait tué trois hommes à cause du suicide de Siméon ? rétorqua Alain. C'est... gros...

Graham acquiesça en répétant que Guérin avait un secret.

— On dirait qu'il a envie de parler et qu'il se retient de le faire.

— Comme s'il protégeait quelqu'un ? Mais la seule personne qui aurait pu avoir un motif de tuer ces trois hommes, c'est Marie-Lyse Siméon. Et on a tout vérifié à son sujet.

Chapitre 13

Québec, 1er août 2011

Le soleil avait fait pâlir la photo d'Alain, Maxime et Grégoire que Maud Graham avait posée sur son bureau cinq ans auparavant, mais elle hésitait à la remplacer par une nouvelle, plus récente. Si elle était heureuse que Maxime ait grandi, qu'il ait pris de l'assurance et qu'il soit même parvenu, apparemment, à surmonter le choc du printemps dernier, elle regrettait un peu que l'adolescent lui échappe maintenant, en partie du moins. Il avait Michaël et l'équipe de soccer, il écoutait des groupes dont elle n'arrivait pas à se rappeler le nom, ses bras semblaient trop longs pour son corps et il mangeait comme quatre. Comment avait-il pu changer si vite ? Combien de temps resterait-il encore à la maison ?

— Ils grandissent vite, commenta André Rouaix en voyant Maud Graham regarder la photo de famille. Notre Martin a poussé d'un seul coup. On avait un garçon, puis le lendemain, un presque adulte avec nous.

— Maxime m'a dit qu'il voulait travailler l'été prochain. « Une job payante. » C'est sûr que ce ne sont pas ses quinze heures comme emballeur au supermarché qui l'enrichiront, mais il a évoqué les chantiers de construction. Il a des amis qui travaillent dans le commerce de leurs parents, mais Alain et moi n'avons pas le genre de métier qui permet ça. La construction ! Il rêve ! S'il fallait qu'il ait un accident. Comme Jean-François Cliche. Il faudra qu'on trouve autre chose.

— C'est l'an prochain. Tu t'inquiéteras à ce moment-là.

— Cliche et Guérin avaient raison, en tout cas, à propos de Daniel Constant. Il n'est jamais allé au chantier. Je mettrais pourtant ma main au feu que quelqu'un de là-bas est impliqué dans la mort de Saucier. On a relevé des traces de duvet dans la veste de Brûlotte ! Je n'ai pas rêvé ça. On a eu les résultats ce matin, noir sur blanc. Du duvet d'oie. Qui est resté là depuis vingt ans. Trois meurtres. Trois plumes d'oie.

— Deux armes. Pourquoi deux armes ? soupira Rouaix. Notre type aurait tout simplement perdu la première ?

— Ou il s'en est débarrassé parce qu'elle pouvait le relier aux meurtres ? À ceux de Brûlotte et de Corriveau ? Ou d'une autre victime ?

Rouaix fixa Graham avant de lui rappeler qu'ils avaient revu vingt fois la liste des hommes qui travaillaient au chantier : hormis les trois victimes, ceux qui étaient décédés depuis 1981 avaient été emportés par la maladie. Il scruta le fond de sa tasse à café, vide, sembla déçu.

— Je suis allée chez Guérin, hier, avec Alain.

— Un dimanche ?

— Oui. On était à côté, au marché. Il semblait content de nous voir. Je ne sais pas quoi penser de cet homme. Je lui ai promis de lui reparler de Constant quand nous en saurions plus. S'il n'a jamais rencontré ce type, pourquoi s'y intéresse-t-il autant ? Nous savons que Constant n'est jamais allé au chantier, mais ils ont pu se retrouver ailleurs. À l'hôpital s'il l'a déjà soigné ? Guérin déteste profondément Saucier, quand il en parle, on a l'impression que la pièce se refroidit d'un coup. Si Constant était son complice ? S'il l'avait engagé pour tuer Saucier ?

— Que fais-tu de Sansregret ? Amélie Tellier a fini par nous avouer qu'elle est allée chez Saucier dans l'après-midi et que c'est elle qui lui a téléphoné pendant la nuit, pas son mari. Si Sansregret n'était pas à l'île d'Orléans, il pouvait être à Loretteville. Elle nous a fait perdre du temps…

Une sonnerie coupa court aux doléances de Rouaix. Provencher était en ligne. Graham décrocha à son tour.

— Qu'est-ce que Constant vous a raconté ? fit-elle aussitôt.

— Rien qui plaira à Sansregret. Leur belle amitié va battre de l'aile quand il apprendra que Constant savait qu'Amélie Tellier et Saucier avaient une liaison et qu'il a gardé ça pour lui.

L'interrogatoire de Daniel Constant avait été instructif. Le relevé téléphonique provenant de l'appareil du prévenu avait permis aux enquêteurs de le relier à Rodolphe Clermont, un homme d'affaires montréalais. Constant avait admis avoir été engagé par Clermont pour le tenir informé de toutes les décisions de Grandir et, surtout, pour en influencer les membres, Elias Sansregret en tête de liste. Clermont espérait que les débordements de Grandir nuiraient au projet du complexe hôtelier, que le gouvernement lâcherait Saucier et que ce dernier devrait abandonner l'idée de construire ses hôtels. Clermont, travaillant sur un projet similaire dans une région voisine, était persuadé qu'il n'y avait pas de place pour la concurrence.

— Daniel Constant nous a ensuite raconté qu'il était avec Elias Sansregret la nuit où Saucier a été assassiné. Ils se sont soûlés.

— Il faudrait qu'on puisse trouver des témoins qui les ont vus ensemble cette nuit-là.

— Ils ont fermé le bar du Clarendon, fit Provencher. Ils étaient en bonne compagnie.

— Je croyais que Sansregret était dans les AA.

— Pas ce soir-là, en tout cas.

— Et ensuite ?

— Ils ont loué deux chambres à l'hôtel. Au début, Constant trouvait ça drôle de nous faire perdre notre temps, mais il y a une fin à tout. Son chum Sansregret n'est pas venu le sortir de prison assez vite. C'est sûr que, en plus, il protégeait l'investisseur qui lui versait de l'argent sur le compte de Jacques Fournier.

— Ils étaient avec des femmes ? reprit Graham.

— Des jeunes avec qui ils ont bu jusqu'au *last call.*

— Il trompait donc sa femme pendant qu'elle s'envoyait en l'air avec Saucier, et Constant était au courant de tout.

— Oui, conclut Provencher. On a vérifié tous les éléments dont il a fait état. On doit le relâcher. Il nous a donné le nom des deux filles. Des gens les ont vus à l'hôtel, un employé leur a apporté une pizza à trois heures du matin. Ils ont vidé les bouteilles du minibar. Personne ne les a vus ressortir de l'hôtel. Ça me surprendrait que l'un ou l'autre soit allé à Loretteville dans l'état où ils étaient.

— Sansregret ne savait donc pas ce qu'Amélie Tellier faisait pendant qu'il fricotait avec une jeune poulette, constata Graham. Mais elle savait qu'il n'était pas à l'île d'Orléans le 18 juillet.

— On va l'interroger de nouveau. Sansregret et elle sont toujours dans nos bureaux, assura Provencher. Elle a pu se rendre chez Saucier après leur échange téléphonique.

— Et le chantier ? Les deux autres victimes ? Les plumes ? Les balles ? Quel serait le lien d'Amélie Tellier avec ces meurtres ? Constant n'a rien raconté là-dessus ?

— Non.

Graham et Rouaix échangèrent un regard ennuyé en rompant la communication. Ces derniers développements ne les avaient pas rapprochés d'une solution. Constant n'était pas impliqué dans la mort de Bernard Saucier. Et on pouvait parier que ce n'était pas le cas non plus pour Sansregret. L'épouse était toujours suspecte, mais le mandat de perquisition n'avait pas permis de retrouver l'arme du crime. Ni au domicile de Québec ni à celui de l'île d'Orléans.

— On doit se recentrer, déclara Rouaix. À qui profite le crime ?

— L'éternelle question… Ce sont les enfants qui héritent.

— Et les filleuls, ajouta Graham. Cent mille dollars chacun.

— Ils ignoraient qu'ils toucheraient cette somme.

— La surveillance de Jules Saucier nous a indiqué qu'il avait reçu un appel de Vincent. C'est normal qu'ils se parlent, mais je serais curieuse de savoir pourquoi Jules a pris la route ce matin en direction de Québec. Je n'ai jamais cru à son grand désir de discuter avec son père en pleine nuit.

— Moi non plus.

Rouaix regarda sa montre ; à cette heure-ci, Jules Saucier devrait être près de Montmagny.

— Vincent a découvert le corps de son père, rappela Graham. Il prétend avoir tout oublié, mais il est pourtant celui qui a vu ou mis la plume dans la chemise du cadavre de Corriveau. Imaginons qu'il en ait parlé à Jules. Ils ont pu décider ensemble de faire la même chose pour Saucier. Qui d'autre, à part Vincent, connaissait l'existence de la plume sur le corps de son père ?

— Jules peut avoir débranché les caméras après son arrivée chez Saucier afin que Vincent n'apparaisse pas sur les vidéos de surveillance, dit Rouaix.

— Mais ce n'est pas Vincent qui a laissé des plumes dans la poche de Brûlotte. Alors qui ? Qui a un lien avec les trois victimes ?

Elle se leva d'un geste brusque, faillit faire tomber la photo de famille et annonça à Rouaix qu'elle partait pour l'hôpital pour parler à Francis Guérin.

— J'en ai assez ! déclara-t-elle en attrapant son sac à main. Je vais secouer la cage. J'avais dit à Guérin que je lui donnerais des nouvelles de Constant. Je veux qu'il apprenne par moi qu'il a été relâché. Appelle Jules, Livia et Vincent pour les prévenir, eux aussi. Ils bougeront peut-être. On verra si Jules entre en contact avec Vincent. Ou quelqu'un d'autre.

— Francis Guérin, murmura Rouaix. Qui connaissait Brûlotte, Corriveau et Saucier.

— Ou Livia ? Nous n'avons pas pu définir son rôle dans cette histoire, mais elle a pu en jouer un.

Maud Graham quitta le poste en songeant que sa voiture n'aurait même pas le temps de refroidir d'ici à son arrivée à l'hôpital.

Elle se présenta à l'urgence de Saint-François d'Assise où elle dut attendre Francis Guérin durant près d'une heure, car il était auprès d'un blessé. Il ne put cacher son étonnement en apercevant Maud Graham devant le poste des infirmières.

— Que faites-vous ici ?

— Vous vouliez en savoir plus sur Constant. Il a été libéré, il n'a rien à voir avec le meurtre de Saucier.

Est-ce que Guérin blêmit ?

— Qui… qui l'a tué alors?

— J'aimerais bien l'apprendre. Constant n'a jamais entendu parler de Brûlotte ni de Corriveau. Mais je reste convaincue que les trois meurtres sont liés. À cause des plumes. Elles m'obsèdent. Le filleul de Saucier, Vincent Corriveau, est le seul à savoir qu'il y avait une plume sur le corps de son père et son alibi pour le soir du meurtre est faible. Je dois patienter encore quelques heures, mais je vous tiendrai au courant.

Elle serra la main de Guérin après lui avoir dit qu'Alain était ravi qu'il l'ait sollicité pour organiser une dégustation à Québec.

— J'imagine que les conjoints seront invités?

Francis Guérin parut se demander durant quelques secondes de quoi il s'agissait, mais il finit par hocher la tête en silence.

Maud Graham regagna sa voiture sans un regard pour le véhicule fantôme conduit par McEwen et traversa la première avenue, le pont de la rivière Saint-Charles, se rappela que Maxime avait habité le même quartier que Vincent Corriveau. Quand elle l'avait pris sous son aile, il demeurait dans Saint-Roch et patinait sur la rivière.

Elle appela Joubert qui était déjà posté rue de la Reine et se gara dans la rue voisine avant de rejoindre son collègue.

— Vincent n'a pas bougé de chez lui. Rouaix m'a confirmé que Jules Saucier roule en direction de Québec. Ça me surprendrait qu'il rejoigne Vincent ici.

— Non, ils se retrouveront plutôt dans un endroit public afin qu'on croie au hasard. Mais je parie que Vincent recevra un coup de fil bien avant que Jules traverse le pont. Je mise sur Francis Guérin.

— Que sais-tu de nouveau? s'exclama Joubert.

— McEwen vient de m'appeler. Guérin a quitté l'hôpital. Elle le file et l'a vu téléphoner de sa voiture. Que peut-il y avoir de si important pour qu'il abandonne son poste ? Un médecin si réputé pour son professionnalisme. Guérin est le seul à avoir un lien avec les trois victimes. Un motif de vengeance. Un alibi qui ne vaut pas plus que celui de Vincent Corriveau.

Graham fit une pause avant de se blâmer.

— Corriveau et Guérin ont pu se parler bien avant aujourd'hui. Guérin connaissait peut-être depuis longtemps l'existence de Vincent par Jean-François Cliche. Tout comme celle de Jules. On aurait dû mettre ce médecin sous écoute.

— On n'a aucune preuve qui le relie à l'affaire. Aucun juge n'aurait autorisé une écoute sur ta seule intuition. Il n'y a aucun lien aussi direct que Jules qui était sur place la nuit du meurtre. Tu crois vraiment que Guérin a incité Vincent ou Jules à tuer Saucier ? Dans ce cas, qui a tué les deux autres ? Si c'est lui, pourquoi ne leur a-t-il pas fourni la même arme ?

Maud Graham balaya la contradiction que relevait Michel Joubert ; elle n'avait jamais prétendu que Guérin avait poussé un des jeunes hommes au crime.

— Que veux-tu dire, alors ?

— Rien, avoua-t-elle. Et tout.

— Parce qu'Amélie Tellier a affirmé à Provencher qu'elle avait entendu Bernard Saucier parler à son fils ? Mais Jules ne s'est pas caché longtemps d'être allé chez son père.

— C'est bizarre qu'il se soit rendu à Loretteville à cette heure-là. Le meurtrier n'apparaît pas sur les bandes vidéo, mais Jules, oui. Jules a pu protéger Vincent ou Guérin parce qu'ils sont complices. Guérin conduit une Porsche. Il a très bien pu se rendre à Loretteville et revenir à l'hôpital rapidement. Il a eu la chance de ne pas être intercepté. Et si c'était arrivé, il aurait dit qu'il était médecin et qu'il avait été appelé pour une urgence. Constant a été arrêté et ils se sont tous crus à l'abri. Alors, on attend.

***

Francis Guérin écoutait ronronner le moteur de sa Porsche en songeant qu'il l'entendait pour la dernière fois. Il avait appelé Vincent Corriveau, lui avait dit qu'il pensait qu'il avait tué Bernard Saucier et qu'il l'en remerciait. Vincent avait raccroché immédiatement, mais Francis l'avait rappelé pour lui dire qu'il s'accuserait de ce meurtre. Que c'était lui qui aurait dû le commettre.

— Tu es trop jeune pour être condamné.

— Je... je ne comprends rien à ce que vous dites ! avait bredouillé Vincent. Vous vous trompez de...

— Attends ! Ne raccroche pas ! Je te dis que je ne veux pas que tu sois arrêté pour le meurtre de ton parrain. Ce n'est pas Constant qui a tué Bernard. Il va être relâché. Tu seras sous écoute bientôt, on fouillera chez toi parce que tu es le seul à savoir qu'il y avait une plume sur le corps de ton père. Qui d'autre aurait pu avoir l'idée de mettre une plume sur le corps de Saucier pour faire croire qu'il s'agissait du même meurtrier ? Il n'y a que toi et ta mère qui étiez au courant. Et moi. Je m'appelle Francis Guérin. J'étais au chantier avec ton père et ton parrain.

— Je ne comprends rien à ce que vous racontez, protesta Vincent.

— C'est moi qui ai déposé cette plume sur le corps de ton père. C'est moi qui l'ai tué.

— Quoi ?

— C'est une histoire de vengeance, mais je n'avais rien contre toi. Tu as été privé de ton père. Je te propose de me racheter en endossant l'assassinat de Saucier. Je l'aurais tué de toute manière…

— Je ne…

— Tu viendras me voir en prison si tu veux les détails. Je vais me constituer prisonnier. Les enquêteurs doivent déjà être à ta porte. Promets-moi seulement de ne rien dire aux enquêteurs sans la présence d'un avocat. Que leur as-tu raconté jusqu'à maintenant ?

Comme Vincent ne répondait pas, Francis lui avait répété qu'il n'avait rien à craindre, il assumerait tout. Mais il devait savoir ce qu'il avait dit à Maud Graham.

— Que j'ai bu le soir du meurtre. Que je ne me souvenais de rien.

— C'est parfait. Quelle arme as-tu utilisée ?

— Je… je ne vous connais pas… Vous dites n'importe quoi.

— Je ne suis pas un policier ! Je te le jure ! Je suis médecin. J'étais au chantier avec ton père, Saucier, Lemire, Cliche et Corriveau. En 1981.

Guérin avait entendu une exclamation, puis un long soupir qui ressemblait à du soulagement.

— Ne me réponds pas. Tu es libre. Ils auront leur coupable.

— Je ne…

— Tu comprendras plus tard. Ne change rien à tes habitudes et continue à dire que tu ne te souviens de rien, c'est tout ce que je te demande.

— Mais…

Francis Guérin avait coupé la communication avant de tourner à gauche, rue Saint-Paul, en direction du boulevard Champlain. Il roulait maintenant sur cette voie en songeant qu'il avait bien choisi sa dernière route ; les aménagements du boulevard créaient une harmonie qui s'accordait avec son état d'esprit. Les petits monticules de verdure qui bordaient le Saint-Laurent imitaient ses vagues, d'une rondeur aimable, verts comme l'espérance. Il remarqua une mère et son enfant sur un banc, pointant les voiliers qui mouchetaient le fleuve bleuté, un cycliste qui pédalait sans tenir le guidon de son vélo et il se sentit aussi libre que lui. Il était enfin en paix avec lui-même. Il se rendrait jusqu'au bout du boulevard puis appellerait Maud Graham pour se constituer prisonnier.

***

Québec, 2 août 2011

Le plateau de fruits était vide devant Francis Guérin et Maud Graham s'informa. Avait-il assez mangé ? Désirait-il un café ?

— Non, je ne dormirais pas.

— Vous n'avez pourtant pas l'air fatigué, même si nous n'avons pas eu beaucoup de sommeil ni vous ni moi.

— Mais une longue nuit. J'ai l'habitude.

— Moi aussi.

— C'est que je me détends. Vous devriez, vous aussi, puisque vous tenez l'assassin de Bernard Saucier.

— Ce qui m'étonne, c'est pourquoi vous n'avez rien avoué avant que je vous annonce la libération de Daniel Constant. Nous serions arrivés au même résultat plus rapidement. Vous auriez pu relaxer plus vite au lieu de me poser toutes ces questions sur notre suspect.

— J'étais intrigué. Je ne comprenais pas comment vous aviez pu conclure que c'était lui. Il n'était pas au chantier, il ne pouvait pas savoir qu'il y avait ces plumes dans l'histoire. Il ne connaissait pas Nishk.

— Il avait proféré des menaces contre Bernard Saucier, dit Graham. Il tentait de traverser la frontière quand on l'a intercepté. Il possédait un Beretta, un Mauser, un Glock. Qu'avez-vous fait de votre 9 mm ?

— Je vous l'ai dit. Je l'ai jeté dans le fleuve après la mort de Saucier. Il était le dernier sur ma liste.

— Mais Cliche et Lemire ?

— Je les avais rayés de la liste. Cliche a la vie que vous savez et Lemire a payé en perdant sa femme le 11 septembre.

— Et le silencieux du browning ? Les balles ?

Francis Guérin avait hoché la tête ; il avait tout mis dans un sac, qu'il avait lesté et jeté dans le Saint-Laurent.

— Tout ensemble, dans le fleuve, dit Graham. À quel endroit ?

— Ça aussi, je vous l'ai dit. J'ai l'impression de donner un cours. On est obligé de tout répéter aux étudiants ! J'ai tout balancé après la section portuaire. À peu près là où vous m'avez arrêté. Je n'aimais pas avoir une arme chez moi.

— Vous voulez dire qu'on aurait trouvé votre arsenal si on avait fouillé, lorsque nous nous sommes présentés chez vous la première fois ?

— C'est justement votre visite qui m'a fortement incité à me débarrasser de tout mon attirail. J'ai été surpris que vous frappiez si vite à ma porte, alors que je n'avais jamais formulé de menaces contre Saucier en public. Je ne vous ai pas crue quand vous m'avez raconté que vous rencontriez tous les gens qui avaient connu Saucier. C'était impossible.

— J'ai su que vous étiez mêlé à cette histoire quand j'ai vu cette photo, chez Cliche, où vous regardiez Gabriel

Siméon. Je vais chercher du thé. Vous devriez en prendre aussi. Nous n'avons pas fini.

Francis Guérin fronça les sourcils. Que voulait-elle de plus ? Il avait avoué les meurtres, confirmé qu'il avait déposé les plumes en mémoire de Nishk, de sa mort qui avait entraîné celle de Gabriel. N'avait-il pas choisi la date du 18 juillet pour ses trois crimes ? Que lui manquait-il ?

— Envoyez-moi en cellule. Nous nous sommes tout dit.

— Je pense que oui, mais je veux être bien certaine de ne rien oublier. Vous avez refusé d'avoir recours à un avocat, à condition que je sois seule avec vous pour recueillir vos aveux, mais vous comprendrez que je veux m'assurer que tout est fait dans les règles. Je vais chercher du thé, discuter un peu avec Rouaix et Joubert, et je vous reviens. On aura fini avant midi, je vous le promets.

Guérin se contenta de croiser les bras sur la table et d'y poser sa tête.

— Vous me réveillerez quand vous reviendrez.

Maud Graham referma doucement la porte derrière elle avant de rejoindre les enquêteurs réunis dans une salle voisine où leur était retransmis l'interrogatoire. D'un seul regard, elle perçut la fatigue de ses amis, nota les manches relevées de Provencher, le col de chemise déboutonné de Rouaix, les cheveux en broussaille de Joubert et le bracelet qu'avait enlevé McEwen. L'air était climatisé dans la pièce, mais ils semblaient tous avoir voulu se libérer d'un carcan, balayer leur stress avec ces petits gestes du quotidien qu'ils devaient faire en rentrant chez eux ou en arrivant à la brasserie. Elle-même avait depuis longtemps troqué ses verres de contact pour ses vieilles lunettes.

— Je pense que je devrais t'emmener à la pêche, déclara Provencher. Tu fatigues bien le poisson. C'était parfait, le silencieux balancé à la flotte avec le 9 mm et les balles au lendemain de votre visite.

— Il a l'air vraiment calme, observa Joubert. Presque content.

— Il l'est. Il ne savait plus comment gérer tout ça. C'est un vrai bon médecin, doué pour sauver des vies. Tuer est contraire à sa nature. Ça fait plus de vingt ans que ces ombres planent au-dessus de lui. Il n'a jamais été heureux.

— Là, il sera malheureux, mais moins stressé ? Je ne sais pas à quoi il s'attend d'un pénitencier…

— Il a construit sa propre cellule, murmura McEwen.

— Bon, je remplis mon thermos et j'y retourne. J'établirai qu'il n'a pas tué Saucier. À force de tourner en rond, je vais l'avoir. Depuis le début, c'est la forme de notre enquête. Un cercle.

Comme celui que décrivent les oies veuves autour de leurs défunts, pensa Maud Graham. Les oies fidèles comme Francis Guérin. Elle poussa la porte de la salle de bain où sa propre image l'étonna. Ces lunettes la vieillissaient-elles autant ou était-ce cette nuit blanche et cette tristesse à l'idée d'envoyer des hommes perdus par l'amour au pénitencier ? Elle eut envie de téléphoner à Alain, se retint. Il était 5 h 40.

— Je le laisse dormir, se promit-elle dans le miroir avant d'inspirer profondément.

Il fallait maintenant en finir avec toute cette douleur. Opérer. Guérin le comprendrait. Il croyait aider Vincent Corriveau en le couvrant, mais il se trompait. Les secrets rongent aussi sûrement que l'acide.

Le médecin releva la tête quand elle entra dans la salle d'interrogatoire. Elle lui tendit une tasse propre, l'emplit de thé avant de se servir.

— Vous avez refusé le café, mais un bon thé est tellement réconfortant.

— J'aurais besoin de réconfort ?

— Depuis longtemps. Depuis que Gabriel est mort. Pourquoi avez-vous choisi un browning 9 mm ?

— Je ne l'ai pas vraiment choisi. Je ne connais rien aux armes. Je l'ai acheté dans un bar.

— Vous vous êtes beaucoup exercé.

— Non. J'ai tiré de près, tout simplement. Je devais être à un mètre de Corriveau.

— Mais vous étiez plus loin pour Saucier.

— Peut-être. C'est plus difficile à évaluer en pleine nuit.

— Vous avez aussi abattu Brûlotte à la noirceur.

Maud Graham but une gorgée de thé. Le goût du Sencha s'était évanoui depuis longtemps. Elle ne buvait que l'idée d'un thé, mais malgré tout elle l'appréciait parce que c'était un rituel qui la rassurait toujours.

— Vous avez dû être éclaboussé par le sang, surtout pour Brûlotte parce que c'était le plus près de vous.

— C'était le premier, j'avais peur de le rater. Je tremblais. Oui, j'en ai reçu partout.

— Est-ce que ça fait le même effet qu'en opérant ? Du sang, c'est du sang ?

Francis Guérin se passa la langue sur les lèvres, réfléchissant avant d'acquiescer.

— Je suppose. Ça ne m'a pas gêné.

— Pour aucun des trois ?

— Non. Ça fait partie de mon quotidien.

— Moi, je ne m'habitue pas, confia Graham. Le sang a une odeur de fer qui m'écœure toujours un peu. Douce et salée en même temps. En plus, en plein été... Il faisait chaud le soir où vous avez tiré sur Saucier.

— Oui, il faisait chaud, le 18 juillet.

— Vous avez dû jeter votre chemise ou votre tee-shirt après avoir tué Saucier parce qu'on n'a rien retrouvé chez vous portant des traces de sang.

— Ce n'était pas dans mon intérêt de conserver ce genre de preuve. De toute façon, ma chemise était foutue.

— C'est vrai, le sang, ça ne part jamais complètement. Sauf dans les hôpitaux, vous avez des machines ultra-puissantes à des températures incroyables pour tout désinfecter. Mais je n'ai jamais réussi à laver parfaitement ce que le sang a taché. Tant pis pour votre chemise gâchée, vous avez les moyens d'en acheter d'autres.

Elle lut une lueur d'impatience dans l'œil de Guérin qui semblait considérer qu'elle étirait inutilement l'interrogatoire en discutant de ses problèmes de ménagère.

— Vous deviez porter une combinaison sur les lieux du crime, lâcha-t-il. Vous ne pouvez pas vous être salie en vous approchant du corps de Saucier.

— Non, mais ce n'est pas à cause de la combinaison.

Guérin se redressa imperceptiblement sur son siège, plus inquiet maintenant qu'impatient.

— Alain a été très surpris à l'autopsie. Figurez-vous que vous avez touché le septum.

Les mains de Francis Guérin s'étaient figées sur la tasse brûlante. Il les retira d'un geste brusque.

— Le septum, oui, reprit Graham. La balle en plein sur le nerf central. Je pense que c'était la première fois qu'Alain voyait ça. Mort instantanée. Quasiment pas de sang. À cette distance, il ne devait pas y en avoir du tout sur votre chemise.

Maud Graham fixa Francis Guérin qui haussa les épaules. C'est vrai que la chemise n'était pas si tachée, mais il avait préféré s'en débarrasser.

— Pourquoi ne l'avez-vous pas jetée en même temps que l'arme et le silencieux ?

— À... à cause de la femme de ménage. Elle ne pouvait pas découvrir l'arme, mais la chemise, oui. C'est elle qui fait mon lavage.

— Où cachiez-vous l'arme ?

— Il y a un double-fond à la bibliothèque du salon. Allez-vous me reposer encore toutes les mêmes questions ? J'aurais dû prendre un avocat…

— On achève, promit Graham en feuilletant son calepin. Juste une dernière vérification. Le voisin de Saucier nous a dit qu'il avait entendu un coup de feu à deux heures du matin. Mais on a vérifié l'horaire de l'hôpital et vous étiez là, à cette heure-là. On a un trou un peu plus tard…

— Il était plutôt trois heures.

— C'est aussi ce qu'Alain pense. Entre trois et quatre heures du matin.

Francis Guérin acquiesça, but une gorgée de thé avant de s'excuser de leur avoir fait perdre du temps.

— J'aurais dû tout avouer avant. Je savais bien que vous finiriez par trouver mon lien avec Saucier.

— Vos liens. Il y a Gabriel, Nishk, Vincent Corriveau. Vous l'avez appelé juste avant qu'on vous arrête. C'est curieux. Parce que vous ne lui avez jamais téléphoné avant hier. On vient de récupérer ses relevés téléphoniques et il n'y a qu'un seul appel provenant de votre appareil. C'est étrange. Tout comme le fait que le voisin vous ait entendu tirer à deux heures du matin, alors que vous m'avez parlé de trois heures.

— Il était endormi, il s'est trompé sur l'heure.

— Ce n'est pas l'heure qui me pose problème. C'est le son. Le bruit du coup de feu. Vous avez dit que vous aviez utilisé un silencieux. Que vous l'avez jeté dans le fleuve avec le 9 mm et les balles.

Graham referma le calepin, le posa sur la table et dit à Francis Guérin qu'elle n'arrivait pas à s'expliquer pourquoi la balle trouvée dans le corps de Bernard Saucier n'avait pas les mêmes marques que celles qui avaient touché Brûlotte et Corriveau.

— Vincent Corriveau était sous écoute, mentit Graham. Nous n'avons pas seulement le relevé téléphonique, mais l'enregistrement de votre appel. Il était le seul à savoir qu'il y avait une plume sur le corps de son père. Nous en sommes arrivés aux mêmes conclusions.

— Il n'a jamais dit qu'il avait tué Bernard ! cria Guérin. Vous n'avez pas le droit ! C'est moi qui l'ai tué ! C'est ce que j'ai toujours voulu.

— Je vous crois. Mais vous ne pouviez pas proposer à Vincent d'endosser le crime.

— Vincent ne m'a pas dit qu'il avait tué Bernard, répéta le médecin.

— On l'a tout de même appréhendé. On pense que Jules Saucier était son complice. Et peut-être Livia. On les a vus ensemble dans des bars au début de l'été. On a montré leurs photos. Livia a prétendu dormir comme une bûche la nuit du 17 au 18 juillet, mais on ignore si elle est vraiment restée au chalet ou si elle a accompagné son frère quand il est allé à Loretteville. Sur les bandes vidéo, on voit Jules entrer et sortir. Mais elle ou Vincent ont pu entrer par une autre porte dès que Jules a débranché les caméras. Pendant qu'il buvait un verre de vin, tandis que leur père était au téléphone avec sa maîtresse.

Graham fit une pause, soupira.

— Ce n'est pas un bon plan ?

— Pourquoi auraient-ils tué Bernard ? rétorqua Guérin.

— L'héritage est un excellent motif. Vous devez renoncer à les couvrir…

Comme Francis Guérin se taisait, Graham ajouta qu'ils avaient les moyens de se payer un excellent avocat. Peut-être serait-il le seul à payer dans cette histoire.

« Car nous n'avons pas encore de preuves », songeat-elle en mettant fin à l'interrogatoire.

Rouaix était dans le couloir. Il lui posa une main sur l'épaule.

— Tu ne pouvais pas en faire plus.

— On a résolu deux *cold cases*, mais…

— Guérin a admis avoir parlé à Vincent, l'assura Provencher. On fera pression sur lui. Il va nous parler bientôt de Jules, c'est inévitable. À qui profite le crime ? Les bonnes vieilles règles sont respectées. Il a demandé à être représenté par un avocat. On l'interrogera dans quelques heures. Tout comme les aînés de Saucier.

Joubert, McEwen et Provencher sortirent à leur tour de la pièce où ils étaient restés trop longtemps, s'étirèrent, bâillèrent.

— J'ai faim, finit par dire Pierre-Ange Provencher.

— Peut-être que Grégoire pourrait faire une exception, avança Graham, et nous ouvrir le resto avant midi ?

Elle sourit à Michel Joubert avant d'ajouter que Grégoire ne saurait rien lui refuser.

Puis elle s'éclipsa de nouveau dans la salle de bain et apprécia la délicatesse de McEwen qui s'abstint de la suivre. Elle avait besoin d'être seule. Elle faillit pleurer en refermant la porte derrière elle, de soulagement ou de lassitude, mais décida plutôt de réveiller Alain. Il répondit à la première sonnerie et dit : « Tout va bien, mon amour ? »

Presque. Elle souperait avec Maxime à la maison. Sans Léo. Mais tout près de son lilas.

***

Il y avait une jubilation certaine dans la voix de Provencher quand Rouaix et Graham le rejoignirent à son bureau.

— Vincent Corriveau a avoué ?

— Mieux que ça ! Il a dénoncé Jules et Livia.

Rouaix siffla entre ses dents : c'était inespéré !

— On l'a quand même cuisiné durant cinq heures, rappela Provencher. Il était plus coriace que je ne l'avais imaginé, mais quand je lui ai fait entendre l'enregistrement d'un premier interrogatoire avec Jules Saucier, où celui-ci nie toute participation au meurtre, il s'est énervé. Les Saucier devaient aussi payer !

— Livia était donc du complot ?

— Oui. Elle était la maîtresse de Vincent. Selon lui, ils devaient se marier. Attendre six mois après la mort de Bernard et convoler en justes noces...

— Elle et Jules auraient manipulé Vincent ?

— Il n'était pas aussi naïf qu'ils le croyaient, malheureusement pour eux. Livia et lui ont commencé à se voir au début de l'hiver. Elle se plaignait déjà de son père qui ne tenait pas ses promesses envers elle. Thierry allait tout gagner et elle serait reléguée dans un coin. Alors qu'elle était là avant lui... Et Jules avait envie de vivre sa vie sans se cacher.

— Et Vincent avait envie d'être riche. Beau trio !

— Ils ont commencé à évoquer leur existence si Bernard décédait, poursuivit Provencher. Puis ils sont passés à une autre étape, plus concrète.

— Tu disais que Vincent n'était pas si crédule ?

— Il ne faisait pas confiance aux Saucier. Pas après tous les mensonges de Bernard à son père. Alors, au cas où Livia aurait changé d'idée et n'aurait plus voulu l'épouser après le meurtre de Saucier, il avait enregistré leurs conversations. Au gym, il entraîne un jeune, un maniaque de gadgets informatiques. Il lui a fourni le matériel. Les micros sont vraiment sensibles de nos jours, comparativement à ce qui existait quand je suis entré à la SQ.

— Vous avez tout récupéré ?

— Vincent avait laissé les bandes au gym. On aurait pu mettre un certain temps à les trouver si on avait dû fouiller l'endroit de fond en comble.

— Qu'est-ce qu'on attend ?

Provencher haussa les épaules. Il n'y avait pas de conversations où il était précisément question d'un mode opératoire pour l'assassinat de Bernard Saucier, mais un avocat pourrait établir aisément la complicité entre les aînés Saucier et Vincent Corriveau.

— Ce qui m'ennuie, c'est que Jules clamera sûrement qu'il n'était pas sérieux quand il évoquait la disparition de son père, mais les bandes sont troublantes. Livia demande combien peut coûter une arme sur le marché noir.

Maud Graham soupira. Jules et Livia avaient les moyens de s'offrir les services des meilleurs avocats de la province.

Provencher hocha la tête. La suite des événements ne leur appartenait pas.

— C'est Thierry qui sortira gagnant de cette histoire, fit Rouaix.

— Thierry qui dérangeait les aînés plus qu'ils ne le prétendaient, conclut Graham.

Elle eut une pensée pour Francesca Tozi dont l'univers doré s'écroulerait. Elle s'en voulut un peu de lui avoir envié sa beauté, son statut qui, au fond, ne garantissaient rien. Elle se jura d'essayer d'arrêter de se comparer aux autres femmes. Si Alain l'aimait telle qu'elle était, n'était-ce pas tout ce qui importait ?

SUIVEZ **MAUD GRAHAM**

Double disparition

Tamara, sept ans, a disparu. Au même moment, Trevor apprend au chevet de sa mère agonisante qu'il n'est pas son fils biologique. Bouleversé, il part à la recherche de sa mère naturelle. Deux enquêtes, quinze ans d'intervalle. Un défi pour Maud Graham.

Sous surveillance

Alexandre Mercier est obsédé par Gabrielle. Comme une araignée, il tisse sa toile. Il la possédera, qu'elle le veuille ou non. Il ne tolérera aucun obstacle. Il tuera, s'il le faut.

Promesses d'éternité

Un mort, un détective inconscient après avoir été battu, une femme et sa petite-fille disparues, un être inquiétant obsédé par le feu... L'automne s'annonce chargé pour Maud Graham.

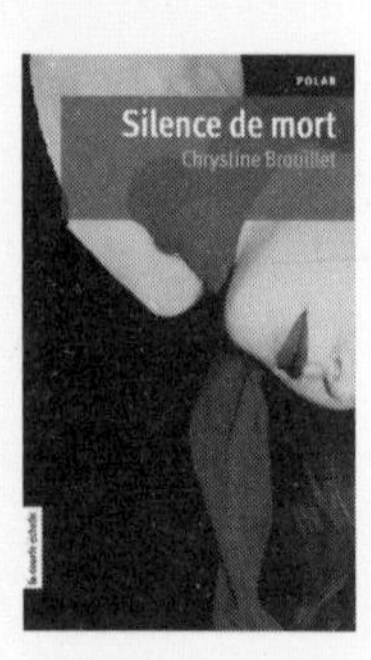

Silence de mort

Un homme et sa conjointe sont assassinés. On soupçonne que l'homme était lié au crime organisé et au trafic de drogue, et on conclut vite à un règlement de comptes. Pourtant, Maud Graham a des doutes...

Sans pardon

Pour venger la mort de sa sœur, assassinée par un détenu en liberté conditionnelle, Thomas Lapointe se transforme en justicier. Maud Graham interviendra-t-elle à temps ?

Indésirables

Un policier, collègue de Maud Graham, veut se débarrasser de sa femme. Il tente de convaincre une adolescente de l'éliminer à sa place. Mais la jeune fille est aussi une grande manipulatrice...

DANS SES ENQUÊTES

Soins intensifs
Denise Poissant a conduit son fils Kevin, deux ans, dans tous les hôpitaux de Québec, mais aucun médecin n'arrive à trouver de quelle maladie il souffre. Le personnel hospitalier commence à se poser des questions...

Les fiancées de l'enfer
Pour découvrir qui se cache derrière le Violeur à la croix, Maud Graham doit pénétrer sa pensée, se noyer dans son âme. Un voyage au cœur du Mal l'attend.

C'est pour mieux t'aimer, mon enfant
Un enfant est retrouvé mort. Près du cadavre, un homme se réveille, amnésique. Est-il coupable du crime ? Une enquête troublante pour Maud Graham. On ne s'habitue jamais à la mort d'un enfant...

Le Collectionneur
Un meurtrier rôde dans Québec. Il ne commet jamais la moindre erreur et semble tuer au hasard. Mais est-ce bien le hasard qui le guide ? Maud Graham questionne et cherche à comprendre.

Préférez-vous les icebergs ?
Dans le milieu théâtral de Québec, de jeunes comédiennes sont sauvagement assassinées. Découvrez la toute première enquête de Maud Graham.